フィリピン歴史研究と植民地言説

レイナルド・C・イレート
ビセンテ・L・ラファエル
フロロ・C・キブイェン ［編・監訳］永野善子

めこん

フィリピン歴史研究と植民地言説・目次

（　）、〔　〕は原文のまま。
〔――訳者〕は訳者が補った言葉。

フィリピン地図

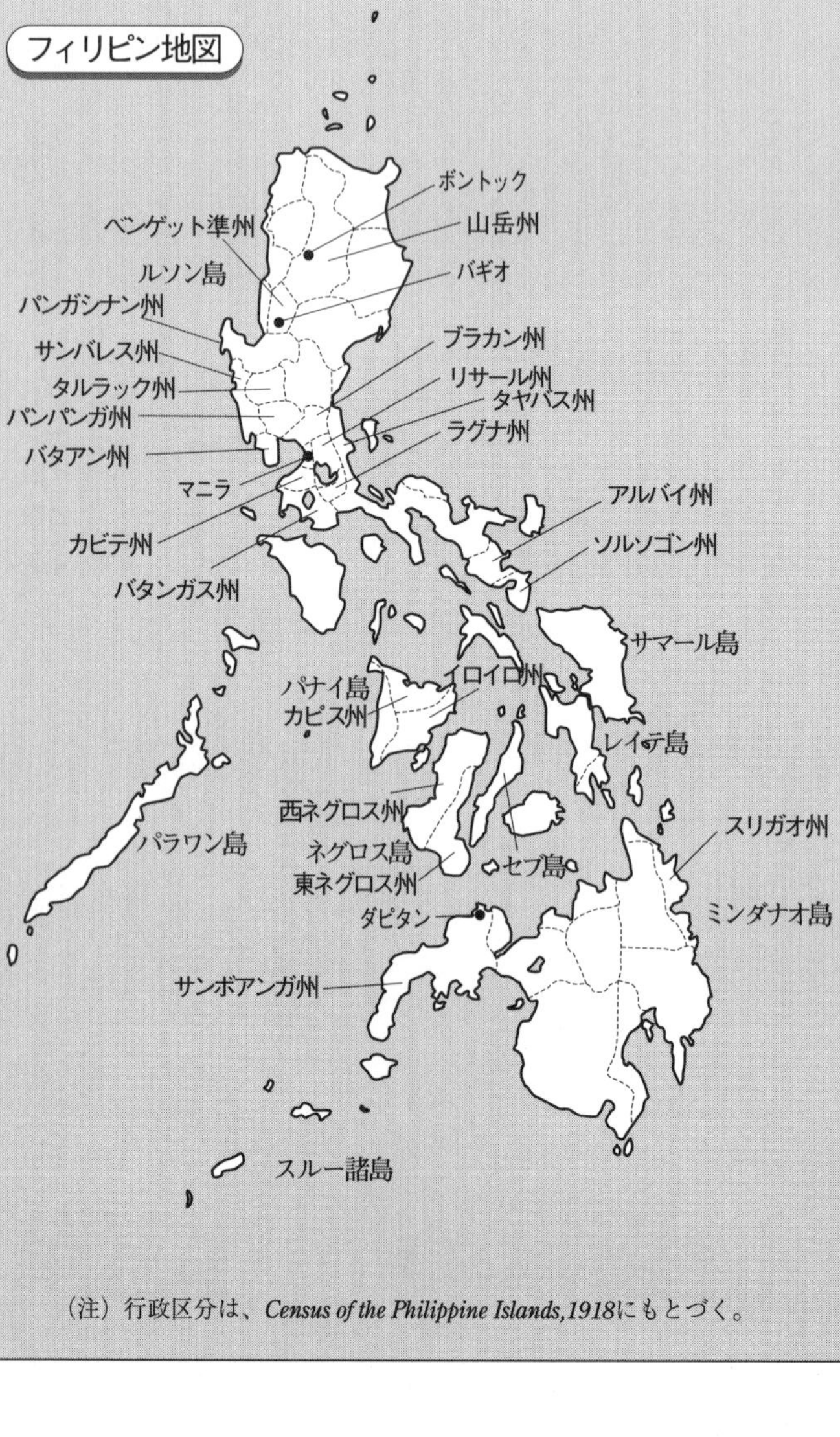

（注）行政区分は、*Census of the Philippine Islands,1918*にもとづく。

第1部　フィリピン革命史研究からオリエンタリズム批判へ

レイナルド・C・イレート

第1章　一八九六年革命と国民国家の神話

フィリピン近現代史をいかように書こうとも、「一八九六年革命（訳注1）」を起点とする一連の出来事がその基礎となっていることに疑いの余地はない。革命は、フィリピンの社会と政治の双方におけるそれまでの中心的な地位からスペイン・カトリック教会を排除し、国民国家の起源神話となる一連の出来事や今日「国民的英雄」と呼ばれている一群の人びとを新たに登場させた。一八九六年一二月にホセ・リサール（訳注2）が祖国のために受難の死を遂げ、それに続いて「フィリピン人のキリスト」が創出されるという出来事が革命のなかに包摂されることによって、国民国家の新しい社会的叙事詩が展開する要素がほぼ出揃い、究極的には、それらがスペイン統治時代に広まったキリスト受難詩《パション》（訳注3）に取って代わるかのように見えたのである。

ここで、現在われわれが、この二〇世紀のフィリピン社会で起きた最も重要な出来事のいくつかと見なしているものについて少し考えてみよう。マヌエル・ケソン（訳注4）に導かれた独立運動、リサリスタ運動（訳注5）や「コロルム（訳注6）」と呼ばれた民衆運動、社会主義もしくは共産主義運動、さらには、日本からの支援を得ようとしたリカルテ信奉者たち《リカルティスタ》（訳注7）の行動のことを。あるいは、優勢を誇る日本軍に対し祖国の独立のために抵抗しながら、「偉大なる救世主」ダグラス・マッカーサー将軍（訳注8）の帰還を待ち望んだフィリピン人ゲリラの奇怪な行動を思い起こしてみよう。第二次世界大戦後の重大事件、すなわち、フク団反乱（訳注9）、「第一・

四半期の大嵐」(訳注10)にいたる学生の急進化、フェルディナンド・マルコス(訳注11)の「民主革命」、ベニグノ・アキノ・ジュニア(訳注12)の暗殺あるいは受難の死とその帰結について考えてみよう。苦悩する「母なる祖国《イナン・バヤン》」と、その子どもたちの行動を求めるさまざまな呼びかけを巻き込んだこれらの出来事は、一八九六年革命が与えた意味母体《マトリックス》なくしては、ただひとつでさえも、その強靭さを獲得することはできなかったであろう。

私は、革命一〇〇周年を迎えた一九九六年にこの文章を書いているが、その私の脳裏に浮かぶ疑問は、矛盾、皮肉、曖昧さに満ちあふれたこれら出来事が、われわれにとってなぜこれほどまでに重要であり続けてきたのかということである。その理由は、それほど自明なのだろうか。革命はいかにして、これほどまでにわれわれの国民意識あるいは国民的想像力と不可分となったのだろうか。これらの出来事はいかにして、今日の国民国家の創設神話のなかに編み込まれたのだろうか。そして、この神話生成の過程に付随した沈黙と論争とはいかなるものだったのだろうか。この論文で、私は、アメリカ式教育制度が導入された直後の歴史教科書の編成内容のなかで、一八九六年革命がどのように描かれていたかを検討するというアプローチ方法を用いる。数限りない巧妙な方法で、われわれは、今日にいたるまで、何十年も前に書かれた教科書のなかで提示された革命の基本的な意味づけを内面化し、再生産し続けてきたのである。

この研究は単なる始まりにすぎない。私はここで、公立学校用に書かれた二つのフィリピン史に焦点をあてることにしたい。そのひとつはデービッド・バロウズによるもので、これは、一九〇五年にはじめて出版され、早くも一九〇七年に再版され、そして一九二四年に新版として再刊行された。二つ目はコンラッド・ベニテスによるもので、一九二六年に出版され、一九五四年に大幅に改訂された。私は、これらと競合する教科書もあり、私立学校などの諸機関ではそれが使用されていたことを十分承知している。実際バロウズは、一九〇七年版で、カトリック教会が初版を厳しく批判したことに触れているが、自らの解釈を変えようとはしなかった。いずれにせよ、国民国家形成において決定的に重要であったこの時期を通して、公立学校用の公定教科書の方がその他の教科書よりも、国民意識形成に対してはるかに大きな影響を与えたと見て間違いないであろう。

デービッド・バロウズは、教育関係当局の提案を受けて、公立高校用に『フィリピンの歴史』(訳注13)を執筆した。バロウズは一九〇三年から一九〇九年までフィリピン教育局長官を務めていたので、これは驚くにあたらない。一八九六年革命は、「進歩と革命、一八三七〜一八九七年」と題する第一二章で扱われている。

「一八九六年反乱」とバロウズが呼ぶ出来事は、「現地住民《ネイティブ》たちのさらなる進歩」を阻害した「スペイン人の犯した大きな間違い」にその責任があるとされている。また、修道士は、「民族《レイス》(訳注14)の全体的な啓蒙に反対する中心勢力」として把握されている。だが、植民地支配に対する抵抗は、インディオ社会の上流階層で始まったのである。バロウズにとって、カティプーナン(訳注15)現象そのものが浸透過程《トリックル・ダウン》の結果であった。「富裕で教育のあるフィリピン人たちが鼓吹した思想は、貧しく身分の低い階層の人びとの間に浸透していった。それは、いまや農民や漁民までが共有するにいたった」、と。一八九六年の出来事は、次のように語られている。

……大半の構成員が無学な階層の人びとからなる秘密結社が成長し、それが徐々に広がり、いまやマニラを囲むすべての州に支部と会員をもつにいたった。この結社の目標はスペインからの独立であり、会員たちは失うものがほとんどなかったため、喜んでこれにすべてを賭けた。これは、以来、「カティプーナン」という名で有名となった結社であった。この秘密組織は一八九二年頃にマニラで結成された。その指導者であり創設者であった人物は、アンドレス・ボニファシオ[訳注16]であった。その目的は、端的に言えば、修道士を追放し、さらに可能であればスペイン植民地政府を打倒することにあった。

一読した限り、この文章はいたって無害なものに見える。この物語を通して、フィリピンの高校生は、一世代あるいは二世代にわたってひとり残らず、カティプーナンと一八九六年革命に関する知識を得たのである。それはさておき、この短いエピソードを教科書全体の文脈において考えることにしよう。フィリピン人はどのようにして一八九六年を、フィリピン史の、さらには世界史の全体像の枠組みのなかに位置づけるようになったのだろうか。このようなかたちで革命の記憶を構成することは、いったい何を意味するのだろうか。

バロウズは、一九二四年版教科書の序論で、「彼ら自身の民族と故郷の島だけでなく、極東およびヨーロッパの歴史におけるその民族の位置に関する知識、……ほかの地域における進歩と闘争が、ルソンとビサヤの地における人間の精神にどのように影響を与えたかについての知識を求めるフィリピン人の学生のために」、この本を書いたと述べている。これをはじめとするバロウズのさまざまな言葉から、フィリピン人は、自分たちが単に固有の居住地あるいは「故郷の島」をもつだけでなく、人種《レイス》的ヒエラルキーのなかにも固有の位置をもつ民族であると考えるように教え込まれていたことが明らかとなる。生徒は、最上位に最も進んだ人種（あるいはヨーロッパ人）が、そして最下位には最も原始的な人種（「極東」のような地域に見られる）が位置する進化の階梯のなかに、フィリピン民族を位置づけるよう求められたのである。

人種の言説は、進歩の言説、とりわけヘーゲル流の「人間の精神」の発展と結びついている。バロウズを読むフィリピン人は、「ほかの地域における進歩と闘争がどのように」、彼らの地における人間の精神に影響を与えたのかについてじっくりと考えさせられることになった。一八九六年反乱は、バロウズによれば、フィリピンの過去に関してバロウズが言及する意義があると認めたそのほかのあらゆる出来事とまったく同様に、ほかの地域で起きた出来事のひとつの結果であり、後追いであり、繰り返しである。そして、このほかの地域とはヨーロッパなのである。バロウズ、ならびにアメリカ人とフィリピン人双方の彼の後継者たちにとって、ヨーロッパがあらゆる歴史の主題である。そして一八九六年革命の歴史が植民地の教育制度とそれを引き継いだ制度を通して国民の間に浸透していった以上、私は、革命史の輪郭が、依然としてヨーロッパ史の暗黙の物語《メタナラティブ》によってかたちづくられているように思う。そこで、フィリピンの過去が位置づけられている「全体像」をより詳しく検討し、その過去の構成方法が、ベニテスの著書において、そしてことによると今日においてでさえ、どのように再生産されているのかを吟味することにしよう。

バロウズによれば、民族は歴史をもつ場合にのみ進歩する。しかし、いかなる類の歴史でもよいというわけではない。「白人あるいはヨーロッパ人が、あらゆる人種の上に位置する偉大な歴史的民族である」と、バロウズは断言する。なぜなら、彼らが中世から近代への移行を最初に経験した民族だからである。宗教が科学に屈し、封建的忠誠が国民的忠誠に道を譲り、被統治者の合意にもとづく強力な国家が出現したのは、ヨーロッパにおいてであった。「人間の精神」の最も崇高な表出としての世俗国家はヨーロッパで生まれ、そしてこの歴史的変化過程は、その後の世界史の雛型となるべきものであった。したがって、非常に意味深長な言い方をすれば、バロウズが構成したフィリピン史とは、「すでに起こったこと」の歴史なのである。バロウズによれば、一九世紀後半から二〇世紀初頭におけるフィリピン史とは、東洋を舞台としたヨーロッパ史の繰り返し、あるいはその再演である。というのも、東洋は、世界史の観点から見ると、時間が歩みを止めてしまった土地として想像されているからである。エキゾチックで、専制的で、子どものように無邪気で、永久に不変の東洋は、ポスト啓蒙主義時代のヨーロッパを裏返しにした姿であった。幸いなことに、東洋には、フィリピンというキリスト教化された古いスペイン植民地があった。それは、やがて東洋全体がこの歴史過程に組み込まれるという希望のもとで、ヨーロッパ史が再演される最初の地として立ち現れることになった。

もちろん、フィリピン人有産知識階層《イルストラード》（訳注17）は、こうしたことについて一八八〇年代から議論を重ねていたが、バロウズは、フィリピン史についての自由主義的解釈を公定教科書に盛り込むことができる権限を与えられた人物であった。バロウズによれば、スペイン統治時代にフィリピン民族はすでに十分に高い文明水準へと引き上げられていたが、世界精神の最先端である自由主義的啓蒙思想は、保守的なスペインによってフィリピンへの流入を妨げられた。そのため、ヨーロッパの啓蒙思想は、結局、アメリカを経由して東洋に伝えられねばならなかったのである。

> 自由、平等、友愛、そして民主主義といった近代の思想は……アメリカとヨーロッパでその役目を果たしたのち、今日ではここフィリピンに広まりつつある。これらの原理に則って、この地に社会が再建されうるのかどうか、そしてその影響のもとでアジアが改革されるのかどうかは、いまだ

わからない。

右に概説したようなヨーロッパの支配的物語《マスター・ナラティブ》を念頭におくと、教科書における一八九六年革命の描き方の特徴をより理解しやすくなる。もし一八世紀ヨーロッパ史が一〇〇年後にフィリピンで繰り返されるのだとしたら、一九世紀後半のフィリピン社会は中世的あるいは封建的な社会として構成されねばならないであろう。これぞまさしく、バロウズが行なったことである。

アメリカが統治権を獲得してからわずか数年後に書かれたこの教科書のなかで、バロウズは、フィリピン民族をいまだに家族と共同体を重視する人びととして描いた。国家への帰属意識も、「公共の利益」のために行動する意識もない。宗教が依然として社会に強い影響力をもっている。社会的関係は、主人・農奴関係（パトロン・クライアント関係(訳注18)の先取りであろうか）にもとづいている。指導者たちは公共の利益ではなく、個人あるいは家族のために行動した。戦闘行為と暴力はフィリピンに特有の現象であり、しかも非文明的な方法によることが多かった。何よりも人びとは、指導者層も含めて、理性ではなく情念によって支配されていたのである、と。

これを読んだひとは、ほとんどみなこう思うだろう。でも、バロウズの言ったことはすべて真実だ、と。しかし、それが問題なのではない。どんな社会も、フィリピンであれ、アメリカであれ、もちろんオーストラリアであれ（私自身の経験から言えば）、今日でもなおこのような特徴を示すことはありうるのだ。バロウズによる特徴づけ、あるいは戯画化がもたらした効果とは、フィリピンを「封建的」もしくは「中世」という範疇のなかに押し込めることを可能にしたことである。そして、世界史の文脈のなかで無条件に中世のレッテルを貼られた社会は、みなどこかに欠点があり、何かを欠いた未熟な社会でしかありえなかった。結論はこうである。この民族は独力で行動することなどとてもできず、優れた人びとによる指導と後見を必要としていたのだ。

フィリピン社会に対するバロウズの見方は、ともかく何かが欠けて未熟であったという一八九六年革命の解釈を導くことになった。バロウズは、革命が、自由、正義、平等という理念の表明であったことを認めている。しかし、バロウズによれば、これらは洗練されていない荒削りな理念であった。他方、「人間にとって理想的な生活は、統治の行き渡った社会にのみ存在する。そこには秩序と保護があり、また機会の自由がなければならない」とする。カティプーナンの反乱は、理性ではなく情念に支配された大衆による、荒々しい暴力の表出であったため、未熟なものであった。その上、反乱が独立可能な国家を生み出すことはなかった。それは秘密結社であり、エミリオ・アギナルド(訳注19)が権力を掌握してはじめて、この運動は国家へと発展し始めたのである、と。

バロウズにとって、一八九八年の新生共和国がアメリカ人の手に落ちたのはしごく当然のことであった。なぜだろうか。それは、フィリピン社会が依然として封建的であり、フィリピンには、いまだに「政治的経験と社会的自己統制」が欠けていたからである。アギナルドの軍隊は、しばしば常軌を逸した戦闘行為を展開し、それは、ときに人間のなかの「最悪の情念」を野放しにするという特徴を示したのである。いずれにせよ、アメリカとの戦争はとてつもなく大きな誤解であったにすぎない、とバロウズは言う。アメリカの指導によってのみフィリピン人は近代に参入できるということを、フィリピン人自身がもっと早く気づいてさえいれば……。

バロウズの『フィリピンの歴史』は、中世から近代への流れの軸に沿ったフィリピン史の筋書きを提示した、はじめての教科書であった。それは、すなわち、移行《トランシジョン》の物語であり、その読者は、フィリピン民族がヨーロッパ追随史観《バンドワゴン》のなかに完全に引き入れられるまで、フィリピン人の思想と行動には欠陥がある、あるいは少なくとも何かが欠けていて未熟であることを知らされるのである。この種の教科書では、アメリカの後見あるいは父親としての役割がすんなりと調和する。それは、近代的個人あるいは市民で構成される近代的国家の発展を通して、中世からフィリピン人が抜け出すよう導くことである。一八九六年と一八九八年のフィリピン革命では、近代的国家もしくは近代的市民のいずれもが生み出されることはなかったと見なされているのである。

バロウズからおよそ二〇年後に新しい教科書が登場したが、今度の著者はフィリピン人であった。著者コンラッド・ベニテスは、フィリピン師範学校で歴史学と政治学の講師を務めたのち、国立フィリピン大学経済学科長と同大学教養学部長を歴任した。一九二六年刊行の彼の『フィリピンの歴史』(訳注20)は、公立学校用教科書としてフィリピン政府教科書委員会が採用した。序文は、国立フィリピン大学総長ラファエル・パルマ自らが執筆している。

ベニテスの教科書がバロウズの確立した枠組みにもとづいて築き上げげられていることは驚くに値しないだろう。つまるところ、ベニテス自身が言うように、彼はアメリカ式教育制度の産物であった。父親とは異なり、ベニテスは歴史を英語で学んだのである。そこで、この世代の教養あるフィリピン人たちが、彼らの歴史とそこにおける革命の位置をどのように見ていたのかを検討することにしたい。

この教科書のはじめの数頁は、進歩の精神がついに東洋の地に確立されたという信念を示唆している。一頁目の前に掲載されている地図は、「近隣の島々およびアジアとの関係におけるフィリピンの中心的位置」――フィリピンは、過去において巨大な商業市場であり宗教的中心であったが、現在ではアジアにおける民主主義と進歩の精神の神経中枢である――を表している。言い換えれば、ベニテスは、「歴史」、それは前述のように、まさに東洋へと歩を進めてきたヨーロッパの歴史なのであるが、そのなかにフィリピンがついに位置を得たという認識をあらわにしている。

ベニテスは、また、フィリピン人による「人種《レイス》」の言説の内面化を考察している。当時、依然としてマレー人あるいはフィリピン人が、人類のなかでは遅れた人種（あるいは原始的な人種）に属していることを否定できる者はだれもいなかった。しかし、いまやベニテスは自信をもって、「マレー人が直面する未来は希望のないものではない。……フィリピン人は、ほかのいくつかの人種と違って消滅しつつある人種ではない」、と宣言できる。なぜだろうか。近年の民族学の潮流を受けて、ベニテスは、人種の「精神的な適応性」、すなわち「接触した外国文化の有用な要素を吸収し同化すること」にフィリピン人が成功していることを指摘する。バロウズが人種としてのフィリピン人の短所と欠陥を強調したのに対して、ベニテスは外部からの挑戦に直面した際のこの人種の力強さを主張したのである。しかし、その違いはいたって些細なものである。なぜなら、両者とも、フィリピン人が「歴史」の一部となるためには、ひとつの国民として成長し成熟しなければならない、ということに同意しているからである。ベニテスの場合、こうした過程のなかでフィリピン人により積極的な役割が与えられたにすぎない。

それでは、ベニテスの教科書では、一八九六年革命はどのように描かれているのだろうか。バロウズの教科書と同じように、それは、ヨーロッパ史の再演である。フランス革命とアメリカ独立革命の支柱となったロック、モンテスキューおよびルソーの思想が、一〇〇年後にフィリピンで類似した一連の出来事を引き起こすのである。

概して、プロパガンダ〔啓蒙宣伝——訳者〕運動(訳注21)が国内外で達成しようとした個々の改革は、実のところ、社会的および政治的成熟へと向かいつつあり、ヨーロッパやアメリカの諸国から自由主義的思想を吸収しつつある民族が求める、当然の要求にほかならなかった。

この描写には、生物学的なイメージ――子どもであったフィリピン人が、ヨーロッパとアメリカから豊富な栄養をもらい、成長し成熟する――が見てとれる。もしスペインがフィリピンの養育に失敗しなければ、中世から近代への移行は漸進的で平和なものであっただろう。ベニテスは次のように言う。とくに修道士が「フィリピン人を中世に閉じ込めるために」力を尽くした。もしアンドレス・ボニファシオとカティプーナンが「進歩」の荷車を強く前進させなかったら、その車輪は止まってしまったことだろう、と。

エピファニオ・デ・ロス・サントス（訳注22）の新しい研究を反映して、ベニテスは、ボニファシオについてバロウズよりも多くのことを述べている。たとえば、われわれは、「反乱の最初の狼煙」は「現在バリンタワク記念碑（訳注23）がある」場所で上がったことを知らされる。けれども、ベニテスがカティプーナンの創設者ボニファシオに向ける賛辞は、せいぜい、ボニファシオが「フランス革命の理念に染まっていた」というものである。ボニファシオがある種の認知を受けているのは、一連の出来事の口火を切ったのが彼であり、それはまさしく、一〇〇年ほど前にヨーロッパで起きた封建秩序に対する革命の再演、もしくは再実践だったからである。

しかし、ボニファシオは世界史の舞台における英雄にはなりえない。ベニテスはこの栄誉をホセ・リサールに与えている。なぜなら、フィリピンの文脈におけるフランス革命の再演には、否定的側面があるからだ。バロウズがかつて指摘したように、フランス革命はフランスに近代をもたらしたが、それはあくまでも「一七九三年から一七九五年における血なまぐさい行為」、すなわち、フランスの無法な大衆の行動がもたらした無政府状態の時期が終焉したのちのことであった。同様に、ベニテスの教科書では、フィリピン革命もまた、フィリピンの「進歩」の着実な歩みにおける無秩序と混乱のひとときを表している。このためベニテスは、フランス革命の精神をボニファシオの活動のうちに認めながらも、革命の一連の出来事に距離をおいている。フィリピン革命は、この一九二六年版高校用教科書では、フィリピン人の欠点と未熟さを示すもうひとつのしるしとなっているのである。

革命という主題を扱うにあたって、ベニテスは、アメリカ人研究者ジェームズ・ルロイ(訳注24)から公然とその手がかりを引き出している。一九〇七年に、ルロイは、ボニファシオの「改革思想」はフランス革命に関するスペイン語の書物を読んで得たものだと論じている。さらに加えて、ボニファシオは、「パリの暴徒の手法」がフィリピン人の状況に最も適しているとの「考えも抱いていた」という。入手しうるあらゆる証拠にもとづき、ルロイは、カティプーナンの「下からの宣伝活動」には、「社会主義的性格」があることを見てとった。なぜなら、そこには、「地主である修道士と彼らに依存する政府および社会の全体構造だけでなく、フィリピン人の富裕な上層階級や土地所有者全般に対する憤懣という要素」が含まれていたからである。

しかし、カティプーナンとは、ルロイとその弟子ベニテスにとって、フランス革命期の暴徒と同様に、理性と法ではなく情念によって支配された政治的未成熟の表れであった。カティプーナンの指導者たちは、うぬぼれが強く、「大げさな」(しかしおそらくは空疎な)思想ばかりを振りかざし、「彼らの宣伝活動に最も影響を受けたマニラ周辺の町々の卑しい信奉者たちを率いて、千年王国の到来という空しくばかげた夢を見させた……」人びととして描かれている。

ルロイはカティプーナンの反乱を次のように要約する。

> これには独立運動という面もあったが、ここまで見てきたように、指導者たちの頭のなかには政治組織についてのきわめて曖昧な考えしかなく、彼らに惑わされ追随していった大衆は、……フィリピン人がスペイン人のあとを継ぐということ以外、組織のことなどについては、事実上何の考えもなかった。

ルロイのこのような描写は、二通りの読み方ができる。第一は、カティプーナンが社会の下層から生まれた社会主義的脅威であり、封じ込める必要があったこと。そして第二は、カティプーナンの会員たちの行動が、その未成熟で中世的な性格をいわば逆説的なかたちで露呈していたことである。

ベニテスは、おそらくフィリピンの学生を刺激しないために（当時、中部ルソンにはすでに社会主義とボルシェビズムの芽が育ちつつあったので）、カティプーナンが基本的に破壊的であったとするルロイの解釈を繰り返さなかったのだろう。ベニテスが行なったことは、話題をリサールに移すことである。ボニファシオとは対照的に、「より穏健な性格で、より厳密な判断をする、民衆の代表的代弁者」としてのリサール。一八九六年革命が局地的な出来事であったのとは対照的に、その死を通じて人びとを結びつけた存在としてのリサール。言い換えれば、リサールはより能力が高く、より進歩した、世界史の精神の体現者なのである。

中世から近代への移行の物語の文脈においては、指導権をめぐる争いでボニファシオがアギナルドに敗れるのはほぼ必然的なことである。ボニファシオは秘密結社を保持することを主張するが、アギナルドは革命勢力のあらゆる派閥をひとつの政府に統合することを望むのである。これは国家形成の第一段階なのではなかろうか。そして国家とは、「世界精神」の最も崇高な表明ではなかろうか。なるほど、アメリカ統治時代の教科書はほぼどれも一様に、一八九六年一〇月三一日のアギナルド宣言から、次の一文を繰り返し引用している。「政府の形態は、『自由』、『博愛』、『平等』の原理を最も厳密に実践することにその本質的な基礎をおく、アメリカ合衆国のそれに似たものになるだろう」。アギナルドは、近代の象徴として、移行の物語における二つの決定的な時期をつなぐ存在なのである。

　フィリピンの学生は、ベニテスの教科書を読むことにより、何よりもまず先に、アメリカの指導のもとで養成されつつある国民国家の市民となるべく教育された。そして、そこでは、バロウズの教科書と同様に、フィリピン・アメリカ戦争（訳注25）はある種の不幸な誤解であったとされている。革命の指導者たちは、彼らの目標が「合衆国の支援を得て」達成できると納得するに及んでようやく武器をおき、「法と秩序のなかでの新たなかたちの闘争」を開始した。法と秩序のなかでとは、一八九六年革命がたどった過程と歴然と異なっており、それゆえ、この表現は、革命を移行の物語のなかに位置づけ、それを取り込み、そして脅威となる要素を払い落としたいという強烈な願望を表すものである。

　ベニテスの教科書のそのほかの部分は、アメリカ植民地統治下の社会的、宗教的、経済的進歩に関する記述である。それは近代的市民の形成へと向かう発展の物語であり、そこでは自己が二つの部分、すなわち、封建的過去を意味する共同体および家族の領域と、「公共の利益」の領域である国民国家における市民権と法治国家体制とに分割されている。

　ベニテスは、この著書を締めくくるにあたり、最後の段落でフィリピン人が消えゆく民族ではないことを再び読者に思い起こさせている。消滅するどころか、この「国民」は「歴史」の主体となり、「極東における独立した民主政体として、アメリカが行なった人類の進歩への最大の貢献である、その政治的理想主義をさらに推し進めるよう運命づけられている……」のである。一九二〇年代半ばにフィリピン人の学生たちは、彼らが躍動的な民族であり、ポスト啓蒙主義時代のヨーロッパで生まれアメリカへと広がった近代性という偉大な連鎖の一部となったいま、中世のままにとどまっている東洋の地に光をもたらすのは彼らなのだと考えるよう励まされたのである。

これは、かなりの程度まで、日本占領のトラウマを経て一九四六年に「独立」が与えられるという経験をした世代のフィリピン人が抱いた感覚でもあった。このことは、一九五四年改訂版のベニテスの歴史教科書にもはっきりと表れている。一九四六年以降の時期を扱う第六部で、ベニテスはマヌエル・ロハス(訳注26)の大統領就任演説を引用して次のように述べている。われわれの独立国家は、「自由を求める先駆者たちの西進」のたまものである。「彼らはこの地にその種を植え、……今日、種は最高に豊かな実をつけている」、と。

……かくして、われわれは国民的自由を享受しているが、世界のほかの国民と同じように、われわれもまた、これがわれわれの闘争と努力の成果であるだけでなく、またアメリカの愛他主義のたまものであるだけでもなく、世界の長年にわたる自由への希求の最終的成果であることを理解しなければならない。

独立国家フィリピンは、ヨーロッパに始まった希求の「最終的な成果」であり、ひとつの歴史である。いまや、一九五〇年代におけるその役割は、アジアのほかの地域がこうした歴史のなかに組み込まれるよう手助けすることにある。こうして、ベニテスは、彼の祖国に「東洋から西洋へ、そしてその逆の西洋から東洋への通訳者」としての性格を与え、「衝突し合う文明間の争いの間における『誠実な仲介者』として」、その任務が「要求されている」と言うのである。事実、この教科書は、いささか古めかしい次の一節で終わっているが、これはいかにも一九五〇年代半ばの、しごく大真面目な考えであった。「われわれは太平洋の十字路、すなわち、東洋における民主主義の砦であり、極東における人類の自由の要塞に立っている」、と。

　現実には何がこの時期に進行していたのだろうか。そして、一九五四年改訂版のこのベニテスの教科書では、一八九六年革命はどのように描かれていたのだろうか。すでに、この頃ベニテスが革命史の記述にジェームズ・ルロイを引用するのはもはや適切ではなくなっていた。代わりにベニテスは、カルロス・P・ロムロ(訳注27)、ダグラス・マッカーサー将軍、そして、とくに「この改訂版の最初の草稿のなかの事実の間違いをいくつか指摘してくれたテオドロ・アゴンシリョ氏(訳注28)」というような、新しい人物の助けに対して感謝の意を表している。

　この改訂版の第一五章では、これがスペインに対する「民族《ナショナル》革命」を扱う章であると明言している。ボニファシオの『十戒《デカローグ》』(訳注29)とエミリオ・ハシント(訳注30)の『行動規範《カルティーリャ》』(訳注31)に関する議論にかなりのスペースが充てられていることが印象的である。『十戒』と『行動規範』は、カティプーナンの創設者たちの教えだけでなく、「われわれの革命の父たちが唱導し、われわれに遺産として残された」諸原理をも含んでおり、「それらの原理は、今日われわれが直面する問題においても依然として貴重な指針である……」とされている。ここでの手法は、新たに誕生した独立国民国家の遺産の一部として、一八九六年革命を描き出すことである。フランス人とアメリカ人が独自の市民革命を経験し、国民的英雄（あるいは「合衆国憲法制定者たち《ファウンディング・ファーザーズ》」）をもつように、フィリピン人にも独自の革命経験があり、英雄がいるのである。

この一九五四年の教科書では、ボニファシオとハシントは、神への愛、祖国への愛、同胞市民への愛を説く、真の自由民主主義者として描かれている。家族という単位は、「社会の団結と国の力を守る砦」とされている。善良な市民とは、勤勉に働き、社会的責任感に満ちあふれている人物である。ボニファシオとハシントが実際にこうしたことを説いたかどうかは問題ではない。重要なのは、一八九六年革命に関するこれらの基本文献が、国家とその市民の憲章としての役割を担うものと見なされていて、革命の曖昧で脅威的な特徴が排除されていることである。『十戒』と『行動規範』を読み解くことにより、ベニテスは、かつて不可能であったボニファシオとリサールの接合という偉業を成し遂げる。彼は言う。「カティプーナンもリサールもともに、市民としての自覚をもつ国民の育成のために、人びとを再教育する集中的な宣伝活動を行なう必要性を確信していた」、と。ベニテスは、自信たっぷりに、次の復習問題を章末に付け加えることができるのである。すなわち、「一八九六年におけるフィリピン革命の根本的基礎を築くにあたってボニファシオが果たした役割について、一、二段落の文章を書きなさい」、と。

ここまで見てきたように、市民としての自覚をもつ国民育成と革命を結びつけるために、多大な苦労が重ねられてきたことは、世界史の精神の進歩における国家形成の重要さを反映するものである。しかし、この一九五四年の教科書には、新生国民国家フィリピンの統合を脅かす要素に対する不安もまた見え隠れする。それが最も強く示唆されているのが「平和と秩序の問題」に関する章であり、そこではじめて共産主義についての言及がなされている。ベニテスは、フク団について、それはもともとソビエト・ロシアと中国を経由して「外部から」移入された、共産主義の影響を受けた農村解放運動であると述べ

ている。このような国内問題は混乱する世界の状況を反映しており、世界は、

ますます二つの相反する陣営へと分かれていっているように思われる。一方には、合憲的統治過程のもとで、自由で民主主義的な生活を送る権利を守る国々がある。他方には、個人にはいかなる種類の自由も与えられないような、独裁的な政治体制をほかの世界に断固として押しつけようとする、共産主義の非情な支配のもとにおかれた国々がある。

前述のように、ベニテスは、バロウズを踏襲して、ヨーロッパの歴史、すなわち世界精神の歴史の連鎖にフィリピンを結びつけたスペインとアメリカによる介入が不可欠の要素となるよう、フィリピン史を構成した。しかし、「進歩」の行進は、皮肉にも二つの隊列に分岐してしまった。「歴史」は、もうひとつの異なる旋律——マルクスとレーニンが作曲したが、実はヘーゲルの変奏曲——にも合わせて行進していったのである。フィリピンは、この相対立する二つの「進歩」の暗黙の物語《メタナラティブ》の間で捕らわれの身となる。

明らかにベニテスは「自由世界」の側に立っており、全体主義勢力に対する民主主義の熱烈な支持者として、ゆるぎない筆致で彼の祖国を描いている。フィリピンが東洋と西洋の架け橋として立ち現れるのは、前述のように、この固有の文脈のなかにおいてである。ベニテスはできる限りのことをしたが、それでも、一八九六年革命を彼の主張と完全に結びつけることに成功していない。四九四頁の、フク団という「武装反体制勢力」に対する軍の作戦行動の記述のなかで、彼は次のように述べている。

しかし、彼ら〔反体制勢力〕には不意打ちという有利な作戦があり、また、ときには、フク団の恐怖のもとで暮らしている農村住民も半信半疑で彼らを支援した。略奪行為は、歴史的な「バリンタワクの叫び〔訳注23参照〕」の日に合わせた一九五〇年八月二六日の、周到に準備された一連の同時多発的な攻撃でピークを迎えた……。

このことは、フク団という「敵」も、また、彼らの革命的活動を正当化し鼓舞するような方法で、一八九六年革命の歴史を読んでいたことを示唆するものであろう。ルロイがやんわりと触れたものの、バロウズとベニテスによって削除された社会主義的で破壊的なカティプーナンが、この一九五四年の教科書では、フク団というかたちをとって亡霊のように立ち現れている。

フク団が「バリンタワクの叫び」の歴史的意味をその活動のなかに吸収していたというベニテスの指摘は、公立学校制度の外では、一八九六年革命の形を変えた物語が力を持ち続けていたということを思い起こさせる。ともあれ、一九四〇年代まで、あるいは一九五〇年代にいたってもなお、まだ多くのカティプーナン兵士や反徒《インスレクト》たちが生きながらえていた。そして、「非公式な」記憶の流布を可能にするような、母語による文学や演劇、革命の英雄たちを神殿に祀る民衆宗教信仰といった、教科書とは異なる様式が存在した。リサールは、公定の教科書が打ち出した平和主義の教育家という姿よりも、革命の大義のために命を捧げた受難者、あるいはキリストの再来として、人びとに迎え入れられた。ボニファシオについても、労働組合や農民組合は明らかに異なる見方をしており、無能な指導者あるいは自由民主主義者ではなく、模範的な活動家もしくは大衆の声の代弁者という姿をつくり出したのである。

われわれは、過去の教科書に関するこの小論を通して、植民地国家であれ、独立国家であれ、その正統性が保障されるようなかたちで一八九六年がもつ意味を再生産することが、まさしく国家にとっての死活問題であったことを考察した。ボニファシオとリサールの両者がともに、近代国民国家フィリピンの創出過程にとって決定的に重要な人物であったと見なすことができるのならば、何の問題もない。現在行なわれている一〇〇周年記念事業のような政府主催行事は、一八九六年がもつ意味を広めることに国家が関心を抱いていることを示す好例である。しかし、一八九六年革命の解釈に関する最近数十年間の傾向は、アメリカが支援し、地方の有力政治家《カシケ》が支配する国家の転覆あるいは破壊をもくろむ人たちの行為に対して、内実的な意味づけを与えようとするものであった。ベニテスの一九五四年版は、穏健で公民科目向きの一八九六年革命についての解釈の最も適切な事例と見ることができよう。しかし、一九五〇年代に、このような解釈はより急進的な解釈と競合するようになった。それはボニファシオを中心にすえ、階級闘争を志向する解釈であった。テオドロ・アゴンシリョの『大衆の蜂起』(訳注32)（一九五六）は、革命に関する新たな代表的著作となった。のちに、レナト・コンスタンティーノは、それを洗練された議論で塗り替えたが、彼もまた、リサールを中心とした教科書の歴史に対する先駆的な批判を展開したのである。

一八九六年革命がこのように急進的に読み直されたことと、それが一九六〇年代および一九七〇年代初頭に学生たちの世代に伝わったことは、一九七〇年代初頭のいわゆる「第一・四半期の大嵐」に加わった学生たちの行動に対し、歴史の理解に裏打ちされた深みを与えた。驚くほど多くの学生たちが、自らを後世のアンドレス・ボニファシオと考え、各地に支部をおく「闘争的青年団」と「民主的青年同盟」（SDK）を後世のカティプーナンと見なし、そして反マルコス集会を「プガット・ラゥインの叫び」(訳注33)もしくは「バリンタワクの叫び」の再演と考えたのである。とりわけ、一八九六年革命を「大衆の蜂起」

とする解釈は、農民および労働者階級との共闘を求める新たな呼びかけが学生の間に広まることを促進し、のちに「民衆パワー」[訳注34]にも力を与えた。当然のことながら、アマド・ゲレロは、彼が指導する再建共産党（ＣＣＰ）[訳注35]が一八九六年の「未完の革命」を継続するものであると考えた。さらに、フェルディナンド・マルコスですら、一八九六年革命――それがもっていたとされる無政府主義的傾向を否定することによって――と彼自身の「民主革命」を結びつけて、自ら革命の解釈をめぐるこの闘争に加わったのである。

この論文から生まれる決定的に重要な疑問は、ベニテス以後の一八九六年革命の解釈が、この二〇世紀初頭以来、革命の物語を規定してきた「進歩」・「啓蒙主義」・「歴史」の言説と本当に袂を分かっているのかどうかという点にある。フィリピンの歴史教科書は、根本的に異なる一八九六年革命の解釈に、本当に耳を傾けようとしてきたのだろうか。それとも、われわれはいまだに、信頼に足る文書史料のみにもとづいて、歴史を本質的に「理性」の仕事とするバロウズの見解にしがみついているのだろうか。歴史に対するわれわれの伝統的な観念、すなわち、一九世紀の遺産を問い直し、「啓蒙主義」から解き放たれた叙述をしない限り、一八九六年革命の歴史はすべて、ヨーロッパ的主題の変種のままであり続けると、私は思う。

（内山史子訳）

【訳注】

（1）一八九六年にマニラとその周辺諸州における武装蜂起で始まり、一八九九年一月の第一次フィリピン共和国（マロロス共和国）樹立で頂点に達した一連の出来事。「フィリピン革命」とも称されるこの革命は、スペイン人の修道会による圧政からの解放や、民族的平等といった自由主義的主張を掲げ、スペインからの独立をめざした。一八九六年八月、革命をめざす秘密結社カティプーナン（本章訳注15を参照）がスペイン官憲に発見されたことを契機に武装蜂起が開始された。一八九七年には革命軍内部の権力闘争が勃発したが、各地での革命軍とスペイン軍の戦闘は継続された。勢力を盛り返し始めた革命軍は、一八九八年六月に独立宣言を発して革命政府を発足させ、さらに一八九九年一月にマロロス憲法を制定して第一次フィリピン共和国を樹立した。しかし、一八九八年の米西戦争勃発を契機にアメリカが革命に介入し、同年一二月のパリ講和条約によりフィリピンの領有権はスペインからアメリカへと移った。一八九九年二月にはフィリピン革命軍とアメリカ軍との間にフィリピン・アメリカ戦争が始まったが、軍事力に勝るアメリカは一九〇二年七月にフィリピン全土における平定作戦の完了を宣言した。

（2）一八六一年生、九六年没。一八八〇年代に展開された、スペイン植民地統治の不正とフィリピンの現状改革を訴える「プロパガンダ（啓蒙宣伝）運動」（本章訳注21を参照）の中心となった人物。リサールは、一八六一年にマニラ近隣のラグナ州の裕福な一家に生まれ、のちにスペインへ留学し、そこでほかのフィリピン人留学生とともにプロパガンダ運動を開始した。代表的著作『ノリ・メ・タンヘレ（われに触れるな）』（一八八七）（邦訳、岩崎玄訳『ノリ・メ・タンヘレ――わが祖国に捧げる』井村文化事業社、一九七八年）と『エル・フィリブステリスモ（反逆）』（一八九一）（邦訳、岩崎玄訳『反逆・暴力・革命――エル・フィリブステリスモ』井村文化事業社、一九七九年）は、植民地政府とカトリック司祭らの不正に苦しむ祖国フィリピンの実態を描き出し、フィリピン人自身の意識改革、そして最終的にスペインからの分離独立を訴えた。一八九二年、リサールはフィリピンに帰国して「フィリピン民族同盟」を結成するも、その直後に逮捕されてミンダナオ島北部に流刑された。そして革命勃発後間もない一八九六年一二月三〇日に、革命を煽動した罪を問われ、マニラで処刑された。今日、リサールは、「フィリピン独立の父」として国民的英雄に列せられると同時に、フィリピン民衆の解放に殉じた「受難者」として崇敬されている。

(3) pasyon. キリストの受難の生涯をつづった叙事詩。物語は天地創造から始まり、キリストの誕生、受難の生涯、十字架上の死、黙示録の世界までを描いている。フィリピンでは、一八世紀はじめより聖週間などに詠唱され、キリストの生涯に関する知識を提供するものとして人びとの間に浸透し、フィリピン・カトリックの世界観の形成に影響を与えてきた。

(4) 一八七八年生、一九四四年没。フィリピン・コモンウェルス（独立準備政府、一九三五〜四六）の初代大統領。アメリカ植民地支配下で駐米代表委員や上院議長といった要職を歴任し、ナショナリスタ党を率いて権勢を振るった。ケソンはまた、独立使節団を率いるなどして独立交渉に影響力を行使し、一九一六年のジョーンズ法（フィリピン自治法）、一九三四年のタイディングス・マクダフィ法（フィリピン独立法）を成立させた。大統領就任以降のケソン政権は、大統領に強大な権限を集中させるなど、権威主義的な傾向を強めていった。

(5) リサリスタ（Rizalista）とは、リサールを超人間的存在、あるいはキリストの生まれ変わりと信じる信仰集団を指す。リサリスタ集団は、一九一〇年代から、農村地帯や地方の町々を中心として、フィリピン各地に形成され、愛国心の喚起と国民的英雄の崇拝を実践している。それらの指導者も信者も、多くが農民によって占められており、伝統的なカトリックの儀礼を行なうと同時に、土着宗教的な性格を多分にもっている。

(6) コロルム（colorum）とは、もともとは土俗的なカトリック信徒組織・兄弟会を意味する。この運動は、元来貧民層による千年王国的運動であったが、一九二〇年代以降に各地で頻発したコロルム運動は、困窮する生活からの救済と「反米独立」を主張して、植民地権力と対決した。各地のコロルム運動に共通する特徴は、運動の参加者は貧民層であったことと、宗教的狂信性をもっていたことである。

(7) フィリピン革命の指導者の一人であったアルテミオ・リカルテ将軍を信奉する人びとが、日本からの支援を得て、アメリカからの独立を達成しようとした試み。リカルテ将軍は、アメリカへの忠誠を拒んでフィリピンを追放されて、長く日本での亡命生活を送ったのち、一九四一年の日本軍の上陸直前に帰国を果たした。リカルテ信奉者は、アメリカ統治下で、リカルテ帰還の日を信じて、反米独立が富の公平な分配をもたらすことを説いて運動を続けた。信奉者には貧困層が多かった。アルテミオ・リカルテについては、本書第7章訳注7を参照。

(8)一八八〇年生、一九六四年没。アメリカ陸軍元帥。父アーサーは一九〇〇〜〇一年に第三代フィリピン軍政長官を務める。ダグラスは、父アーサーが活躍したフィリピンで少尉として勤務したのをきっかけとして、終生フィリピンと縁が切れなかった。一九四一年一二月に日本軍がフィリピンに侵攻したときの、極東アメリカ陸軍（USAFFE）の最高司令官。一九四二年二月にコレヒドール島からオーストラリアに脱出したが、「アイ・シャル・リターン」の約束どおり、四四年一〇月にレイテ島に逆上陸、翌四五年二月にマニラを奪還した。

(9)フク団（フクバラハップ、抗日人民軍。第二次世界大戦後に人民解放軍と改称）は、一九四二年三月に、日本の軍政に抵抗するために、フィリピン共産党が率いる農民運動を母胎として形成された大規模な農民組織。一九四六年の独立以降、フク団は、アメリカからの真の独立と土地問題の解決を求める闘争を展開し、政府軍や地主勢力と武力対立を続け、一九五〇年には各地で一斉蜂起した。しかし、アメリカの軍事援助を得た政府軍によるフク団鎮圧が開始され、数年間の内戦状態ののち、一九五四年にフク団司令官が投降し、フク団の反乱は鎮静化された。

(10)First Quarter Storm. 一九七〇年はじめにマニラを中心に学生によって繰り広げられた、反米愛国・反マルコスを掲げた激しい街頭行動。一九六〇年代に、ベトナム戦争の激化を背景として学生運動が活発化し、大規模な反米デモの実行や学生組織の結成が進むにつれ、学生たちは次第に社会改革へと関心を深めていった。また一九六〇年代後半には、フィリピン共産党も再建され、南部ミンダナオ島ではイスラム教徒の分離独立運動が始まるなど、社会改革を要求する大衆運動が興隆した。こうしたなかで、一九六九年の選挙で史上初の再選を果たしたマルコス大統領に対して、学生たちの批判が噴出した。

(11)一九一七年生、八九年没。第六代フィリピン大統領として一九六五年に当選。その後、アメリカや日本の援助を用いて地方農村部の開発等に実績をあげ、その勢いを受けて六九年に、フィリピン史上はじめて大統領に再選された。しかし、経済状況の悪化が大衆の政治化を招き、当選直後から激しい反マルコス運動が展開され、また、ミンダナオ島での対立抗争が激化するなど、社会不安が高まった。それを背景に、一九七二年九月、全土に戒厳令を発令した。戒厳令体制下で、マルコスは、議会の廃止、財閥解体、寡頭支配の打倒、経済開発といった「中央からの革命」を看板に掲げた。しかし、経済状況のさらなる悪化や、「マルコス王朝」化の進行、さらに一九八三年八月に起きたアキノ暗殺事件により、反マルコス勢力が結集し始め、やがて大きな動きとなった。そして、一九八六年二月の繰り上げ大統領選後の国軍将校の決起および「民衆パワー」の結集によって政権の座から追われた。

(12)一九三二年生、八三年没。若くして頭角を現した上院議員であり、マルコスの政敵として早くからマルコス政治を批判した人物。一九七二年の戒厳令の発令に伴って逮捕・投獄されたが、八〇年に一時釈放され渡米した。アメリカにとどまりマルコス批判を続けたものの、マルコス政権の動揺を知り、一九八三年八月にフィリピンに強行帰国し、帰着時にマニラ国際空港で暗殺された。この事件を契機に、反マルコス運動は、一般市民をも巻き込んだ大きな動きとなり、一九八六年のマルコス政権崩壊へといたった。アメリカでの生活を捨て、警告を振り切って帰国し、命を絶たれたアキノを、人びとは、キリストの受難と重ね合わせ、フィリピン人のために命を捧げたと解釈した。

(13)David P. Barrows, *History of the Philippines*, New York: World Book Co., 1926 には以下の邦訳があるが、全訳ではなく抄訳である。D・P・バロウズ著、法貴三郎訳『フィリピン史』(生活社、一九四一年)。なお、以下、バロウズの著書からの引用の訳文はすべて本章訳者(内山)による。

(14)"race" の訳語については、著者によると、本来は「生物学的」な意味の用語であるが、フィリピンでは、「文化的」意味の "race" と生物学的意味の "race" が混同されて使用されてきた。本論文では、こうした背景を踏まえて、"race" という用語が用いられているので、多くの場合は「民族」と訳出し、一部のみ「人種」とした。

(15)Katipunan. 一八九二年七月、マニラの労働者層出身者が結成した秘密結社。フィリピン独立をめざす武装革命へ向けて活動を開始した。カティプーナンの会員の多くは、マニラの労働者であったが、マニラ周辺の地方の有力者たちの支持を得ていた。カティプーナンは秘密裡に会員を拡大していったが、一八九六年八月、スペイン官憲にその存在を知られたことにより、武装蜂起へと踏み切った。ここに「フィリピン革命」が始まった。

(16)一八六三年生、九七年没。カティプーナンの創始者であり指導者。ボニファシオはマニラの仕立て職人の息子として生まれ、商社で働く労働者であった。独学でスペイン語を学んでリサールらの著作を読み、武装革命の思想を形成し、一八九二年にカティプーナンを結成した。一八九六年八月にカティプーナンの存在が発覚すると、ボニファシオはマニラ近郊で武装蜂起を宣言し、フィリピン革命が始まった。一八九七年、ボニファシオとアギナルド（本章訳注19を参照）の間に革命の主導権を巡る争いが起こり、ボニファシオはアギナルドによって反逆罪のかどにより処刑された。ボニファシオは、タガログ語とカトリシズム的世界観を用いて革命を説き、大衆の間に革命の思想を普及させた。

(17)ilustrado. 一九世紀後半に出現した開明的な知識人層。とくに一八六三年の教育改革以降、新興の有産階層の子弟らが高等教育やスペインへの留学を通して自由主義思想を吸収し、一八七〇年代以降、スペインの植民地支配を批判する改革運動の担い手となっていった。代表的人物はホセ・リサールやマルセロ・デル・ピラールであり、一八八二年から九五年にかけてプロパガンダ運動を展開した。

(18)この用語に関する著者の見解については、本書第3章の論考を参照。

(19)一八六九年生、一九六四年没。フィリピン革命の指導者のひとりであり、一八八九年に樹立された第一次フィリピン共和国の大統領。典型的な地方有力者層で、父親の代からマニラ近郊カビテ州カウィット町の町長を務め、一八九五年にカティプーナンに加入した。一八九六年八月にボニファシオの主導のもとで革命が勃発したのち、アギナルドの率いる軍がしだいに優勢に戦いを進め、九七年にボニファシオが革命軍によって粛清されたあと革命の主導権を握った。戦況が不利となった同年一二月、アギナルドはスペイン軍と協定を結んで香港に亡命したが、翌九八年アメリカの支援を得て帰国し、六月に独立宣言を行ない革命政府を樹立した。一八九九年一月に第一次フィリピン共和国樹立と同時に初代大統領に就任したものの、フィリピン・アメリカ戦争のさなかの一九〇一年三月にアメリカ軍に逮捕され降伏した。

(20)Conrado Benitez, *History of the Philippines: economic, social, political*, Boston: Ginn and Company, 1926.

同書の一九二九年版には邦訳がある。C・ベニテス著、東亜研究所訳『比律賓史――政治・経済・社会史研究』(上下、東亜研究所、一九四二、四五年)。なお、以下、ベニテスの著書からの引用の訳文はすべて本章訳者(内山)による。

(21)一八八〇年代にスペインのマドリッドとマニラで展開された、フィリピン有産知識階層による対スペイン改革要求運動。ホセ・リサール、マルセロ・デル・ピラール、マリアノ・ポンセ、アントニオ・ルナ、グラシアノ・ロペス・ハエナなどスペインに留学した知識人が活躍した。彼らは、スペイン人と同等の市民的権利の付与、スペイン国会への代表権の獲得など民主的権利要求を掲げ、フィリピンをスペインの一州とする同化政策の実現をめざした。一八八九年には機関誌として『ラ・ソリダリダード』を創刊したが(一八九五年廃刊)、リサールとデル・ピラールの対立、資金不足などで一八九〇年代初頭にこの運動はすでに弱体化していった。

(22)一八七一年生、一九二八年没。アメリカ統治期の政治家であり、歴史研究者・作家としても活躍し、フィリピン国立図書館の館長も務めた。フィリピン革命期には、フィリピン独立を主張するジャーナリストとして知られた。

(23)一八九六年八月のカティプーナンの発覚に伴い、ボニファシオはマニラ近郊のバリンタワクに仲間を集めて武装蜂起を宣言し、ここにフィリピン革命が始まった。これを「バリンタワクの叫び」と呼ぶ。現在、この宣言がなされたとされる地には、戦いに向かうボニファシオの像が建てられている。

(24)一八七五年生、一九〇九年没。アメリカ統治期初期のジャーナリスト、評論家。フィリピン統治の民政移管を任された第二次フィリピン委員会委員長と米国陸軍長官の要職を務めたタフトの秘書としてフィリピン各地に赴き、記録を残した。

(25)一八九八年四月の米西戦争の勃発を契機にアメリカはフィリピン革命に介入し始め、同年一二月のパリ講和条約によりフィリピンの領有権を獲得した。そのため一八九九年一月に独立を宣言した革命勢力とアメリカ軍の関係は悪化し、同年二月にフィリピン・アメリカ戦争が始まった。革命軍はゲリラ戦を展開してアメリカ軍を苦しめたが、アメリカ軍は圧倒的な軍事力をもって革命軍を鎮圧し、一九〇二年七月四日に平定作戦の終了を宣言した。しかし、その後も数年にわたって、山間部を中心に武装闘争を継続した勢力もあった。

(26) 一八九二年生、一九四八年没。アメリカ統治下でカピス州知事、下院議員、一九三四年憲法制定議会議員を歴任し、また独立使節団の一員としても活動した。さらに、一九三五年に発足したフィリピン・コモンウェルス政府では財務大臣を務めた。戦後、自由党を創立して一九四六年の大統領選に当選し、四六年七月に独立したフィリピン共和国の初代大統領となった。

(27) 一八九九年生、一九八五年没。ジャーナリスト、外交官、外交問題の第一人者。新進気鋭の新聞記者としてコモンウェルス政府のケソン大統領に認められ、日本占領期には亡命政府閣僚となった。独立後は、国連代表、駐米大使、外務長官等を歴任し、マルコス大統領にいたるまでの歴代大統領に仕えた。

(28) 一九一二年生、八五年没。フィリピンの代表的歴史学者。一九六五年から六九年に国立フィリピン大学歴史学科主任を務める。一九四七年に発表された著作『大衆の蜂起』(一九五六年に出版)は、ボニファシオとカティプーナンを中心に据えて「大衆」の側からフィリピン革命を描いた最初の研究であった。同書は、リサールを中心とする革命史を描いてきたフィリピンの歴史学界に波紋を投げかけた。数多くの通史のなかの邦訳として、テオドロ・A・アゴンシルリョ著、岩崎玄訳『フィリピン史物語——政治・社会・文化小史』(井村文化事業社、一九七七年)がある。

(29) *Decalogue.* ボニファシオが執筆したと言われるカティプーナン会員が果たすべき義務。神への信仰、神の摂理の切望、祖国への愛と犠牲などの一〇項目からなる。

(30) 一八七五年生、九九年没。カティプーナンの幹部として活躍。マニラの貧困層に生まれ、苦学してスペイン語を習得し、後に「カティプーナンの頭脳」と評価されるようになった。一八九六年一月に創刊されたカティプーナンの機関紙『カラヤーアン(自由、独立)』の編集責任者を務め、タガログ語を用いて革命の思想を説いた。

(31) *Kartilya.* カティプーナンの思想を同結社会員に伝えるべく、ハシントが執筆した一三項目からなるカティプーナンの思想についての入門書。

(32) 一九一九年生。九九年没。歴史学者、評論家。国立フィリピン大学客員教授も務めた。米国寄りの姿勢をとったり、貧困に苦しむフィリピン大衆に十分な関心を寄せない政治家等を痛烈に批判した。「民衆史観」にもとづいてフィリピン史を書き直す試みを行なった、その代表的著作には『フィリピン——往事再訪』（一九七五）、『フィリピン——ひき続く過去』（一九七八）（邦訳、レナト・コンスタンティーノ著、池端雪浦、永野善子、鶴見良行ほか訳『フィリピン民衆の歴史』四巻、井村文化事業社、一九七八〜八〇年、『ひき続く過去』はレティシア・R・コンスタンティーノと共著）がある。コンスタンティーノはそのなかで、リサールは穏健主義を捨て切れなかった有産知識階層であったとし、ボニファシオと初期のカティプーナンを真のフィリピン民衆の代弁者として描いた。その痛烈なナショナリズム論を編集した翻訳書に、レナト・コンスタンティーノ著、鶴見良行監訳『フィリピン・ナショナリズム論』（上下、井村文化事業社、一九七七年）がある。

(33)本章訳注23の「バリンタワクの叫び」（一八九六年八月）の数日前に、ボニファシオたちがスペイン植民地支配への抵抗の意志表明として、納税証明書を破り捨てたとされること。プガット・ラウィンはその地名で、マニラ北方に位置する。

(34)一九八六年二月、混乱する繰り上げ大統領選のさなか、二二日に一部の国軍将校が決起し、二五日にはマルコス大統領がフィリピンを脱出し、アキノ政権が樹立された。このいわゆる「二月革命」において、シン枢機卿の呼びかけに応えて非武装の一般市民が結集し、身を挺して決起した国軍将校を守り、「革命」の平和的な達成を導いた。これを「民衆パワー」と呼ぶ。「民衆パワー」の最前列にはカトリック修道女や神学生が並んで祈りを続け、人びとは十字架や聖像を身につけて戦車の前に座り込んだ。

(35)一九五〇年代にフク団反乱が鎮圧され、共産党（PKP、一九三〇年設立）内部での指導者批判が展開されるなかで、一九六八年にアマド・ゲレロによって再建された共産党。毛沢東路線に則り武力闘争を重視し、翌七〇年には軍事部門である新人民軍を創設した。一九六〇年代後半に高揚した大衆運動のなかで、学生を動員し、大衆運動に強い影響力をもつにいたった。マルコスの戒厳令体制下でもその勢力は衰えなかったが、一九八六年二月に繰り上げ大統領選挙をボイコットしたことにより「二月革命」には積極的に関与できず、その影響力はしだいに衰えていった。

第2章　知と平定――フィリピン・アメリカ戦争(訳注1)

対スペイン独立宣言一〇〇周年を祝うフィリピン人は、一八九六～九八年のあの出来事(訳注2)が、心のなかにどれほど深い傷跡を残す衝撃的事件であったのかをほとんど忘れてしまっている。キリスト教化されたフィリピン諸島の住民は、スペインを、そのあらゆる誤りと欠点にもかかわらず「母なる国」と見なしていたが、いまや彼らは新たなアイデンティティをかたちづくるよう呼びかけられたのである。アンドレス・ボニファシオ(訳注3)はそれを次のように表している。

母よ、水平線のかなたに
タガログの怒りの太陽が昇った
三世紀もの間、われわれはその怒りを
貧しさで縁どられた痛ましい海のなかに押しとどめてきた

あなたの子どもたちの粗末な家は、痛みや苦難のひどい嵐が吹き荒れる間
それに耐えうるものを何ももたなかった
フィリピナスの人びとはみな、心をひとつにしている

いまや、あなたはわれわれの母たりえなくなった母なるフィリピンは成人となる時を迎えた。しかし、この国のすべての住民が彼女の子となるのだろうか。この土地で生まれた息子のホセ・リサール(訳注4)は、すでに祖国のために受難の死を遂げキリストとなっていたが、どれほど多くの人びとがこのことを知り、それをそのように理解したのだろうか。一八九八年六月の独立宣言にいたるまでの一連の出来事に多大な期待が寄せられたが、そうした期待は果たして満たされたのだろうか。

エミリオ・アギナルド将軍(訳注5)は、一八九八年五月に列車のなかで、熱情にかられ、「わが同胞たちよ。神の摂理により、独立はいまやわれわれの手中にある」と宣言した。アメリカの騎兵大隊が革命家たちのために武器を携えて、まもなく到着するはずであった。「アメリカの国旗がたなびくところに、列をなしてみな集まるように。彼らはわれらの救世主である」。スペイン艦隊撃破は、広くスペイン支配の終焉を予感させるひとつの兆しと見なされた。たとえ一時的にせよ、アメリカ軍の後ろ盾を得て、フィリピン軍はスペイン軍の駐屯地や修道院を懸命に包囲し、解放した町々で新しい時代の到来を宣言した。少なくとも二、三週間の間、多くのフィリピン人たちは自らの運命の主人公であることを体験したのである。

しかし、アギナルドによる独立宣言は、武装闘争の輝かしい成果に関するものではなかった。それは類似する諸国で経験するような国民国家形成についての宣言であった。それは、贖罪の過程に参画した人びと、傍観者的立場に立っていた人びと、さらにはスペイン軍を支援した人びとをも含む、共和国のすべての市民の和解を求めるものだった。旧来からの社会的・経済的ヒエラルキーはそのまま維持されることになっていた。このような現実主義にはもっともな理由があった。独立革命は、結局のところ、スペイン人司祭と信徒や、地主と小作農との関係のような、それ以前から存在した社会的人間関係の様式を消滅させるにはいたらなかった。有力家族が多くの地域を支配し、その支配地域は州全体にまで及ぶこともあった。富裕で高い教育を受けた人びとの才能と資産なくして新生国家は存続しないだろうと考えることには、疑問の余地がある。しかし、多くの人びとにとって、このような実務的な配慮は問題外だった。母なるスペインからの分離は、母なるフィリピンの子どもたちによる真に新しい共同体へと導かれるべきものと感じられるような衝撃的事件であった。新しい母のもとでのカラヤアーン（独立あるいは自由）という状態は、フィリピン人による最初の共和国が達成困難なような、あらゆる人びとのための良き生活への期待を生み出したのである。

しかし、この土地特有の腐敗、個人的な確執、地方的政治主義《カシキズム》、愚かさといった陳腐な描写にもとづいて、アギナルド政府を批判する人びとは、最初の共和国にはそうした陣容を十分に整えるだけの貴重な時間がほとんどなかったことを思い起こす必要がある。誕生のほぼその日から、共和国は合衆国による併合という脅しに立ち向かわなくてはならなかった。一八九八年一二月に、アメリカは、フィリピン人民族主義者《ナショナリスト》による独立の承認を求める訴えを無視して、フィリピンをスペインから二〇〇〇万ドルで買い入れた。翌年二月に、アメリカは、当時「フィリピン反乱」と呼ばれた大規模な抵抗、またはバロウズ（訳注6）の言葉を借りれば「大いなる誤解」を前にして、占領を開始したのである（Barrows, 1905, 1907 and, 1924）。

それはアメリカ人にとってこそ大いなる誤解であった。なぜなら彼らは最善の意図をもって戦争を遂行したと主張したからである。マッキンリー大統領は、「フィリピン人を教育し、彼らを向上させ、文明化し、キリスト教徒とし、神の恵みにより彼らのそばでわれわれの最善を尽くす……」以外に選択肢はなかったと述べた。一八九九年の第一次フィリピン委員会〔シャーマン委員会――訳者〕(訳注7)に対するマッキンリーの訓令には、フィリピン人はわがままな「太平洋の孤児」として扱われるべきであるとされていた。ビセンテ・ラファエルが指摘するように、フィリピン人は、スペイン国家を意味するスペイン人の父親から切り離され、ほかのヨーロッパ勢力から狙われていた(Rafael, 1993)。フィリピン人はいまやアメリカの養子にされ、「父」であるアメリカによって保護されようとしていた。アメリカにとってフィリピンの植民地化とは、搾取でも隷属でもなく、「人類のより高度の文明を構成する高貴な理想」に対する「絶え間ない献身」を通じて、「フィリピン人の至福と理想」を育てることを意味するものであった。フィリピン委員会を率いたコーネル大学教授ジェイコブ・シャーマンは、ここでフィリピンを新たに誕生した「娘」として見なし、それをアメリカ型民主主義のなかで養育する行為として、フィリピン領有を合理化したのである。

　フィリピン諸島の命運とは……ひとつの国家でも、あるいは領土でもなく、……われわれの娘としての共和国、すなわち、太平洋の向こう側で新たに誕生した自由である。……それは――進歩の記念碑として聳え立ち、そして――アジアの「すべての虐げられた人びとと何百万もの未開の人びとにとっての希望の標識」である。

このように、一八九九年には、アメリカ化されたフィリピンがアジアにおけるヨーロッパ・アメリカ的進歩の前衛となるという考え方がすでに存在していた。しかし、なぜフィリピン人は、「自由」と

「進歩」という貴重な贈り物を拒絶したのだろうか。「なぜ敵意をもつのだろうか」、「最良のフィリピン人たちは何を求めているのだろうか」と、シャーマン委員会は問いかけた。独立を望むことで、フィリピン人は「アメリカの政府と国民の純粋な意図と目的」を誤解することになり、代わりにアメリカ軍を攻撃したと、シャーマンは言う。アメリカ人が侵攻してきたとき、そのより高度な目的を直ちに見抜くことができなかったのは、フィリピン側の無力さゆえであり、たしかにそれは誤解であった。アメリカのフィリピン領有に抵抗したフィリピン人は、かくして正しい態度を教える必要のある、無分別な「不良の子どもたち」と見なされた。マッキンリーは、フィリピン人は「必要なら強さをもって、しかしできるだけ厳格にならないように」訓練される必要があると言明した。アメリカは、「権威の強固な腕を維持して妨害行為を弾圧し、合衆国の自由の旗のもとで、フィリピン諸島の人びとに神から与えられた良き安定した政府という、祝福された贈り物にとって障害となるようなすべてのことを乗り越えなくては」ならない。「抑制された力の行使」は、フィリピン人をして、アメリカ人の父による支配に服従させるためであり、彼らは、その父の指導のもとで、いかにしてより文明化され、より民主的となり、かくして独立の準備が整うようになるのかを学ぶものとされたのである。

　ラファエルが植民地主義を「白人の父を仰ぐこと」と呼ぶ「友愛的同化《ベネボレント・アシミレーション》」(訳注8)というこのイデオロギーは、フィリピン領有に伴う暴力に対するアメリカの罪意識を和らげるのに役立った。五〇万のフィリピン人の命が失われるか、行方不明となった。拷問は日常的に行なわれ、最後は強制移住と焦土作戦が繰り広げられた。しかし、レトリックは常に、これがより高度な目的のために必要な抑制された力の行使であるというものだった。米国陸軍長官のエリフ・ルートは、アメリカ軍は「自制し、忍耐強く、〔そして〕寛大さ」をもって行動した、と語った。その真偽はともかくも、こうした暴力は、いかなる場合であれ、自治へといたる過渡的な段階につきものであった。この文脈における「自治」とは、再びラファエルを引けば、究極的には、自己統御、自己の植民地化あるいは祖型化を意味し、しつけを行なう父が定めた基準に見合うようにすることである。別の言葉で言えば、抑制された暴力とは、フィリピン人という子どもたちを、その女性の育て親、つまり母なるフィリピン、聖母マリア、祖母であるスペインから乳離れさせるために必要と考えられた。この女性の育ての親はすべてが、好んでアンクル・サムと呼ばれる義理の父アメリカに代表された「男性的」合理性ではなく、前近代、情念による支配、感情、そして宗教の象徴であった。アメリカによる植民地支配の目標は、近代的、民主的、父権的な国家を形成し、白人の植民者としての父という新たに登場した第二の自我、つまり、「褐色の肌をもつ弟たち」として呼ばれることを好んだフィリピン人に、のちにそれを手渡すことにあった。

　そこで、もしアメリカがその子どもたちをしつけ、人格形成することを望む権威主義的な父として行動することに成功したいのであれば、最初になすべきことは厳格な親として彼らを見守ることであった。継続的な個々の観察を通じて彼らが何をしようとしているのかを知ることによって、問題が明らかにされ、必要とされるところでそれに相応しい教化対策を採用することができるであろう。言い換えれば、友愛的同化政策のもっとも有効な道具は、詳細におよぶ継続的な監視だった。私はこの講義において、フィリピン・アメリカ戦争の過程とその直後に採用された植民地的監視の三つの方法について検討する。第一に、一九〇一年後半から〇二年にかけての保護地域の設立あるいは住民の強制移住、第二に、一九〇二〜〇三年のコレラが流行した際の防疫と公衆衛生管理、そして第三には、一九〇三〜〇五年のセンサス〔国勢調査[訳注9]──訳者〕の実施について検討する。これらの出来事は、「フィリピン・アメリカ戦争」の本質的部分を構成していた。征服とは、新たに獲得した領土における社会秩序の変化のための想像力と欲望に関わるものであった。こうした夢を実現するために、知ること、秩序だてること、しつけることに関する技術、すなわち、平定のための基本的な道具だての配置が必要とされたのである。

理想社会の偽造、一八九九～一九〇二年

一八九八年一二月にパリ講和条約の調印が行なわれていたときでさえ、アメリカ人の役人は、フィリピンについてほとんど何も知らなかった。彼らは、英領マラヤに関する文献の渉猟を試みた。同じような熱帯植民地の経営方法に関する手引きを求めてのことだった。しかし、こうした文献はほとんど役に立たなかった。アメリカ人は、二、三の例外を除くと、フィリピンには、スルタンや「世襲制の首長や支配者」、そして「人びとが仕え、忠誠を誓う制度化された君主」のいないことに気がついた。いまやスペインの主権が失われ、「諸島住民を代表〔できる〕ような、法制化された権力者たちや生まれつき指導者としての資質を備えた人びと」のいないことが浮き彫りにされた。そこでアメリカ人は早くから、ここで問題が生じることを感じ取った。なぜなら、住民を支配するために役立つと彼らにすぐにわかるような人びと、つまり、文明化という贈り物を彼らが与えるためのチャネルとなるような人びとが誰もいなかったからである。もちろん、アメリカ人は、フィリピンの共和国が要求した主権を認めることを拒んだ。

一八九八年の時点において、フィリピン社会の構造に関するアメリカの知識は皆無に等しかったため、有効な「平定」政策を実施することができなかった。これを是正するため、一八九九年半ばにシャーマン委員会は、フィリピン生まれで「社会的地位があり、影響力をもつ」階級の多くの人びと――弁護士、

医者、商人、農園主、技師たち――を参考人として、彼らから意見聴取を行なった。こうしたマニラで暮らす有産知識階層《イルストラード》(訳注10)は、どのような社会的秩序が存在したのか、なぜ広範な対スペイン反乱が展開されたのか、そして、目下の暴動はどのように沈静化できるのか、と尋ねられた。

シャーマン委員会が得たイメージとは、フィリピンは御しがたいものの平穏を好む社会であり、理性ではなく個人的野望によって衝き動かされた中産階級出身の革命家たちの小集団によって、アメリカ軍と戦うよう脅かされたり、そそのかされたりしていた、というものだった。同委員会は、「フィリピン人大衆は、教育を受けた人びと、あるいは資産をもつ人びとのほとんどすべてを含めて、独立し主権をもつフィリピン国家を望んでいない」と結論づけた。近代国家の二つの主要な構成要素、すなわち、真に公共心をもつ指導力、そして国民性と主権に対する意識をもつ国民が欠如していると判断した。そこで文民政府と軍当局は、発展の代行者《エージェント》(すなわち父権)として、このような欠落部分の補塡を主張し、したがって革命勢力の抑圧を合法的に進めることができたのである。

初期のフィリピン委員会報告書を読み直してみると、アメリカのフィリピンに関する知識のほとんどが、シャーマン委員会で証言した参考人との接触によってかたちづくられたものであるという、その度合いの大きさにびっくりする。これらの参考人は有産知識階層のエリートで、そのなかには、かつて革命政府に仕えていた者もいた。ノーマン・オウエンによると、有産知識階層の権力は、富、教育、個人的支持者に基礎をおいていた(Owen, 1971)。アメリカ人は、有産知識階層を彼ら自身の合理的で自由主義的な姿を映し出す鏡のイメージとして捉えた。有産知識階層のほとんどは、中国人またはヨーロッパ人との混血、すなわちメスティーソであり、そうした人種的混淆はアメリカ人に一層似つかわしいものですらあった。しかし、有産知識階層はまた、いわゆる「無知な」大衆とつながりをもっていると想定された。無論、シャーマン委員会はそうした大衆から意見を聴取することはなかった。一八九九年の段階ですでに形成されていた、有産知識階層とアメリカ人の役人との間の「象徴的な関係」を、オウエンは、植民地社会におけるパトロン・クライアント(訳注11)的秩序の先駆けであると見る。それは、アメリカ人を頂点とし、有産知識階層やその他エリートを媒介として、底辺の村と一般大衆《タオ》へといたる個人対個人の人間関係が織り成すピラミッド構造であった。

一八九九年の事情聴取における有産知識階層の陳述は、アメリカ人の委員たちにヒエラルキーの存在をちらつかせるような、社会秩序の大雑把な輪郭を提供した。その構図は、二層あるいは三層からなる社会を示すものだった。ある情報提供者は、単純に、和平を望む「裕福で知的な」階級と、「貧しく無知で」あって、その一部が騙されてアメリカに抵抗した大衆とを区別した。他方、事務職や物書きからなり、彼らのなかから煽動者が輩出したような、第三の中間的な階級について述べる者もいた。ほとんどの人びとが、大衆の受動性、すなわち、権力者の意向に喜んで従おうとする彼らの性格を指摘した。アメリカ人にとって、指導的な階級を識別しうるにはそれで十分だった。こうした階級の協力を得ることにより、植民地制度を確立することが可能であった。

実際に立ち現れたのは、アメリカ人と有産知識階層の双方の願いを反映したフィリピン社会の姿の表現だった。それは、必ずしも実際のあり方を示すものではなかった。事情聴取の記録を注意深く読むと、有産知識階層は彼らの出身地の村とはほとんど関係をもっていないことが明らかになる。有産知識階層は、村人に対して彼らが実際に影響力をもっているとは主張しなかった。こうしたエリートが村に出かけ、アメリカの良き意図を受け入れるように大衆に影響を与えるべきだと示唆したのは、概して、事情聴取をしたアメリカ人たちであった。有産知識階層の側は、合理的な能力を備えた者が指導的立場に就くことになろう、と繰り返し主張したにすぎなかったのである。

有産知識階層が、彼らに指導する権利があると主張した裏側には、将来に対する不安があった。彼らは自らが抱える問題で精一杯だった。彼らは、町にとって脅威となる山賊や宗教的狂信者について、よく話した。アギナルドの軍に加わった人びとを、山賊またはごろつきと呼んで、軽蔑的に語った。対スペイン蜂起、そしていまやアメリカとの戦争によってもたらされた――彼らが目撃し、おそらく自ら体験した――無政府状態について、夥しい数の言及がなされている。彼らは裕福で高い教育を受けていたが、彼らの社会における地位は、とくにマニラ以外ではもともと存在しなかったか、スペインとの戦争の間に打ち砕かれてしまったか、あるいは、革命家や無知で誤った方向へ導かれた大衆によって脅かされていたのである。

有産知識階層の不安を理解し、農村部を「平定」するにあたり、なぜアメリカ人が問題を抱えたのかを理解するためには、スペイン植民地時代を簡単に振り返ってみる必要がある。第一に、プエブロと呼ばれたスペイン統治期における町は、決して安定した存在ではなかった。宣教師が教会という中心を設立し、教会の鐘の音の聞こえる範囲内に住むよう改宗した人びとを説得あるいは強制するのとほぼ機を同じくして、それとは別の中心がスペイン統治の及ばない丘のなかに登場した。こうした中心は、スペインの記録文書のなかで、山賊、狂信者、妖術師、反乱者、ごろつき、あるいは単に身分不詳者《インドクメンタード》（記録されざる者）など、さまざまな名称で記載された人びとによって支配されていた。

マニラやその他の植民地的拠点から離れた多くの町では、教区司祭――多くはスペイン人――が政治的権威と宗教的権威の双方を代表する唯一の人物であった。町の秩序がたったひとりの人物によって保たれていたことに驚きを表明する観察者は少なくなかった。しかし、実際には、教区司祭は町の中心部を超えた範囲の事柄について見届けることはできなかった。植民地支配下の町と周辺地域にあるその他の中心との間を、ほとんど自由に人びとが移動していた。村人のなかには、頻繁に居住地を離れ、「山」でひっそりと暮らす人びともいれば、「非公認」の儀礼が行なわれたり、反権力的な主張がしばしば生み出された巡礼地をめざす旅にあえて出る人びともいた。

町の中心部で暮らす地方有力者層《プリンシパリーア》、すなわち地方の支配層は、一般の農民や村民に対して大きな影響力をもっていたが、こうした住民の大半がエリート層の家族とごく自然に、そして常に変わらないかたちで協力していたというわけではない。部下は罪を受けずにボスを見捨てることもあれば、ほかの指導者に引き寄せられることもあり、ただ町を捨てて丘をめざすこともあった。選挙で選ばれた町長がもつ威信の多くの部分は、彼らの影の「他者」である山賊の頭たちと彼らが同じ個人的資質をもつことに由来した。危機が到来したときに町を結束させたものは、外部からの脅威と攻撃に立ち向かう経験であった。

一八九九年にシャーマン委員会に対して有産知識階層が提示した農村社会の構図には、こうした不調和で矛盾をはらんだ要素が含まれていた。しかし、一般的に有産知識階層は、もし事態が「正常化」されれば、社会秩序がもたらされ、彼ら、つまり豊かで高い教育を受けた人びとが自然に指導者となるものと想像した。他方、アメリカ人はこれ以外の社会のあり方の可能性を無視し、このようなエリートを通して支配する機会に飛びついた。アメリカ人は有産知識階層に親近感を抱いていた。それは単に、彼らが、平和、個人の権利、財産権の保護を求めていたためだけでなく、彼らの多くがメスティーソだったからである。人種的な側面を根拠にして、アメリカ人はメスティーソなら植民地政策の合理的履行を託すことができると感じた。これに対して無学なインディオは、「感覚と想像力から生まれる印象」に大きく左右される存在と見られ、「幼い子ども」になぞらえられたのである。

フィリピン人が真に望むもの——有産知識階層の情報提供者が言葉に表したことにしたがって——を創り上げるという精神に則り、占領地域ではアメリカ軍志願兵が直ちに町政府を組織し、学校を設立し、公衆衛生計画を実施した。なるほど、彼らの努力は実を結んだように見えた。しかし、その翌年の一九〇〇年には現地住民《ネイティブ》の「二枚舌」についてより多くが語られるようになった。アメリカ人をもっとも失望させたのは、フィリピン人の表向きの態度と本音の間に整合性がないこと、アイデンティティの揺れ、駐屯地となった町の中心部の背後に何が控えているのかわからないという状態だった。アメリカ人が交渉の相手とし、スペイン語で意思の疎通ができたのは、自らをアメリカニスタ〔親米派——訳者〕と表明した少数の地方有力者層であった。

実際のところ、町の中心部の物理的な制圧にはたいした意味はなかった。私がやや詳しく調べたことのある南タガログ地方タヤバス州のチャオンという地区を例に考えてみよう。ポブラシオンと呼ばれるこの町の中心部は、一九世紀に衰退したままであった。そこは、プエブロ、つまり町の「心臓部」というよりも、人びとが日曜のミサのためや買い物をするために集まるためだけの場所にすぎなかった。周辺の村々や遠くのバナハウ山でどんな事件が起きようと、それらがひとつの「騒動」として報告されない限り、少人数のスペイン人の役人たちの関心を引くことはなかった。フィリピン人の町長はじめその他の名士たちは教会の近くに住居を構えていたが、実際にはそれぞれの村《バリオ》のなかの、よりゆったりした住居で暮らすことを好んだ。したがって、一九〇一年にアメリカ軍がこの地域の「平定」を公式に宣言し、その年の七月に選挙が行なわれたにもかかわらず、この地で革命運動が依然として強固なものであり続けたことは、驚くにあたらない。

ようやく、アメリカ軍司令部は、平定がすみアメリカの領土と彼らが考えていた地域の多くが、ゲリラによる影の政府によって支配され続けていたことに気がついた。その典型的な例として、彼らはチャオンを、「ほかのどの地域にも存在するような、あらゆる類の裏切り、いかさま、そして不正が見られた」、「犯罪的なコミュニティ」と呼んだ。アメリカ人の目から見る限り、犯罪者であった人びととは、裕福で高い教育を受けた、町の地方有力者層のことで、有産知識階層はこうした階層の出身者であった。事実、「平定された」諸島におけるいくつかの重要地域では、アメリカ人は地方有力者層が秩序ある社会に向けた植民地の青写真に適切に対応していないことを知った。彼らのなかには、アメリカに対する忠誠を捨て、政府に敵対する勢力を率いていた人びともいた。彼らのほとんどは、少なくともゲリラを支援しているのではないかと疑わせた。しかし、地方有力者層は社会全体を統制するための鍵であると見なされた――一八九九年の事情聴取から引き出された結論――ため、彼らのなかの「真の」親米派の影響を強化し、その他の人びとを監視の対象とすることに多くの努力が傾けられたのである。

ある地域の情勢に対するアメリカの不満がどれほどのものであったかは、J・フランクリン・ベル准将が彼の指揮下の旅団（ルソン島南西部に配属）の将校たちに対して行なった演説に表れている。演説の冒頭から、「横柄」、「思い上がり」、「生意気」、「恩知らず」、「無節操」、「狡猾」そして「攻撃的」などの語彙が、敵であるフィリピン人の性格描写の常套句として用いられている。こうした敵の対極に位置するのがアメリカ軍兵士であり、ベルによれば、彼らは公正で、信頼でき、礼儀正しく、善意に満ち、寛容に富み、「かっこよく」、「冷静に」行動するとされた。

これは、一九〇一年一二月のことである。そしてベル将軍は、彼自身が採用しようとしていた強硬手段を正当化するために、フィリピン人という敵を固定観念化《エッセンシャライズ》しようとした。ベルは、しかし、感情面での未熟さと東洋的狡猾さという一般的特徴を示すフィリピン人全般を、注意深く二つのタイプに識別した。一方には、支配者たち、すなわち、地方有力者層がおり、その他の人たちは彼らに盲目的に従う者たちであった。戦争に勝利する鍵は、地方有力者層エリートを味方につけることだった。

……バタンガスの人びとは、いつでも望むときに平和を得ることができる。そして、できるだけ早く、正当な手段により、彼らがそれを望むようにすることがわれわれの使命である。

このように非妥協的で野暮な連中に対して、親切さと寛容さとだけで、諸君〔ベル准将指揮下の将校たち——訳者〕が正しく彼らが間違っていると説得することは不可能だ。無知な大衆にする諸君の助言が最善であって、地方有力者層の彼らに対する命令が間違っていると説得することもできない。なぜなら、どちらの階級でもその多くが理解し評価できることと言えば、身体的力に関わることだけだからである。

一般大衆にうまく対処するために、われわれが影響力を及ぼす必要のある人びとは、首長、指導者、そして地方有力者層である。一般のひと《オンブレ》は彼の主人である地方有力者に身体も心も支配されている。彼は単に盲目的な道具で、貧しく、踏みつけられた無知な存在にすぎない。自分にとって何が良いことかを知る由もなく、アメリカ人を信じることもできない。諸君が空を飛べないのと同様に、諸君は寛容なる説得によってこうした連中に影響を与えることはできない。連中は、彼らの主人あるいは指導者に言われるがままに、なんでもやる。連中はそれ以外に何もできないからだ。

したがって、われわれは目的を達成するためには、彼らの指導者たちに働きかけて、彼らに命令させ、彼らにわれわれが欲することをさせるようにしなくてはならない。われわれはこうしたことを成し遂げるために、地方有力者層を特別の調査と働きかけの対象としなければならない（Bell 1902, p. iii）。

ここで重要なのは、フィリピン社会が、指導するエリートとそれに従う大衆という単純な配列で想定されていることである。したがって、アメリカ人が、エリート、すなわち地方有力者層を支配さえすれば、残りのすべての人びとは盲目的に従い、反乱は終息するということになる。しかし、「恩顧庇護的《クライアンティスト》」関係にもとづく、こうした構図は、果たしてフィリピン社会の本質を捉えているのだろうか。あるいは、それは単に、平定と植民地主義とが生み出し支配し続けることのできる秩序ある社会に対する、アメリカ人と有産知識階層の期待を反映したものにすぎないのだろうか。ベルは、この任務を達成するためには、情報収集と前線での戦闘との両面で多くのなすべきことがあることを知っていた。軍事行動と平行して、情報収集と知の生産のプログラムが進められることを確認しながら、彼が「特別の調査」と平定への努力とを結合していることに注目してほしい。

フィリピン軍事作戦の真っ最中に、ワグナー大佐が、アメリカ軍は「盲目の巨人」であって、「敵を滅ぼすには十分強力だが、その敵を見つけることができない」と、落胆を表明したことがある（Linn, 1989, p. 160）。スペイン植民地時代について知識をもつ者なら、これは驚くに値しない。町々を超えた先には、「身分不詳者」の領域である広大で未知の土地が広がっていたからである。フィリピン・アメリカ戦争は、ある意味で、この広大な知の落差を埋めるための戦争であった。こうして、われわれは、土地所有、教育程度、親米的または反米的な地方の指導者たちの家族関係などについての夥しい量の情報報告を目にすることになる。アメリカ軍司令官たちはこうしたデータを用いて、町内の派閥を色分けし、ゲリラ首謀者の親族を調べ上げ、さらに地方有力者層のなかに彼らの味方をつくり上げることができた。今日、これらの報告は、フィリピンの社会構造に関する経験的データとして貴重である。ところで、こうした報告は実情を反映したものなのだろうか、あるいは単にアメリカ人と有産知識階層の秩序に対する願望を反映したものにすぎないのだろうか。アメリカ人には言語上の制約があり、彼らが情報提供者と意思疎通をはかることができた言語はスペイン語に限られた。彼らはまた、「指導力」という言葉の含みとそれが意味することに対して彼ら自身の文化的想定によって制約を受けていた。そして彼らが獲得することができた社会秩序についての唯一のイメージとは、こうした地方有力者層や有産知識階層といった階級を通じて得た屈折したものであった。

軍による情報収集は、負債、恐怖、あるいは、社会的上層の人びととの間のその他の「伝統的」つながりによって束縛された受動的な存在に、フィリピン人一般兵士やサバルタン〔下層階層の人びと──訳者〕を還元する効果をもっていた。敵の抵抗がこうした本質的要素に還元されたのは、当初、アメリカ軍の作戦行動の主要目標が、地方有力者層におかれたためである。地方有力者層だけが語るのである。アメリカ人がフィリピン社会の中核にあると想定していた「封建主義」は言うに及ばず、サバルタンの行動は、彼らとエリートとの関係をエリートが構築した枠組みのなかで記号化される。ただし、実際には、タガログ語の宣言文や書簡、さらには尋問調書のなかの不可解な供述といった文書もある。これらの文書では、漠然と「士気」とでも呼ぶべきものが、とりわけ、しかし常にそうだというわけではないが、首長の言葉や存在によって鼓舞され、それと比較すると負債や恐怖などがいかにとるにたらないものに見えたかが示されている。そして専制政治が基本的に社会的諸関係を規定したという想定は、ゲリラ軍の構造が著しい流動性をもつことによって裏切られてしまう。集団は常に分散し、消滅し、そしておそらく、より高い能力をもった別の指導者の周辺で、再構築されていったのである。ゲリラ軍の構造がもつこの流動性は、平定に携わる当局者たちをいらだたせた。ゲリラ軍と戦いを交えることができるようにするために、彼らは、安定した指導者とそれに従う者を軸とする集団を見つけ出そうと試みたからである。

アメリカ軍が向き合ったのは、大物と一般大衆からなる単純な社会ではなく、適切な指導力をめぐって定義が競合する複雑な場面と、それが表現される場の多様性であった。チャオン地区では、多くの農民が「コロルム」(訳注12)と呼ばれた宗教的政治運動に参加した。この運動はまた、アメリカ支配に断固反対した。しかし、これは地方支配者層による指導力の範囲の外で生起したため、「狂信的行為」というラベルを貼られた。一九〇一年後半にベル将軍がアメリカ軍の総力を動員して、住民を「保護区」に集めたとき、多くの農民兵士は投降した地方支配者層出身の将校を見限り、地方支配者層ではない層の人びとの指導力のもとで抵抗を続けたのである。しかし、こうした農民の抵抗は、適切なフィリピン人による指導力というアメリカ軍の定義から外れたため、「山賊行為」と名づけられた。

右に引用したベル将軍による言明は、「東洋的狡猾さ」と駐屯地の孤立によって引き起こされた膠着状態を、確実に解決するためのアメリカ軍の決意を物語っている。地域内のアメリカ兵の大部分は善意にのみ依拠する政策にますます幻滅し、「戦闘と文明化、そして教育を同時に進めるようとする政策はうまくいっていない。まず必要なのは和平だ」(Linn, 1989, p. 128) と述べるジョーダン大尉に同意した。一九〇一年一二月に実行に移された新しい政策のかなめは、村で暮らす人びとを「保護区」に集めることだった。「保護区」とは、この時期における焦土作戦の典型的な婉曲表現である。その定められた目的は、敵から食糧その他の生活物資を奪い、平和を好む村民をゲリラの略奪行為から「保護」することであった。グレン・メイの推定によれば、栄養失調、貧弱な衛生状態、病気、および社会的秩序の乱れによって、バタンガス州の「保護区」だけで一万一〇〇〇人ものフィリピン人が死亡し、住民が一九〇二年のコレラ流行の影響を被りやすくした（Linn, 1989, p. 155）。私はここで、この政策の不法性や残虐性を問題にするのではなく、植民地社会の建設と監視に対して与えた影響を強調したい。保護地区（強制収容所とも呼ばれる）の創設は、空間を「固定」し、境界線を設け、人びとの移動を妨げ、監視を可能にし、そして占領軍が望むことを彼らが望み、またそれを行なうよう誘導するための方法だった。

「保護区」とは、町の中心部にほかならなかった。元来曖昧で、おおむね権力を欠くこうした町の中心部は、権力の真の中心に強制的に変貌させられた。典型的な「保護区」のハブとなったのは、教会とアメリカ軍駐屯地であった。教会の塔（通常、町の四隅からはっきりと視認することができた）からは周囲の通りと家々を一望することができた。そこから見えたものは何だったのだろうか。それは、「保護区」、すなわち密集し、周囲を囲まれ、完全に支配下におかれた町そのものだった。それは戦闘をやめ、占領軍の友愛的同化というイデオロギーに屈服したときの、彼らのあるべき姿、すなわち、秩序正しく、可視的で、規律の行き届いたその姿を映し出す、町の人びとにかざされた、ひとつの鏡であった。

町の中心部を取り囲むそれぞれの通りに村が再配置された上、適当な名称がつけられた。町と田舎、中心部と周辺部、よく知られた人びとと無名の人びととの間の隔たりは当面なくなった。アメリカ人は観光客のように町中を歩き回り、全住民を通りごとに眺め、数え、記録することができた。隔離された地域のなかで、彼らは食糧その他必要物資を配給することによって支配的関係を築き始めた。清潔さと公衆衛生の名のもとで、彼らは個々の家や小屋に立ち入った。そして、彼らは、支配層の仲介というゆがみを経ることなく、「普通の」フィリピン人たちによっても、同様に見つめられる存在になりえたのである。ベルが述べるように、「以前、彼らはアメリカ人を見たこともなく、知ることもなかったが、何百という人びとがアメリカ人と親密な関係をもつようになった。それゆえ、アメリカ人の本当の性格について再び誤解を抱くことは、誰もできないだろう」。

保護地区の内部では、地方有力者層は尋問を受け、そして選別された。中立的な立場や曖昧な立場は許されなかった。戦場から反徒を連行したり、補助部隊を率いるなどの行動を通じて、アメリカ人の「友人」であることを示さなくてはならなかった。チャオンでは、実質的にすべての人びとがゲリラ運動にかかわったとされ、何百人もが追放され、マラギ島の捕虜収容所で重労働に付せられた。さらに、この地区では支配層の特権が剝奪された。植民地権力の眼前では、すべての人びとが平等とされたのである。この時期は、通過儀礼における過渡的段階、すなわち、生存状況がもうひとつの秩序化された段階に足を踏み入れる前にコムニタス(訳注13)の歪んだ形式が支配する段階、と見なすことができる。アメリカ軍将校により注意深く観察されていた地方有力者層は、こうしたすべての適切な手続きを経て、新しい植民地秩序内での指導的立場に立つ市民として登場し、彼らの地元の派閥は民主的選挙プロセスのなかに取り込まれていくことになる。

この間に、町の中心部を制圧したアメリカ軍は、農村部一帯にもその存在を知らしめるよう進軍していった。ベル将軍の報告はその全文を引用するに値する。なぜなら、アメリカ人がついに、かつて抵抗し、手に負えなかった地域の隅々にまで浸透できたことで上機嫌になっていた様子がうかがえるからである。浸透および空間的な支配に関わる言説が見られることに疑いの余地はない。

……われわれはこのところずっと気を引き締めて連中を追ってきた。連中が隠れ家から出てくるのを待つのではなく、われわれはあらゆる山々の奥深くに浸透し、すべての渓谷と山頂を捜索した。われわれはまったく予期せぬ場所や遠方の隠れ場所に、連中の兵舎や隠匿物資を発見した……。マルバールが降伏したとき、あらゆる山岳地帯にわれわれの全部隊が出動していた……（Bell, in Wheaton, 1902, pp. 13-14）。

戦略村計画によりほとんど無人になったのち、農村部は、アメリカ軍と、アメリカ軍に忠実な地方有力者層によって率いられたフィリピン人の選抜分隊とで満たされた。それは農村部を、「町《タウン》」と呼ばれる特権的な中心を軸としてアメリカのイメージで再建することでもあった。「よき秩序に真っ向から対立する、無知でしつこい連中を、文字通り、そして決定的に、無条件に適切に樹立された権力のもとへ服従させることを実現できたという満足感」というベル将軍の言葉は、そのように読み取ることができる。

「保護区域」政策は成功した。区域外に貯蔵されていた食糧を大量に焼却したことで、空腹を抱えていたゲリラは投降した。町の中心部の地方有力者層は、元ゲリラ将校とともに、アメリカ軍による圧力に「応え」、戦略村政策中止の前提として、残るゲリラの検挙に協力した。受動的なものであれ積極的なものであれ、抵抗がすべて途絶えてしまったわけではない。しかし、一九〇三年になると、ゲリラ勢力のほとんどは、鍛冶屋、きこり、農民などがその指揮をとっており、当然のことながら、彼らは、町に基盤をもつ地方有力者層と有産知識階層だけが合理的に指導者と見なされた社会の植民地的秩序づけとは、かけ離れた存在であった。したがって、こうした頑強な革命家——理髪師と舞台俳優を職業としていたマカリオ・サカイ(訳注14)がもっともよく知られている——は、単なる山賊として扱われ、厳格に処罰された。その他の形態の結社や「伝統的行動」は周辺化された。たとえば、民族主義的な英雄を崇める宗教的カルトなど、潜在的な破壊分子と見なされると、中心部から浸透してきた勢力によって武装解除された。フィリピン・アメリカ戦争は、一九〇二年四月一六日、アギナルドの後継者ミゲル・マルバール(訳注15)将軍の降伏によって公式に幕を閉じたのである。

公衆衛生と平定、一九〇二〜〇三年

マルバールに降伏を促した、もうひとつの要因があった。それは、彼の活動地域におけるコレラの発生である。コレラは、一九〇二年の三月に香港から届いた野菜に菌が付着していたことでマニラに上陸した。フィリピン諸島全土へのその急速な蔓延は、アメリカ軍部隊の移動と農村部における検疫線維持管理の失敗で大いに促進された。コレラが四月にルソン島南西部の「保護地区」に達したとき、村民は、不衛生きわまりなく、ひとでいっぱいの住居に押し込められ、まもなくそこは死の収容所と化した。いくつかの町ではすでに間に合わなかったが、ベル将軍は大慌てで戦略村政策を解除し、そしてマルバールはまもなく投降した。

植民地時代の歴史教科書のなかで、一九〇二〜〇三年のコレラ流行は、「新時代の進歩と公衆衛生」と呼ばれる箇所でしばしば扱われている。コレラ撲滅は、ヨーロッパに発する医学上の進歩という普遍的な歴史のなかに溶け込まされている。忘れ去られているのは、それが植民地戦争と平定作戦にそもそも由来したという点である。皮肉にも、フィリピンの民族主義的な歴史学研究は、一八九九〜一九〇二年の抵抗戦争と一九〇二～〇三年のコレラ流行を二つの異なる流れのなかに位置づけて、こうした神話を再生産した。前者は植民地支配の独立を求める叙事詩的な闘いであり、後者は科学の進歩物語のフィリピン版である。テオドロ・アゴンシリョは一九七〇年代に彼が著した歴史教科書で、次のように述べている。

一九〇〇年以前にはコレラ、天然痘、赤痢、マラリア、結核その他死にいたる疫病の猛威が人びとを襲った……。アメリカ人がやってくると、彼らは直ちにそうした疫病の蔓延を最小限に食い止めることに着手する一方、人びとの健康状態の改善に努めた。

「清潔さと公衆衛生の基本的原則」を人びとに教え込む仕事は困難だった、とアゴンシリョは述べている。なぜならフィリピン人は、

人を死にいたらしめる細菌の奇妙な働きについて迷信を信じているか、または無知だった。〔さらには〕さまざまな病気がもとで死を招くその原因と戦うための医学的方法の効き目を容易に信じようとしなかった。初期のアメリカ人は、したがって、無知と迷信という手ごわい壁と立ち向かったのである……（Agoncillo and Guerrero, 1977; pp. 425-426）。

このような言説の源は、コレラ撲滅作戦の起案者である内務長官ディーン・ウースター（訳注16）と公衆衛生局長ビクター・ハイザー博士に求められる。ウースターは、うわさの横行と彼の政策に対する住民の抵抗

がまさに拡大された戦争であると感じていた。しかし、彼自身の衛生政策を進歩の言説と関連づけることで、それに反対するすべての主張が後進性と迷信の力を示すものと同一視された。加えて伝染病の流行は、もうひとつの「父親としてのふるまい」の舞台を生み出すことになった。それは「友愛的同化」のもうひとつの局面であった。「戦争、イナゴによる被害、牛疫で痩せ細り、征服されたことで恨みを抱く、無知で猜疑心の強い人びとを前に、こうした伝染病と公衆衛生面で闘うのは極度に困難な任務だった。軍に向けられた矛先は、さらなる我慢、気転、より堅い決意の要請であった」と、ある退役軍医が記しているように。

戦争は、実際にはマルバールの投降で終わりはしなかった。「平定」の言説が、ただ単に「病原菌戦争」の言説に取って代わっただけである。戦争初期の騎兵隊将校と戦闘部隊に続いて、軍医が、次の「平定の担い手」の一群となったと見ることができる。事実、ウースターは、アメリカ人の騎兵隊員や兵士を彼の衛生部隊の優秀な将校として採用した。征服する兵士のイメージは時をおかずして、疫病撲滅の公衆衛生検査官に取って代わられた。しかし、アメリカ軍の「友愛的」政策がゲリラによって阻止されたように、衛生作戦もまた住民によるさまざまの形態の抵抗に阻まれた。これは、アメリカ人軍医、フィリピン人医師、教区司祭、地方有力者層、傷ついた町の人びと、町の周囲で活動する治病師を巻き込んでの、権力をめぐる紛争や病と治療の定義にかかわる、ひとつの「作戦地帯」であり、もうひとつの戦争の舞台であった。

この戦闘地帯を支配したのは、厳格な姿のアメリカ人軍医だった。彼らは通常の将校に比べて、土地のエリートと妥協する度合いが低かった。C・デメイ大尉が述べているように、彼らの任務は、望むべくは「鋼の杖で支配すること」だった。「ある都市が疫病の脅威のもとにおかれ、あるいは疫病蔓延下にある場合」、衛生担当将校は、「その都市の司令官となるべきであり、彼自身の判断で自由に行動しなくてはならない」。疫病蔓延下では、規律の執行役として軍司令官ではなく軍医がそれに代わることになる。

コレラの隠匿に対するこの闘いでは、捜索および監視作戦がとくに重要だった。この目的のために、ウースターは志願兵部隊の軍医に指揮される検査官からなる部隊を編成した。当初、検査官の多くはフィリピン人だった。しかし、まもなく彼らは役に立たないとして任務を解かれ、あらゆる種類のアメリカ人が召集された。事務員、学校教師、警察官、元兵士などである。そのなかには、「現地住民に対する敬意のかけらをもたず、住民にとって不快な規則を不法なやり方で強要する者もおり、住民からの反対を強めた」。そのため、このうちの何人かが殺害された。問題は、ここで検査官が理不尽にも住民の家屋に立ち入り、隠されていた犠牲者を引っ張り出そうとすることだった。これは「戦略村」政策の延長に等しく、コレラに汚染されたすべての町で家屋への侵入を正当化するものであった。

「衛生戦争」と呼びうるもののなかに、さまざまの作戦地帯を見出すことができる。なかでもよく知られるものは、監禁という問題である。当時のアメリカ医学では、病気は純粋に生物学的、物理的構成要素であり、外来の異物は社会の健全な部分から排除されなければならないという考え方が有力であり、それをもとに厳格な監禁が前提された。しかし、フィリピンの公衆は、コレラが発生した社会的諸関係のネットワークから、コレラを切り離すことを拒絶することが多かった。患者の家族はなぜ患者を介護してはいけないのか、と。病気と治療についての強要された定義に対して、うわさ、隠匿、はぐらかしなどの抵抗手段がとられた。争いがますます激化したため、「無知な階級」に対する譲歩として、コレラ専門病院の敷地内にテントが張られ、患者の親族や友人を収容することになった。日に一度か二度、彼らは患者を見舞うことが許された。フィリピン人医師はまた、患者を心安く、元気づけるような環境におき、心と身体の双方を診ることができるように、「多元的な治療」を行なうことが許された。

五月中旬のある日、マニラでは保菌者の収容所への移送が停止された。移送を継続しても罹患を隠匿させることになるだけだったためである。七月一日には自宅での収容も取り止めとなった。バタンガス州とラグナ州では、ベル将軍が五月二三日に強制収用を廃止した。それ以後、人びとは各自の自宅で隔離されることになり、それに対して各町当局が警備員を配置することになった。ただし、警備についたのは、タガログ地方出身者ではなく、ほかのエスニック集団から募集されたフィリピン・スカウツ(訳注17)であった。

もうひとつの作戦地帯は住居の焼却を伴うものであった。マニラではコレラが蔓延した最初の数週間に、罹患した者の家族が収容所へ送られただけでなく、その家屋がニッパヤシで建てられていた場合には、家ごと焼却された。コレラ菌は汚染した「現地住民の住居」に見られる汚物や害虫に繁殖するとされていたため、害虫などすべてを含めて家屋は処分する必要があった。ベル将軍指揮下にあったルソン島南西部の町では、次のように記す医療将校が多かった。「次に私はカビテに出かけた。そこでは患者は混雑した市場で発生していた。市場は焼却された。その結果、それ以後二ヵ月間、コレラは再発しなかった」。ベルが軍事攻勢の際に、保護地区の外で村全体を対象とする焦土作戦を実施し、アメリカ軍に対する大衆の反感をすでに生み出していたことから、家屋焼却のような目的をもったコレラ対策がそのまま受け入れられたはずがない。焼却という脅しの前で、この地方では五〇パーセント以上もの患者秘匿が行なわれたであろうことは想像に難くない。

軍医と検査官は主として町の中心部を取り締まった。それに対して町の外側の村では、土地の人たちによる活気あるキャンペーンが行なわれたか、そうでなければ病の蔓延はなすがままにまかせられた。したがって、村での患者の秘匿は容易だった。親族、隣人、子どもたちが特段の制約なく患者や死者を見舞った。挨拶にやってくる者もいれば、カタプーサンとよばれる葬送儀礼に出席する者もいた。死の淵に直面している人やすでに亡くなった人の様子をひと目見たいがために姿を現す者もいた。コレラ患者の姿は身の毛のよだつようなひどいものだった。禁止令をまったく無視した同じような事例が、フィリピン全土で報告された。「連中はなにものをも恐れていない」と、ビサヤ地方のある失意の教師はため息をつきながら述べている。バタンガス州イバアンでは、コレラに罹患した者の家には、赤い旗を掲げることが義務づけられた。「しかし、現地住民はこの警告に留意せず、旗を掲げるのは、単なるジョークのようなものと心得ている」。アメリカ人と高い教育を受けたフィリピン人は、これをあきらめと無知の表れと見なした。その一方で、死および死ぬことは、いままで通り社会的行事であるという主張をここに読み取ることもできよう。

コレラ戦争の効果のひとつは、アメリカ人軍医とフィリピンの地方有力者層の公衆衛生に対する態度がひとつにまとまったことである。地方有力者層のなかには、スペイン式の訓練を受けた医師あるいは薬剤師が含まれていた。疾病管理の伝統的な担当者として、コレラが流行した初期の頃には、各町の保健衛生委員会は常にアメリカ人軍医と衝突した。アメリカの監督のもとでの彼らの無関心は、彼らの多くにとって革命がまだ終わっていなかったこと、ゲリラの記憶がまだ残っていたこと、町の中心部に対する彼らの伝統的な支配が、まだなじみのない植民地支配者によって脅威にさらされていたことによって説明できる。しかし、やがて、それぞれの町に駐屯するアメリカ人軍医による厳格な監視が始まると、地方有力者層が植民地機構の周辺に位置するようになった。同時に、彼らは、コレラによる死亡率の加速的増加というむごたらしい事実にも直面し、「無学の」大衆の無関心や抵抗に背を向けて、コレラ撲滅対策を支えるパートナーになったのである。多くの地方有力者層はこのようにして、新しい政治的秩序に参画する心構えのあることを示した。これは、自治に向けての重要なステップとなった。

しかし、町における自治は、町の中心部と周辺部との間の格差の解消を意味しなかった。ルソン島南部では、たとえば、バナハウ山とその山麓は治療師の活動の場であり、免許をもつ医師ではなく、彼らがこの地域における農民の最初の相談相手であった。クランデーロと呼ばれる治療師は、一般にタヤバス地方に成育するサマデラ〔訳注18〕の樹木から抽出したコレラ用の薬を処方した。とくに天分に恵まれた治療師は、治療と導きの精霊が介在する儀礼とを結合させた。治療のための条件として、患者は何らかのかたちでバナハウ山への巡礼を行ない、超自然的存在に対してパナタと呼ばれる誓いをたて、それを成就することが求められた。コレラの流行は、こうした治療師の出現にとって、明らかに理想的な条件を提供した。彼らは町の中心部から離れて暮らす村人を魅了し、仲間に加えた。実際、一九〇二年とコレラが流行したその後の数年間は、コレラの感染源と疑われる場所に人びとが集合していると、アメリカ当局が無理やり解散させることが頻繁に行なわれた。聖なる泉、巡礼地、さらには教会や闘鶏場までもが、そうした場所となった。時には、違法とされる治療師に注目が集まり、ただちに抑圧されることもあった。しかし、当局は、代替医療と反植民地感情が密接につながっていることを、しだいに明確に理解するようになった。治療師が強い影響力を保持していたこうした領域では、一九〇二年後半においても騒乱状態にあり、タヤバス州のいくつかの町では再集住させられるほどであった。マルバール降伏以後のゲリラの指導者、たとえば、ルペルト・リオス「教皇」やカティプーナン指導者のマカリオ・サカイは、一九〇二年後半から〇三年にかけて、この地域の山中を移動していたのである。

こうした丘陵地に基盤をおく宗教政治運動について述べた一九〇三年のある報告によると、「独立」が人びとの宗教となっていた。「独立という魔術的状態」が彼らの目標だった。「独立」を意味するタガログ語はカラヤアン kalayaan で、この言葉のもつ意味のひとつは、カギンハワアン kaginhawaan、すなわち苦痛の除去、やすらぎの人生という語から派生している。一九〇二〜〇三年には、「コレラから救われること」が人びとの心のなかに深く刻み込まれていたにちがいない。こうした運動に参加した人びとの間で用いられ、そして現在でも使われている合言葉は、「アベマリーア、……無原罪の御宿り」(訳注19)で、この祈りの最初の行は、コレラが流行していた最中には紙に書かれて家の戸に張られていた。疫病からの救いを、聖母マリアとイエス・キリストに懇請する祈りである。治療師がもっていた知の輪郭はどのようなものだったのだろうか。アンティポロやバナハウ山への巡礼の背景には、「狂信主義」以外に何があったのだろうか。史料は沈黙したままである。進歩言説の一部である、医療と公衆衛生の言説によって取り込まれていない現地の住民たちの世界からは、ほとんど何も浮かび上がってこない。

コレラ戦争の皮肉は、強力な薬品の使用、厳格な検疫、死者を火葬に伏せされるといった細菌戦対策が、さまざまな理由でことごとく失敗に帰したことにある。とどのつまり、激しく降る雨と住民の間で免疫性が向上したことが、コレラを下火にさせた。こうした事実にもかかわらず、近代医学や衛生学がコレラ流行中にフィリピンで根づいたという説明がなされている。民族主義的立場に立って書かれた歴史でさえ、これを否定していないのである。その一方で、人道主義的な目的が、植民地における健康および福祉対策――住民の監視と教育、生活上のさまざまな側面に対するより多くの監視と規制、アメリカ政府が抵抗、無秩序、非合理性と判断したものの抑圧または除去――のほかの側面を覆い隠している。植民地における健康および衛生問題にフィリピン人が参加することによって、彼らがこの過程のなかに巻き込まれることになる。結局のところ、これは独立に向かっての彼らの成熟過程の一部であった。

新しい領土の目録づくり

一九〇三年までに法と秩序の確立が進み、アメリカ政府は、新しく獲得した領土の価値がどのようなものであるのか、その目録を作成する時期が到来したのを感じ取った。一九〇三年にセンサスが実施され、その成果が、全四巻の『フィリピン諸島センサス』として一九〇五年に刊行された。センサスは単に征服と獲得を追認するだけでなく、実のところ、「平定」をさらに進めるための手段でもあった。

コレラ撲滅キャンペーンと同じく、アメリカ軍と新たに創設されたフィリピン治安警察隊[訳注20]がこのセンサスに関与した。アメリカ議会は、センサスが実施される前に「反乱」が終結していなくてはならないと主張した。いまや「山賊行為《ラドロニズム》」と類別されるようになったゲリラによる抵抗は、いくつかの地域で執拗に続き、多くの場合、治安警察隊が地域の「平定」にあたり、センサス調査員が業務を開始できるようにしたのである。どこかの地域で協力が拒まれた場合には、駐屯軍が部隊を派遣し、地方有力者層を威嚇した。治安が回復すると、フィリピン人とアメリカ人が合同で作業を行なうセンサス調査員の一団が、センサス局長ジョセフ・サンジャー将軍の指揮のもとで諸島津々浦々の町々に派遣された。町役人の全面的支援が期待されていたが、アメリカ軍はそれを確実なものとするよう背後で待機したのである。

主としてフィリピン人調査員を用いながら、アメリカ人が指導して実施した調査は、フィリピン人に秩序だった任務を遂行する能力があることを証明する手段となった。成功すれば、独立への道筋に一歩近づくことができた。センサスは、国民議会にフィリピン代表を送るための前提条件となっていたからである。国民議会にフィリピン代表を送るためのもうひとつの前提条件として、センサスが関係していたことと言えば、アメリカによる占領に対し抵抗を続けていたゲリラ指導者（または「山賊」）のなかで最もよく知られていたマカリオ・サカイ将軍の降伏、または逮捕だった。なぜ、これがセンサスと関係があったのだろうか。その答えはきわめて明白である。センサスそれ自体が平定のための洗練された武器だったからである。それは植民地の境界の輪郭を描き、それを警護し、植民地的知の世界のなかに現地住民人口を併合することを意味した。さらに、センサスは、戦争の時代の情報収集作戦をより洗練させ、植民地当局が住民の動静を把握できるように統計データを収集かつ分類するシステムを生み出したのである。センサスは住民人口を七〇〇万件のカードにして、それをいくつかの巨大な箱に仕分けた。個々人のアイデンティティは、いくつかの限られた分類基準の組み合わせのなかへと押し込められた。ビセンテ・ラファエルが指摘するように、センサスのなかでの個人のアイデンティティは、その経歴や人生の経験とは何の関係ももたなかった。個人は一連の性質をもつ者として識別され、固定観念化され、そして規定された。各人が「保護地区」、あるいはコレラ防疫の町のなかで場をもっていたのとまったく同じように、センサスでも一人ひとりがそれぞれひとつの場をもっていたのである（Rafael, 1993）〔訳注21〕。

ラファエルによると、センサスとは、アメリカ人指導者の厳しい監視のもとでフィリピン人が自らを表現することができた、ひとつの手段であった。センサスは彼らを対象としているが、彼らはセンサスを新時代の子どもとしての彼ら自身の成長過程のなかで構築する。これは自治の始まりであり、それは白人の父が設定した指針の枠内で自らを訓練することを意味した。センサス報告書の序文で、サンジャー将軍は、フィリピン人はセンサス調査員として白人の監督官の命令に従い、彼ら自身の国を運営する潜在的能力があることを示した、と述べている。しかし、フィリピン人がひとつの国民として自治を行なう準備が整うまでにはまだ時間が必要だった。その時がくれば、「現存する種族間の相違も徐々に消え、フィリピン人は、多数からなる同質の英語を話す民族となり、熱帯地方に住むすべての民族を、その知力と能力で上回るようになるであろう」。

センサスの役割は、現に存在する「種族的相違《トライブ》」を調査し、それを説明することにあった。ある意味で、センサスが人びとのなかにある差異を生み出したと言える。なぜなら、ひとは誰でも自分自身の性質を特定し、他人との差異を確立しなければならないからである。調査票は、たとえば、人種（白人種、黄色人種、黒色人種、メスティーソ）、エスニシティ（イロカノ、タガログ、セブアノ、イゴロットなどがあり、そのどれかに属さなければならなかった）、性別、教育程度、居住地、使用言語などについて個人の属性を識別するよう企画されていた。これらの差異は、さらに、アメリカ人が理解しうるように、そして友愛的同化の問題に応えるような概念的枠組みにしたがって分類された。センサスに期待される効果のひとつは、住民が種族と言語別に分断されているため、彼らには独立の準備が整っていないことを証明することにあった。

センサスはまた、フィリピン史を人種化する効果をもたらした。住民は、未開人と文明人という二つの分類基準に大別された。「未開人」には、移動民、異教徒、ムスリム〔イスラム教徒――訳者〕など、スペイン支配が及ばなかった人たちが含められた。これらの人びとは理想的な植民地の臣民で、アメリカ人はいとも簡単に彼らに規律を与えた。「文明人」には、大多数のスペイン化された人びとが含まれた。彼らは、スペイン人を父としてすでに青年期の半ばに達していたものの、まだ未熟であり、文明人としては半人前であった。彼らは他人のまねごとに優れ、大変内気で、生まれながらの模倣者であると考えられた。センサス報告書には、「フィリピン人は見習い期間中のキリスト教徒にすぎない。彼らは模倣する人びとである。彼らは教育を受けたがっており、母語以外の言語を喜んで学び、ヨーロッパとアメリカの理想に嬉々として従う……。すべての東洋人と同じように、彼らも猜疑心を強くもつが、彼らの信頼を獲得すると、彼らは全幅の信頼を寄せて従ってくる」とある。

人種の分類基準は、未開人／文明人の図式を超えて設定される傾向にある。このため、フィリピン人は褐色の肌をした東洋人であることから、未開のフィリピン人も文明的なフィリピン人も、似たようなひとつの水準の上におかれることになる。メスティーソの場合のように、白人の血がより多く入ってくれば、そのフィリピン人はより文明化することになる。白人のアメリカ人が人種のヒエラルキーの頂点を占めていたので、アメリカ人によるフィリピン占領は単に正当化されただけでなく、有益であるとされた。センサスに掲載されている写真には文明化と皮膚の色のヒエラルキーが示され、そこには、黒い肌をもつ裸の高地住民から、明るい色の肌をもち、きちんとした衣服を着用したキリスト教徒の現地住民までが表されている。より進歩したフィリピン人――たとえば、アメリカ人のすぐ下に位置するセンサス調査員――は、自治が可能になる前にすべての人びとが到達すべき理想型として描かれているのである。

注目すべきことに、センサスによって生み出されたフィリピン社会のイメージは、一八九九年のシャーマン委員会の事情聴取の際に有産知識階層と同委員会が想像し望んだ社会のあり方とぴったりと適合するように思われる。事実、理想的な町や社会秩序を生み出すための住民の再集住政策のように、そして物理的かつ社会的身体の双方に関わる問題のなかで進歩と後進性の境界を確定したコレラ撲滅キャンペーンのように、センサスは、洗練された監視技術であり、それはおそらく当時もっとも洗練されたものであった。センサスは、住民を分類することによって彼らに規律を与え、自治を獲得する道を不可避かつ自然なものとする役割を果たしたのである。「抑制された力の行使」は、フィリピン人をして、植民地当局が彼らに望んでいることを望ませ、アメリカの優位性を受け入れさせ、そして、ラファエルが言うように、父に対する子としての位置を受け入れさせるものであった。そして、それはまた、フィリピン人をして、いかにしてより文明化し、より民主的になり、そしていつの日にか独立することを学ばせるものでもあった。

私は、この講義の冒頭で、「友愛的同化」が、アメリカのフィリピン占領を下から支えた、少なくとも公的なイデオロギーであることを示唆した。これは間違いなく、一八九九〜一九〇二年の出来事を偉大なる誤解として、あるいはせいぜい「すばらしく小さな戦争」として表象することを促進するものであった。さらにこれは、多くのアメリカの教科書——おそらく米西戦争に関する注を除いて——からこの出来事が除外されていることを説明するものだろう。アメリカによる占領は流血の惨事であった。しかし、私はこの講義において、戦争の一様式としての友愛的同化そのものに焦点をあててきたのである。今日のフィリピンは、ある意味で、この戦争、とりわけ、社会の再序列化、住民に対する監視と規律、さらには、アメリカ軍部隊の配備を伴うような、もうひとつの秩序化に対する弾圧を通して、生み出されたようなものである。のちに、植民地国家の手綱の統制はフィリピン人に渡されるようになるが、無規律、無秩序、非合理性、逸脱といった状態に対する彼らの姿勢は、彼らの父であるアメリカ人のそれと異なることはなかった。多くのフィリピン人は、最後には「保護監督」に対して挑戦し、自らの教育と「しつけ」が十分であると判断すると、独立が与えられるよう要求した。「白人の父を仰ぐこと」の効果は、依然としてわれわれとともにあるのである。

【参考文献】

Agoncillo, Teodoro A. *The Revolt of the Masses*. Quezon City: University of the Philippines Press, 1956.

Agoncillo, Teodoro A. and Milagros Guerrero. *History of the Filipino People*. Quezon City: R. P. Garcia, 1977.

Atkinson, Fred. *The Philippine Islands*. Manila: 1905.

Barrows, David P. *A History of the Philippines*. Manila: 1905, 1907, and 1924 editions.

Bell, Brig. Gen. J. Franklin. Introduction to "Telegraphic Circulars, etc.," 3rd Separate Brigade, Batangas, Philippines, 1902. Washington, D. C.: U.S. National Archives (USNA) RG94, AGO415839.

Benitez, Conrado. *History of the Philippines*. Manila, 1926, and 1954 editions.

Chakrabarty, Dipesh. "Postcoloniality and the Artifice of History: Who Speaks for 'Indian' Pasts?" In H. Aram Veeser, ed. *The New Historicism Reader*. New York: Routledge, 1994, pp. 342-369.

Constantino, Renato. *The Philippines: A Past Revisited*. Quezon City: Tala Publishing, 1975.

Ileto, Reynaldo C. "Outlines of a Non-linear Emplotment of Philippine History." In David Lloyd and Lisa Lowe, eds. *The Politics of Culture in the Shadow of Capital: Worlds Aligned*. Durham: Duke University Press, 1997.

Ileto, Reynaldo *C. Filipinos and Their Revolution: Event, Discourse and Historiography*. Quezon City: Ateneo de Manila University Press, 1998.

Ileto, Reynaldo C., "Cholera and the Origins of the American Sanitary Order in the Philippines." In David Arnold, ed. *Imperial Medicine and Indigenous Societies*. Manchester: Manchester University Press, 1988, pp. 125-48. Reprinted in Rafael, ed. *Discrepant Histories*.

LeRoy, James. "The Philippines, 1860-1898 — Some Comment and Bibliographical Notes," In Emma Blair and James Robertson, compilers, *The Philippine Islands*, vol. 52, 1907.

Linn, Brian. *The U.S. Army and Counterinsurgency in the Philippine War, 1899–1902*. Chapel Hill: The University of North Carolina Press, 1989.

May, Glenn A. "Private Presher and Sergent Vergara: The Underside of the Philippine-American War," In Peter Stanley, ed. *Reappraising an Empire: New Perspective on Philippine-American History*. Cambridge: Harvard University Press, 1984, pp. 35-57.

May, Glenn A. *A Past Recovered*. Quezon City: New Day, 1987.

Owen, Norman G., and Michael Cullinane, eds. *Compadre Colonialism: Philippine-American Relations, 1898-1941*. Ann Arbor: Michigan Papers on South and Southeast Asia no. 3, 1971.

Porteus, Stanley D. and Marjorie E. Babcock. *Temperament and Race*. Boston: Richard G. Badger, 1926.

Rafael, Vicente L., ed. *Discrepant Histories: Translocal Essays on Filipino Cultures*. Philadelphia: Temple University Press, 1995.

Rafael, Vicente L. "White Love: Surveillance and Nationalist Resistance in the U.S. Colonization of the Philippines," In A. Kaplan and D. E. Pease, eds. *Cultures of United States Imperialism*. Durham: Duke University Press, 1993, pp. 185-218.

United States of America. *Report of the Philippine Commission*, vol. I and II. Washington, D. C.: Government Printing Office, 1900.

United States of America. War Department, *Annual Reports*, vol. 9. Washington, D. C.: Government Printing Office, 1902.

Wheaton, L. W. "Report of Major General Lloyd Wheaton... Manila, P. I., May 6, 1902." USNA, RG94, AGO439527.

（寺田勇文訳）

【訳注】

(1)本書第1章訳注1を参照。
(2)本書第1章訳注1を参照。
(3)本書第1章訳注16を参照。
(4)本書第1章訳注2を参照。
(5)本書第1章訳注19を参照。
(6)バロウズによる「一八九六年反乱」の理解と議論については、本書第1章に詳しい。
(7)アメリカ植民地時代のフィリピン植民統治機構として、最も重要な役割を果たしたものにフィリピン委員会がある。第一次フィリピン委員会（シャーマン委員会、一八九九～一九〇〇）、第二次フィリピン委員会（タフト委員会、一九〇〇～一六）の二つがあった。シャーマン委員会は、フィリピンの事情調査を実施し、統治の基本方針を明らかにした。これに対し、タフト委員会は、行政権のみならず立法権をも掌握して、アメリカ植民地統治の骨格を形成していった。一九〇七年にフィリピン議会（本章では「国民議会」）が発足すると、フィリピン委員会はフィリピン立法府の上院として、フィリピン議会は下院としての機能を果たした。一九一六年にジョーンズ法（フィリピン自治法）が成立し、フィリピン人議員による二院制議会が発足すると、フィリピン委員会はその役割を終え廃止された。
(8)"benevolent assimilation." 一八九八年一二月にアメリカ大統領マッキンリーが行なった宣言。同宣言によると、アメリカのフィリピン統治の目標とは、「……軍事政権がもっとも重要とし、かつ強く望む目的は、フィリピンの住民の信頼・尊敬・敬愛を勝ち取ることでなければならない。それは、彼らに対して可能な限りの方法を駆使して、解放された人びとの遺産である個人の権利や自由を最大限に保障すること、そして恣意的な支配に代わって正義と権利の柔和な統治を行なうことによって、合衆国の使命がひとつの友愛的同化であることを彼らに対して証明することによって成しうるであろう……」であった。
(9)「センサス」と「国勢調査」は、厳密には、それぞれ微妙に異なった意味合いをもつ用語である。『オックスフォード英語辞典』によると、「センサス」には三つの意味がある。第一に、古代ローマにおける、課税を目的とした市民およびその財産の登録、第二に、人頭税などの税金、第三に、一国もしくは一地域の公式の人口調査およびそれに付随したさまざまな統計、である。他方、『世界大百科事典』によれば、「国勢調査」は、「人口センサスpopulation census の訳語として使われることもあるが、日本では、統計法（一九四七年五月施行）にもとづき、政府が全国民について行なう人口に関する調査を国勢調査と呼ぶ」とされている。

(10)本書第1章訳注17参照。

(11)この用語に関する著者の見解については、本書第3章の論考を参照。

(12)本書第1章訳注6参照。

(13)communitas. 集団で境界的状況を体験した者たちが共有する親密な一体感を意味する用語。イギリスの人類学者ヴィクター・ターナーが命名したもの。詳しくは、ヴィクター・ターナー著、梶原景昭訳『象徴と社会』紀伊國屋書店、一九八一年参照。ヴィクター・ターナーについては、本書第7章キブイェン論文で、「十字架の道行きパラダイム」を軸に議論されている。

(14)一八七〇年生、一九〇七年没。一九〇三〜〇四年にマニラ周辺のラグナ州からモロン州（現在のリサール州）で活動した革命ゲリラの指導者。二〇〇〜三〇〇人を率いて「タガログ共和国」を組織し、アメリカ軍のゲリラ掃討作戦に対して抵抗を続けたが、しだいに山地へと追われ、一九〇六年に逮捕され、翌〇七年に絞首刑に処せられた。

(15)一八六五年生。一九一一年没。一九〇一年から南タガログ地方（カビテ、ラグナ、バタンガス、タヤバス各州）における革命勢力のゲリラ活動の中心的指導者となる。この時期に約三万人の会員を擁する民衆運動組織「コロルム」は、アメリカ軍に抵抗するためマルバールと共闘体制をとり、マルバールに対して兵員、食糧、資金の面から支援をした。しかし、アメリカ軍の平定作戦の前に力及ばず、一九〇二年に降伏した。

(16)一八六六年生、一九二四年没。一八九九〜一九一三年にフィリピン委員会委員を務める。ミシガン大学で動物学を学び、第一次フィリピン委員会（シャーマン委員会）委員となる前に二回フィリピンを訪問。アメリカ共和党政権下のフィリピン政策決定に大きく関与した。第二次フィリピン委員会（タフト委員会）では、前シャーマン委員会からただひとり留任を果たし、フィリピン人エリートとの協力を重視した。林業、農業、鉱業、公共衛生などの分野における政策の展開に大きな影響力を発揮した。

(17) Philippine Scouts. アメリカ連邦議会が一九〇一年に、アメリカ正規軍の一部を構成する部隊として編成する権限を同大統領に与えたことにより創設されたフィリピン人の軍事組織。アメリカ人将校のなかには、ほぼ同時にフィリピンの法律で創設されたフィリピン治安警察隊（本章訳注20を参照）の将校としての地位を得た者もいたが、フィリピン・スカウツは、こうしたアメリカ人将校の指揮のもとで活動し、革命ゲリラ掃討作戦に参加した。一九〇三年にその数は全国で三〇〇〇～五〇〇〇人に達し、一九一〇年代半ばにはおよそ六〇〇〇人を擁した。

(18) 現地名 manunggal. 学名 Samadera Indica. マングローブの一種。

(19) "Ave Maria purissima ... sin pecada concebida." 懺悔のときにはじめに言う慣用語。

(20) Philippine Constabulary. 一九〇一年七月にフィリピン委員会によって創設された。原則としてアメリカ軍人が各州でこの治安警察隊を組織かつ統率した。各州ごとの人数は一五〇人以内で、各州で組織された部隊の活動は州内に限定されるものとされた。一九〇一年末までにその数は全国でおよそ一〇〇〇人に達し、一九一〇年代半ばにはおよそ五〇〇〇人を数えるまでになった。

(21) 本章で著者が詳細に引用しているラファエル論文（一九九三）は、本書第4章として訳出された論文の初出論文である。

第3章　オリエンタリズムとフィリピン政治研究(注)

この連続講義(訳注1)の冒頭から、私は、植民地的知が、進化的発展、人種的差異、階層制、そして「東洋」に対する「西欧」の優越という考え方に捕らわれてきたと繰り返し述べてきた。こうした見解は何ら目新しいものではない。一八世紀から今日にいたるまでの知と植民地主義との間の複雑な相互作用は、二〇年ほど前にエドワード・サイードの著書『オリエンタリズム』(Said, 1978)が出版されて以来、多種多様なかたちで認識され探求されてきた。しかし、フィリピン研究では、植民地的知は過去のものであり、一九四六年のフィリピンへの主権の移譲に伴い植民地時代と「現代」との学問の間に断絶が生じたとする思い込みが徘徊している。アメリカ人植民地官吏たちが舞台から姿を消したことによって、このような言説上の変転が本当に起きたのだろうか。

私は、第二講義(訳注2)において、「土着的社会構造」はもちろん、おそらく「フィリピン人のアイデンティティ」ですら、アメリカによる平定政策とその実施とともに、植民地時代初期におけるシャーマン委員会(訳注3)とマニラの有産知識階層《イルストラード》(訳注4)との間の相互作用のなかで形成されたものであることを示唆した。私は、一九六〇年代以降いくつかの主要な書物のなかでフィリピン政治がどのように特徴づけられてきたのか、そして当時の観察者の願望と懸念を反映するかたちで政治的行動がどのように体系化されてきたのかについて、ここで関心を向けることにしたい。究極的に私が問う問題とは、植民地言説の諸要素が適切に修正され、今日の状況に適合した用語となって、フィリピン政治に関する最近の研究のなかで存在し続けているのか否かということである。現代の学問のきらびやかな衣装に幻惑されて、われわれは、フィリピン人の政治的行動について何が「真実」であり、何が「本質的」なのかを断定するための条件を問いただすことができないままなのではなかろうか。

アメリカにとってのオリエント

一九九〇年にピュリッツァー賞を受賞したスタンリー・カーナウ著『われわれのイメージのなかで――フィリピンにおけるアメリカ帝国』(Karnow, 1989) を読んだのち、私は、アメリカ植民地言説の持続性について検討したいという想いにかられた。カーナウは、マルコス(訳注5)独裁政権の崩壊の余波が続くなかでこの本を書きながら、なぜアメリカ型民主主義の試みが失敗し、マルコスのような人物が政権の座につくことが許されたのかを問うている。コーリー・アキノの民衆パワー革命(訳注6)に共感し、彼女の新しい民主政府がうまくいくことを望みつつも、この本にはどこかフィリピンを見下す雰囲気がつきまとっている。フィリピンにとって、スペイン植民地時代は「暗黒時代」の過去で、二〇世紀に啓蒙的なアメリカ的新時代がそれに取って代わったとされており、すべて単純化しすぎて描写されていることに私は当惑した。カーナウが脚色したこのドラマでは、フィリピン人は、感情と束縛のない個人的野心に支配された未熟な人間として描かれているように思われる。しかし、私がさらにもっと当惑したのは、カーナウの著書が合衆国で大変な人気を博したことである。ここハワイですら、善良な人びとがカーナウの著書をフィリピンに関する「必読書」として、私に勧めてくれたのである。私は、アメリカの国民的想像性《イマジナリ》、すなわち、「他者」――この場合、フィリピン人――を理解する支配的手法と安易に結びついたこの本とは、いったい何なのだろうかと自問した。

カーナウは、フィリピン問題の根源とは、伝統、すなわち、「諸島住民の習慣と社会生活」に順応してもよいという判断が、一八九九年のアメリカ統治の端緒になされたことにあると見ている。アメリカ人行政官たちは、アメリカの統治と同時に制度化された大衆教育制度によって、将来の世代の間に真に民主主義的な志向を育むことができるだろうと期待した。しかし、現代のアメリカ人著述家たちの見解に共鳴するカーナウによれば、不幸にも伝統的諸価値が優勢であり続けたのである。

これらの価値とは何なのだろうか。カーナウの署名のもとに包み込まれている、アメリカ人の著述家あるいは研究者とは誰なのだろうか。彼は、フィリピン社会は、「実体的かつ儀礼的な親族的紐帯の、複雑でしばしば不可解な網の目――一致団結してすべての人びとの幸福のために献身する市民の国家たるアメリカ的理想の対立物《アンチシーシス》」(Karnow, 1989: p. 20) に基礎をおいている、と主張する。ここで鍵となる用語は「対立物」であり、それは、フィリピン人がアメリカ人のあるべき姿の否定的対立物であるという考え方を意味している。しかし、「対立物」という言葉は、また、いわゆる「アメリカ的理想」がフィリピンとアメリカとの関係においてあらかじめ設定された用語であること、すなわち、カーナウの言うフィリピンの伝統とは、すでにアメリカの伝統を肯定的に設定したことのひとつの結果であることを、私に示唆している。しかし、カーナウが言おうとしたのはこのようなことではない。彼にとって、フィリピンの伝統とは、「すでにあるもの」、「常にあるもの」、すなわち、ひとつの本質なのである。彼は、フィリピン人たちが「恥」(hiya) や面目を守ることにこだわり、年長者を敬い、目上の人びとに従うことを重要視する点について述べている。「フィリピン人は幼少の頃から仲間同士で徒党をなすようになり」、そしてのちに彼らの政治的行動は、「相互の信頼関係の輪が幾重にもからみついて」いるという事実によって規定されているのである（Karnow, 1989: p. 230）。

カーナウが強調する点とは、アメリカの介入はその当初から明らかに欠陥をもっていたが、それは、権威が「個人的性格をもたない制度の上に基礎をおいた」アメリカとは対照的に、「フィリピンでは、権力がコンパドラスゴ制度（訳注7）〔擬似的親族制度――訳者〕という複雑な親族ネットワークのまわりを取り巻いていた」からだというものである（Karnow, 1989: p. 228）。したがって、今日のフィリピン社会が抱える悲劇と問題は、アメリカの介入というよりは、むしろ、フィリピンの伝統の頑強さに帰結するものである。私は、カーナウがこの点を指摘したことでピュリッツァー賞を受賞したのだと思う。つまり、それは、アメリカは常にフィリピン人に対して誠実に接してきたのだが、フィリピン文化の対抗的エネルギーが、何らかのかたちで、民主化、あるいは古典的用語を使えば「友愛的同化《ベネボレント・アシミレーション》（訳注8）」という大きなシナリオを崩すことになったという考え方である。

カーナウがアメリカ植民地時代について説明を始めるに従い、さまざまな主題が手際よくまとめられていく。カーナウによれば、アメリカは、数世紀前のスペインと同じように、その政治的・社会的価値の移出を試みる。フィリピン諸島は、アメリカ人の教師、軍医、そしてあらゆる類の社会事業関係者たちであふれた。そして比較的短期間にフィリピン人は英語を話し始め、ジョージ・ワシントンを崇拝し、ホワイト・クリスマスを夢みるようになる。しかし、フィリピン人はアメリカのイメージを再現したのだろうか。カーナウの答えは「ノー」である。アメリカ崇拝主義《アメリカニズム》は薄っぺらなうわべだけのものであったし、現在にいたってもそうである。カーナウは、フィリピン人が賞賛し誇示する「アメリカ的なもの」について熱心に語りながら、他方では、フィリピンの価値体系が、スペインのもとでもアメリカのもとでも何も変化しなかったことを読者に思い起こさせる。東洋と西洋との関係、すなわち、フィリピンとアメリカとの間には絶対的差異という特徴がある。

文化的差異を際立たせるという戦略によって、カーナウは、民主主義を定着化させようとするアメリカの使命がフィリピンの伝統の強靭さによって大きく打ち砕かれた、と論じることができるようになる。カーナウによれば、アメリカ人植民地官吏たちは、フィリピン人たちが彼らの間で「自然に」形成するような縁故主義《パトロネージ》的関係と類似したネットワークのなかに巻き込まれた。フィリピン人の政治家たちのなかで最も躍動的で雄弁な人物であるマヌエル・ケソン(訳注9)は、まぎれもなくアメリカ人の被保護者《クライアント》であり、他方、ダグラス・マッカーサー将軍(訳注10)のような卓越した人物は、ケソンの息子の名づけ親の役割をとおしてフィリピンの網の目のなかに取り込まれたのである。フィリピンに在住したアメリカ人たちは支配的マフィアの一部となる傾向があったため、彼らは寡頭的支配層《オリガーキー》が権力の座にとどまるように配慮した。この結果、根本的な社会問題を解決するための措置は何も行なわれなかった。そしてとうとう、カーナウは、アメリカ人たちは彼らの旧植民地(訳注11)が犯した失敗に対して非難されるべきでないと論じることになる。彼によれば、彼らがマグサイサイやマルコスのようなフィリピン政界の重鎮にどのような助言や支援を与えたとしても、そのほとんどすべては、永続するフィリピンの価値体系と権力を握る寡頭的支配層の頑強さのお蔭で、だいなしにされたのである。

否定的な他者性という意味合いは、カーナウがたびたび足を運んだフィリピンへの旅に関する記述によって補強されている。秩序の代わりに彼が見たもの経験したものは、無秩序であった。「混乱が目につき、あちこちでそれがはびこっている。そしてしばらくすると、それは退屈なものに見えた。マニラ港は汚職の巣窟で、あらゆるものを密輸するために税関官吏と警察官が結託してギャングを保護していた……。暴力は流行伝染病のような勢いに達していた……。ニノイ・アキノ(訳注12)は、……防弾ガラスつきのリムジンで町を巡っていたが、その座席のシートには自動小銃を入れておくためのスペースがあった……。マカパガル(訳注13)〔大統領〕は国民の関心をそらすために民族主義的《ナショナリスト》課題をでっち上げた」（Karnow, 1989: p. 364）。共産主義者たちでさえ、この無秩序の光景から除外されていない。「〔共産主義者たちは〕とうていロビン・フッドではなかった。彼らは人殺しや略奪を行ない、彼ら同士で反目し合った。しかし、彼らは警察や軍よりもよほどよく訓練されていた。警察や軍の不正行為は、常日頃は消極的な多くの農民たちを共産主義集団に引き入れた……」（Karnow, 1989: p. 386）。こうしたフィリピン固有の無秩序、圧制、そして不正行為のすべては、「〔カーナウに対して〕、世紀転換期にかの地に移植されたアメリカ的制度が、確かにそこで根づいたのかどうかについて疑問を抱かせた」（Karnow, 1989: p. 360）のである。

私が興味を覚えるのは、このいわゆるフィリピンの伝統である。それは常にそこにあり続け、数世紀にわたる植民地主義のなかで生き続け、そして、今日では、不完全な民主主義を下支えしているように思われる。カーナウの脚本では、フィリピン人の役者たちははじめからその運命が定められている。なぜなら、それによると、彼らは、感情、親族的紐帯、恩義、個人的忠誠によって束縛され、虚栄心や虚言癖といった些細な欠点までも表面に表すからである。カーナウは、フィリピン文化についての彼の見解に対して何らかの構造や権威を与えるため、大いに議論の余地があるだけでなく、しばしば時代遅れとなったような、一九六〇年代以来の社会的価値やパーソナリティに関する研究を活用する。タガログ語の概念である恩義（utang na loob）や恥（hiya）の上には、互酬的社会関係が構築されているが、この概念には探求すべき余地が多く残されている。しかし、カーナウは、フィリピンの文化と政治のあり方を固定観念化《エッセンシャライズ》せずに捉えようとする、ごく最近の研究に目を向けようとしない。彼のねらいは、肯定的な「アメリカの」価値と否定的な「フィリピンの」価値との間に二項対立を確立することにあり、そして彼の観客とこれがうまく共鳴するのである。というのは、彼がフィリピン人の外見の下に潜んでいるものと主張するもののほとんどは、概して、後進的で未発展の民族に関するヨーロッパ・アメリカ的神話と適合するからである。

カーナウは、結果的に、アメリカ人が太平洋の後見人であるというアメリカの古典的イメージの変形を念頭におきつつ、フィリピン人像を構築する。ジェームズ・ルロイ(訳注14)、フレッド・アトキンソン(訳注15)、デービッド・バロウズ(訳注16)など、一世紀ほど昔に多くのアメリカ人著述家たちが構築したフィリピン人エリート(抑圧的なカシケ〔地方の有力政治家――訳者〕、ボス、保護者《パトロン》)と大衆(盲目的に忠実で操作されやすい庶民《タオ》、ボスの被保護者)のイメージが、現代のジャーナリストの服装をまとって再登場する。しかし、これらの古いイメージがフィリピン人を平定し指導するという植民地的事業と共犯関係にあるように、フィリピンの伝統がまったく異質であるというカーナウの描写には、政治的意味が含まれている。この本では、物理的舞台はフィリピンであるが、演劇のなかのフィリピン人の役者の数は、アメリカ人のそれと比較するとせいぜい二対一の比にすぎない。とはいえ、フィリピン人は、物語の主人公であるアメリカ人に対する否定的「他者」として、そのなかできわめて重要な役割を担っている。アメリカの国民的想像性が確立され、文化的「他者」に関する書物のなかでそれが強化され続ける。そして、一八九九年のいわゆる帝国による「大失策」以来、フィリピン人はこうした地位を保持してきたのである。

カーナウの引用文献を注意深く点検すると、その大多数がアメリカ人を著者とするフィリピン関係の書物の間の相互に入り組んだ関係が明らかになるだろう。実は、カーナウがこの本を組み立てるために用いた素材とは、こうした学術書が、フィリピン・アメリカ戦争（訳注17）（一八九九〜一九〇二）から特殊な（もしくは、「例外的」と言うべきか）植民地関係が続き、日本による占領のもとで協力と抵抗があり、そしてアメリカを手本とした政党制度が導入されたのにその政党制度を換骨奪胎した親族政治が成立するにいたった、とわれわれに伝えている議論なのである。さほど驚くに値しないが、こうした書物は、何らかのかたちで、「伝統」がフィリピンで根を張っているという考え方に賛意を表わしている。そして、アメリカ人植民地官吏たちは、民主主義を定着化させるという要求に従ったというよりは、むしろフィリピンの政治的様式のなかに取り込まれていったことにおいて、ある程度非難されるべきではあるが、彼らは温厚な支配者として、「伝統」もしくはフィリピン人の性格の「本質」が生き延び、ついにそれが再び蘇ることを許容する以外に選択の余地がなかったという見解をも支持しているのである。

コンパドレ植民地主義

カーナウの著書を「可能にした」とも言い得る近年の学術研究のなかの先駆的業績は、『コンパドレ（訳注18）植民地主義——フィリピンとアメリカの関係、一八九八〜一九四六年』（Owen and Cullinane, 1971）である。同書は、一九七一年にミシガン大学南アジア・東南アジア研究センターから出版され、続いてマニラのソリダリダード出版社から刊行された。同書の裏表紙に書かれた次の宣伝文は、この本が最も重要とする課題とは何かを明示している。「植民地主義は、その本質において、一面的で、傲慢で、搾取的である。コンパドラスゴ制度は、双務的で、友好的で、助けの手を差し伸べてくれるものである。合衆国はフィリピン人たちを彼らの意志に逆らって支配し、その上でそれが友愛的であると主張することができたのだろうか。フィリピン人たちはアメリカ帝国主義に抵抗し、その上でこの国の利益のためにこの帝国主義と協力することができたのだろうか」。

全員がデービッド・スタインバーグの弟子である五人の著者たちの展開した基本的主題とは、フィリピンにおけるアメリカ人植民地官吏たちは、フィリピン人指導者たちの抵抗や地方の指導者たちをとおして大衆を統治するという現実的必要性のため、しばしば妥協しなければならず、また、アメリカの理想に従ってフィリピンを変革するという彼らの理想すらあきらめなければならなかったというものである。アメリカ人たちはたえず、フィリピン人に自治能力が備わっていないことの証とされた、いわゆるカシキズム〔地方の政治ボス主義――訳者〕を嘆きつつも、その一方で、こうしたカシケ〔地方の有力政治家――訳者〕のなかでとくに高い教養を身につけた人びとの集団である有産知識階層と連携を保ちながら植民地経営を行なった。アメリカ人たちはあえてカシケたちとの恩顧庇護的《クライアンティスト》関係(訳注19)のなかに取り込まれるよう行動したため、彼らは伝統的なフィリピンの慣習と価値とを調和させながら植民地経営に従事することになった。『コンパドレ植民地主義』が試みたことは、フィリピンの植民地経験の独自性と、封建的な志向をもつと考えられたフィリピン人の民族主義的指導者に「屈服したこと」によって直面した問題とを、浮かび上がらせることにあった。こうしてわれわれは、フィリピンの伝統の力がアメリカ人の理想主義を掘り崩したことに関する基本的な考え方を、カーナウがどこから得たのかを知ることができるのである。

『コンパドレ植民地主義』の強みは、それが綿密な実証にもとづいた研究である点にある。著者たちは、とりわけアメリカ植民地時代の豊富な文献を所蔵する図書館や文書館があるミシガン州アナーバーという地の利を大いに活用した。しかし、アメリカ人官吏たちが彼らの被後見人であるフィリピン人たちをどのように見ていたのか、彼らについてどのようなことを語ったのかを忠実に描写することは、植民地のイメージと植民地言説を再現する道を開くことになり、私は、ここに、この本がもたらすひとつの効果があるように思う。カシケたちや彼らの伝統的価値がアメリカ化の阻害要因となっていることにタフト(訳注20)が不満を表明するとき、彼は、住民の平定作戦が進行中であり、アメリカがカシケたち（その多くは民族主義的指導者であった）に報奨を与えたり、刑罰を課したりしながら、彼らが協力するよう努力を重ねていたという文脈のなかで、文章をしたためていた。カシキズムの「問題」とは、実は、さまざまな交戦地帯に配属されたアメリカ軍がはじめて明確に主張したことである。カシケの煽動者たちと盲目的に忠実な庶民もしくは一般人とをはっきり区別することは、当時、封建的な指導者から一般人を解放する役割を果たしていたアメリカ軍による過酷な措置を正当化した。「友愛的同化」という帝国的政策は、いまや、こうしたことを実行に移すためのより強固な社会学的基礎をもつにいたった。『コンパドレ植民地主義』の著者たちは、彼らにとって被支配者であるフィリピン人に関するアメリカ植民地言説として、われわれがここで認めるものに対して無批判であったり、あるいはおそらくそれに気づかずにいたりするため、カーナウがのちに取り入れたように、フィリピンの社会関係に関するある種の特徴を具象化したり固定観念化することに一役買うことになったのである。

フィリピン・アメリカ戦争に対して『コンパドレ植民地主義』は沈黙しているが、これは明らかにカーナウの著書の特徴とは異なる。カーナウの本では、さまざまな段階における衝突、フィリピン軍とアメリカ軍の双方の容赦ない残虐行為が詳細に記述されている。この戦争に関するカーナウの解釈の枠組みは、もうひとりのアメリカ人フィリピン史研究者グレン・アンソニー・メイに負うものである。一九八四年にメイは、一般兵士たちが、指揮官たち——地方有力者層であり、多くの場合、地主層出身者——

の単なる忠実な追随者であったと主張することによって、「大衆」がこの戦争の熱狂的な支持者であったという、フィリピン人歴史家たちがしばしば十分な資料的裏づけをもたずに提示してきた見解に対し攻撃的に挑戦した。カシケ出身の指揮官たちは、一般に、大いなる理想のためではなく、より強い権力をもつ保護者と派閥のために戦ったのである、と。メイは一九七六年に、一八九九〜一九〇二年の戦争を体験した数人の生存者たちの居所をなんとかつきとめ、彼らの証言をその証拠として提示する。メイにとってスター的な証人のひとりであるエミリオ・ベルガラは、一八九六年にスペイン人と戦うために徴兵されたとき、わずか一三歳であった。ベルガラがメイに語ったところによれば、アメリカ人との戦いに彼が参加したのは、徴兵のためであり、戦いを拒んだら部隊長から懲罰を受けるのでそれが恐ろしかったからだという。メイは通訳をとおしたインタビューから、ベルガラの世界を再構成し続ける。

ここで立ち現れるのは、東南アジアにおける民衆運動の展開について、メイの恩師であるイェール大学教授ハリー・ベンダが論じたエッセイ（Benda, 1972）からおそらく導き出されたと思われる、フィリピン農村における前近代的生活の古典的光景である。メイは、ベルガラの世界がもっぱら地方的（彼の村）であり、彼の唯一の目標は戦争を終えてその世界に戻ることにあったと描写する。ベルガラは祖国の独立やアメリカという敵について何の現実的感覚をもたなかった。「彼には、国民国家という概念がなく、また、それに対する忠誠心もなかった。彼が唯一忠誠を示したのは、地方の権力者たちに対してだけである」。メイは、ほかの兵士たちが別の理由で戦いに参加した可能性のあることを注意深く指摘するものの、こうした側面の考察をまったく行なっていない。彼の結論は、次のとおりである。

戦うことに関心を示さないひとりの人間がここにいる。彼は、とりわけフィリピンの独立に関心をもっていないが、それでも戦ったのである。なぜだろうか。その答えは、彼の社会の性質にある。彼は被保護者であり、彼の保護者が彼に対して戦うよう求めたので、彼は戦ったのである。多くの農民たちは、まぎれもなくほかの理由で戦った。しかし、ほかの人たちもまた、保護者から圧力があったために戦ったことが強調されねばなるまい。ある意味で、パトロン・クライアント的結合(訳注21)とは、フィリピン・アメリカ戦争を現実的にかたちづくった「隠された裏面《アンダーサイド》」であった(May, 1984: p. 57; 傍点筆者)。

彼の指揮官もしくは「保護者」と何らかのかたちで結びつけられることが、ベルガラの生きた社会の性質そのものであるならば、こうした関係の正確な意味と特徴とは何だったのだろうか。メイはこの点に関して沈黙している。ベルガラが恩顧庇護的関係制度《クライアンティズム》について自らの言葉で語ったという文章上の説明はどこにも見当たらない。その代わりに、ベルガラと彼の指揮官との関係が、単に機能主義的社会科学理論のなかで、より具体的には、「それぞれが相手に対して便宜を供与するような、上位にある者と下位にある者との間の二者的関係《ダイアディック》」としてパトロン・クライアント的結合を定義するなかで、記号化されるのである。恩顧庇護的関係制度は、忠誠もしくは畏敬の念が浸透した個人的（もしくは特殊な）関係と化してしまう。これは革命的衝動や革命的展望といったことと何ら関係がない、とメイは強調する。彼にとって、対アメリカ戦争を戦うためのフィリピン人の「動機」は、事実上、パトロン・クライアント的結合と融合した伝統的観念の上に基礎をおいたものである。カーナウは、この戦争に関する彼の記述を組み立てる際に、もちろんこうした考え方を取り入れている。このような手法によって、彼は、残虐な帝国主義的征服の物語から友愛的植民地主義の物語への移行という困難な仕事を成し遂げるのである。

カーナウは、植民地の保護監督における主要な目標――アメリカ的民主制度の移植――とそれがいかにフィリピンの伝統によって挫かれたのかということに関する再解釈学派的説明《レビジョニスト》においても同様に、多くをメイに負っている。スペイン植民地時代末期の選挙に関する研究で、メイは、「おそらく一九世紀後半のフィリピン地域社会における政治的権力についてもっとも奇妙なこと」を発見する。権力は、「有権者――多くの場合、買収され、騙され、脅迫されたり、あるいは感化されたりしたのだが――のみならず、被選挙人――代理人である場合もあったが――にでさえも帰属せず、むしろ、町内の政治生活にしばしばまったく公的関わりをもたない人びとに帰属したのである」(May, 1988: p. 35)。メイによれば、権力がごく一握りの地方のお偉方の手中にあり、上からの、抑圧的で巧みにひとを操る隠れた権力は、地域社会のほかのすべての人びとが意味のあるかたちで政治に関与するのを妨げた。町議会選挙は、メイの結論によれば、「操り人形の演技場であり、そこでは、台本と舞台裏で糸を引く人びとに従って、操り人形が舞台の上で演じていたのである」。

メイは続ける。アメリカ人たちが占領したとき、彼らはフィリピンの選挙の儀式を変革し、有権者の数を拡大し、政治的キャンペーンを許可し、そして新しい選挙監視制度を導入した。しかし、「町内政治の現実は、変化するにはあまりに抵抗力が強いことがわかった」。アメリカ人は、これを「人種的欠陥」や「政治的未経験」として非難する傾向にあったが、もしそれができないような場合には、「汚職」として非難した。メイは、このいずれも、問題の本当の原因として認められないと主張する。むしろ、それは、「フィリピンにおける地域社会の指導者たちが、スペインによる支配のもとで、いかに政府に奉仕するのかではなく、いかにそれを利用するかを学んだことにある。役職につくのはそれ自身を目的とするものとは見なされず、むしろ各自の利益を促進するという目的のための手段であった。最後に、これらの町役人が選出される過程、すなわち、選挙は、尊敬するに値する儀式ではなく、むしろ、おかしなジェスチャー、愚行、そして滑稽なものと見なされたのである」(May, 1988: p. 36)。

こうして、アメリカによる占領前夜にフィリピン人たちはすでに選挙に参加していたのだが、この選挙は基本的に欠陥をもつものであった。それは本物（アメリカ的意味での、自由と民主主義）ではなかったと、メイは断言する。なぜなら選挙は個人的な不満や支配的地位を獲得するための派閥間抗争と、上からの抑圧的権力によって衝き動かされていたからだというのである。そして、一八九七年はじめに開催されたテヘロスにおける革命組織内のかの有名な対決(訳注2)は、実際の参加者数人を含めたフィリピン人たちの主張に反して、党派や縁故関係が関与した下劣で腐敗した選挙であったとする。われわれはここで英雄の民族主義的捏造に関するメイの近著（May, 1997）を思い浮かべるのだが、その理由は、これが一九世紀フィリピン地方政治の本性であり、それが依然として今日にまで続いているからである。

「フィリピンの伝統はアメリカの保護監督に抵抗しただけでなく、実は自由なアメリカの対立的存在でもある」というカーナウの中心的主題のなかに、メイの記述がどのように流れ込んでいるのかを見るのは簡単である。メイは、町の住民たちの間や、植民者と被植民者との間の複雑な関係を専制政治の競演へと単純化する。町内政治を操る人びとはまた、お偉い保護者たちであって、大衆を単なる選挙用の操り人形にしてしまう抑圧的権力の源泉であった、とするのである。しかし、ほとんどスペイン語資料だけに依拠したメイ自身の研究を丁寧に読むと、これとは違う町の光景が描かれていることが浮き彫りにされる――メイはそのことを認めつつ、それを片隅に追いやってしまうのだが。その上、タガログ語の宣言文や書簡を使用した、南部ルソン地方の対アメリカ戦争に関する私の研究は、町の地域社会では力が底辺から上に向かって働くこともあり、恩義は単に一方的で重く苦しい関係ではなく、むしろ相互交換的なものであることを示唆している。タガログ語の韻文による物語は、まさに町社会のもうひとつの姿をそのまま映し出している。メイのパラダイムでは、植民地文書のなかで描き出されているように、独立革命期にゲリラ軍を率いた地方の多くの有力な保護者たちが、植民地文書のなかで描き出されてしまっているような利己的で貪欲なボスとはまったく違った行動をとったのはなぜなのかについて説明することができないのである。

一九世紀と二〇世紀初頭のフィリピンに関するグレン・メイの再解釈学派的説明は、アルフレッド・マッコイの日本占領期とその後の時代についての研究のなかに反映されている。第二次世界大戦中の西ビサヤ地方に関する研究において、マッコイはエリートの政治行動におけるもっとも基本的な原動力が派閥への忠誠であることを確認したと主張する。以下に次の記述を引用しよう。

> いかなる明確なイデオロギー上の指針、もしくは法律上の指針をも喪失して、イロイロ州のエリートたちは、戦時における彼らの政治的帰属の基礎を、ひとえに戦前の派閥への忠誠におくよう決断した……。彼らの道徳的羅針盤が急回転するなかで、イロイロ州の政治指導者たちは、一般に、派閥への忠誠を彼らの政治活動のための試金石として選択し、個人的事情にまかせて、抵抗派に帰属するか、あるいは、対日協力政府に帰属するかを選択したのである（McCoy, 1980: p. 205）。

マッコイの結論はこうである。「派閥配置の重要性が戦時の抗争における決定的要素としていったん認識されると、対日協力上の衝突といった名目上のイデオロギー的問題は、エリートによる政治的支配のための連続的抗争の延長として理解することができる」(McCoy, 1980: p. 206)。

マッコイのレトリックにはひとつのパターンがある。まず第一に、彼は、「派閥的忠誠」を、イデオロギー(理性)、合法性、道徳的廉直と対比させているように見える。派閥的人間は、したがって、啓蒙的人間を否定する対立的存在、もしくは、少なくともその前段階の存在である。ついで、彼は、メイが恩顧庇護的関係制度について行なったように、派閥主義はフィリピン政治における「決定的要素」、もしくは本質的原動力であると論じるのである。派閥の力を守り、強化し、あるいは拡大する推進力がフィリピン政治の本質であり、ほかはすべて空虚なレトリックであり、空虚な姿勢にすぎない。たとえば、ゲリラの英雄であるトマス・コンフェソール(訳注23)が、傀儡や対日協力者を攻撃したのは、彼らが「われわれの住民を解放するために受難に耐えることを拒んだり」、「傀儡政権と協力を拒んだ民間人たちにテロを加えた日本人に加担した」からであると言われている。マッコイはこの点に関して新たな真実を解明したと主張する。つまり、それはすべてごまかしであり、ライバルのスルエタ＝ロハス派閥を批判する周到なレトリックを引き出すための、コンフェソールの巧妙な措置であった(McCoy, 1980: p. 219)、と。

より一般的な脈絡において、マッコイは、東南アジア史研究者たちの間で、植民地主義や民族主義の問題についての伝統的アプローチへの関心が薄くなっている点を指摘する。彼らの研究の力点は、「東の間の対外的な反植民地抗争から、社会的、経済的、政治的な内部的発展の連続性へ」と移行していった。ここで言う社会的・政治的領域における「連続性」とは、パトロン・クライアント的結合を指しており、それは、フィリピン社会の基本的様式と見なされ、そのなかでフィリピン人たちが垂直的に結びついている。フィリピンとアメリカの関係それ自体が、すっぽりパトロン・クライアント的ネットワークのなかに取り込まれたのである。カーナウは、マッコイの結論にもとづいて、互酬性、擬似的親族関係、派閥主義などは、元来フィリピン人たちに備わっていたものなのだろうが、アメリカ人たちはすぐにそのゲームを学んだとする。彼らは恩顧庇護的ネットワークのなかに取り込まれ、その結果、彼らが導入した民主的政治制度を覆すことになったのである。

マッコイ、メイ、その他フィリピン社会史研究に従事する学者たちの多くは、一九六〇年代後半から七〇年代初頭にミシガン大学やイェール大学で学んだ人たちであるが、彼らは、垂直的なパトロン・クライアント的結合は、政治に受動的な村落民たちを町や中央政界の政治家たちと結びつけたとの見解を強調する。しかし、彼らは、変化への熱望、そして「独立」（それが何を意味しようとも）への下からの熱望さえあったことを認めている。というのもそれを立証する証拠がきわめて多いからである。エリートである保護者は何らかのかたちでこうした要求に耳を貸し、それに応えなければならなかったのである。エリートと大衆との間のこのような重要な結節点においては、レトリックが潤滑剤と見なされる。政治家たちは大衆が聞きたいと思うことを彼らに語るすべを身につけていた。しかし、ここでのレトリックとはいったい何だったのだろうか。実のところ、すべての議論の背後において、フィリピン人は、個人的忠誠や協力関係などとのからみのなかで、彼らが「伝統的」に行なうとされてきたように行動したと仮定されていて、レトリックについては十分な検討がなされていないのである。反主流派の集団は、その大衆的構成員をも含めて、こうした行動様式をもつかたちで構成されており、したがって彼らは派閥組織なのである、と。こうしてマッコイは、農民に基盤をおく一九三〇年代の社会党のカリスマ的指導者ペドロ・アバド・サントス(訳注24)を、社会主義的イデオロギーを帯びたそのレトリックにもかかわらず、依然として典型的なフィリピン人であり、したがって個人的関係のなかに巻き込まれた人物として描くのである。マッコイは、サントスが彼の政党員たちに対して保護者として行動する一方、彼に共感するアメリカ人官吏に支援を求めたことを示す証拠を見つけたと主張する。どのようなときにも、絶え間なく続き、変わることのない要素、これがパトロン・クライアント関係にもとづく派閥ネットワーク、あるいは恩顧庇護的政治であるという。カーナウはこれを「伝統」と呼ぶのである。

指導者、派閥、政党

このような大胆な主張がメイとマッコイの二人の歴史学者の側から出される理由のひとつは、社会科学研究、とくに政治学が、フィリピンの政治行動に関して経験的事実から導き出されるモデルを提供してきたことにある。彼らが必ず引用する一冊の著書は、カール・ランデの古典的研究『指導者、派閥、政党――フィリピン政治の構造』である。これは、ハーバード大学に提出した彼の博士論文にもとづき、一九六五年に出版された（Lande, 1965）。『コンパドレ植民地主義』の編者であるノーマン・オウエンも、また、アメリカ人とフィリピン人との間のコンパドレ〔名づけ親――訳者〕(訳注25)としての特殊な関係に関する議論を、おもにデービッド・スタインバーグ、ボニファシオ・サラマンカ、そしてカール・ランデの研究にもとづいて精緻化したことを認めている。ランデの研究はフィリピン政治研究の分野のなかで覇権的地位を獲得してきたので、その主張とは何か、その主張を引き受けるような状況とはいかなるものなのか、そしてテキスト自体のなかで語られていないこととは何かを詳細に吟味する価値がある。

イェール大学の助成によって出版されたこの本の序文のなかで、当時、同大学における東南アジア研究の重鎮であったハリー・ベンダは、この分野におけるランデの「先駆的貢献」について表明している。

ベンダによれば、「移入された西欧の諸制度がアジア的環境のなかで成功裡に受容された稀有な例として」、フィリピン民主主義が「みごとに浮き彫りにされている」、という。ベンダは、この本の基調をなす物語が「近代化」であるとする。そして、「近代化」が進行する過程で、アジア的環境は、アジア的環境それ自身の過去が形成した、それ自身の手法によって、民主主義という普遍的かつ人道主義的事業のなかにはめ込まれていったのである。この本が正面から提起している問題とは、いかにして「成功裡に受容された稀有な例として」フィリピンを浮き彫りにすることができるのかということである。それをカーナウの言葉で言うと、フィリピンの伝統とアメリカの自由で民主的なモデルとの間の相互作用から、いったいどのような政治が生まれているのかということになる。

この本は、政治エリート・政党・選挙に焦点をあてているという点で、とりたてて目新しいものがあるわけではない。アメリカ政治学の伝統は、多くの人びとが指摘するように、「政治」という用語から、「よい政府」、「合理的行政」、そして国家形成の営みを思い浮かべる傾向にあった。それは、政治的エリートたちと彼らが支配する諸制度に焦点をあててきた。しかし、私はここで問題全体を設定し直したいと思う。つまり、移入された、もしくは植民地的な国家形成モデルをフィリピン人たちがどのように受容したかについて記録し、それを理論化したひとりの人物としてランデを見るのではなく、私は、彼がフィリピンに関するデータを近代化モデルのなかで記号化するために、それをどのように読んだのかについて考察したいのである。彼の頭のなかには理想とすべきイメージがある。それは「進歩した西欧の民主主義」のなかに見出せるものを映し出している。しかし、彼は現地調査で差異に直面することになる。ランデのフィリピン政治についての理論とは、おそらくアメリカで見出しうるような、理想的で、円滑に機能する政党を基盤とした民主主義という彼のイメージのなかに、この差異を包摂するための、彼自身の闘いから生まれたものである。

われわれがランデの言葉に対して周到な注意を払うならば、彼が用いるイメージ、彼の想像上の聴衆、そして同一性と差異のゲームを描写することができる。フィリピン政治はアメリカ・モデルの上に組み立てられており、それは同一の政治と言えるものである。しかし、いくつかの重要な差異があり、それらは、気まぐれ、奇妙なこと、さらに類似語を使えば、異常性といった意味における、「特殊性」という表現に置き換えられる。特殊性という用語は、本質的な面であれ、またその表出的な面であれ、ランデのテキストのなかのキーワードである。彼が指摘する第一の特殊性は、二つの政党が実際にはひとつであるということである。彼にとってこれは、「フィリピン政治の唯一かつ最も際立った特徴」である。彼はこの点を解明するために多くの時間を費やしている。というのは、彼の頭のなかでは、政府には、二つの別々の政党への所属意識、二つの選択、二つの政綱、二つの計画があるべきである。彼によれば、フィリピンにはときには二つの相異なる政党などがあるように見えるが、詳細に検討すると、二つの政党はお互いにどこが違うのか分からないのである。

ランデが見出すもうひとつの特殊性は、政党の所属を「取り替える」という現象である。ひとつの政党にしっかりと腰をおろすのが理想的なはずなのだが、フィリピンの政治家たちは、そうせずに複数の政党の間を行き来する。この結果、政党への所属意識は「不安定」となる。政党間の所属の移動と転換が頻繁に起きることによって、いかなる政党の中心にも権力を集中させることができない。むしろ、ランデの見るところによれば、権力は地方の指導者たちの間で広範に分散している。権力の座とは、全国的規模をもつ政党ではなく、個人的つながりに依拠した地方の派閥や協力関係のなかに見出されるものである。したがって、政治制度は、集団的組織ではなく、むしろ個人的なつながり（二者関係《ダイアズ》）のまわりをめぐるものとして捉えられる。フィリピンの政党は、「適切な」政党からほど遠い存在である。これらの政党は、「最小限の混乱」のもとで政府の仕事をこなせるようには機能していない。われわれはここで、ランデが恩顧庇護的関係制度と混乱とを結びつけていることを知るのである。おそらくこれは、何にもまして、個人的関係が支配と恐怖の上に基本的な基礎をおくという、ランデのホッブス的見解を反映するものであろう。個々人は本質的に利己的かつ貪欲であり、二者間《ダイアディック》のつながりは、単に抑圧的で封建的関係を導きうるものにすぎない。集団的組織、とりわけよい政府（国家の基本的機能）は、社会的関係を制御し、法の規則を実行する。ランデは、こうしたことを理由に、フィリピンは弱くて未熟であるとするのである。事実、今日の政治状況を観察するほとんどの人びとは、この国の政治問題の原因を「弱い国家」に求めている、と。

ランデは、私的領域と公的領域が未分化であるという彼自身の観察にとりわけ当惑しているように見える。パトロン・クライアント関係は、「非政治的」範疇に帰属する、私的（共同体的というよりは個人的という意味において）関係である。このようなつながりは、選挙制度（そして、暗にアメリカ植民地支配を意味する）が導入される以前から存在した、私的で非政治的関係の形態をなすもので、アメリカが導入した公的形態のなかで機能する政治制度に取りつき、それを蝕んでいった。こうして、政治の理念形態を支える、私と公、個人と非個人の間の二項対立が崩れるのである。ランデは、地方的で、私的で、個人的な関係が、全国的な場で起きる衝突のなかに「巻き込まれること」を嘆いている。別の言い方をするならば、彼は、地方の派閥が、パトロン・クライアント的結合の上に形成され、政治的領域のなかに引き入れられたと述べている。問題は、派閥が「厳密な意味での政治の分野をはるかに超えた利害関係と活動の範囲」をもっていることである。「過剰性」の概念が彼の著書のなかに幾度となく現れる。

フィリピンの制度を、その起源であるアメリカ・モデルと同一の状況からかけ離れたものにしているのは、この「過剰性」であり、この「過剰性」が制度の完璧な秩序を覆すのである。

ここでわれわれは、「特殊性」という慣用句《イディオム》から、ランデがその著書で使用しているもうひとつの慣用句の「流動性」へと移ることにしよう。彼によれば、フィリピン政治とは、「流動的」な政党制度によって構成され、これは、所属の「取り替え」と不安定な派閥の配置に関する概念と関連するものである。「きちんと考えたり」、長期的な計画を立てる能力に欠けること、変化しやすい大衆の「気分」が投票パターンに反映されることに現れるような安易さ、こうしたことのすべては、政治制度が著しく流動的で予測不可能な状態になることを助長する。ランデの言語、とりわけ、「気分」、「予測不可能」、そして「流動的」をも加えた用語の使用方法に見るフィリピン政治を女性的なものに見立てる態度《フェミナイゼーション》については、詳細に検討する価値がある。これらの言葉すべてが、厳格さ、永続性、安定性、合理性と対語をなしている。こうした対語は、ヨーロッパや合衆国のどちらかで機能している「近代的」制度の何らかの側面と一致し、それらは、また「男性的」でもある。当然のことだが、前者の特性は、女性化されたフィリピンの制度と結びつき、男性的な西欧やアメリカの理念との関連において否定性と欠乏の位置を占めているのである。

フィリピンの政治制度が、理念型の二番煎じ、変形、あるいは徹底した矛盾だとすると、なぜランデはそれを退けようとしないのだろうか。ランデはそうするどころか、この制度にむしろ関心を寄せている。その理由のひとつは、これが数十年にわたる「アメリカの保護監督」が生み出したものであり、アメリカ的な「もの」と類似するものとなりつつ、他方で異なるものであり続けたことにある。こうした外見上の矛盾を説明するために、ランデは、フィリピンの制度を、いわゆる普遍的な進歩の歴史における古風な過去のなかに位置づける。そうすることによって、フィリピンの制度をいまなお、「近代国家」の発展という普遍的事業のなかに組み込むことができるようになる。より具体的に言えば、フィリピンは、一八世紀初頭のイギリスやディープ・サウスなどのアメリカの後進地帯と比較されるのである。われわれはこうして、フィリピンを単にある種の封建的発展段階に結びつけるだけでなく、政治的合理性に関するある種の理念が登場し、さらにそのなかに異なる理念が包摂される前の啓蒙主義政治の前段階とも結びつけることになるのである。

ランデの文章には粗雑な説明をしているところがたくさんあるが、彼はそのなかのひとつで、投票者から大部分の政治的エリートにいたる人びとによって構成される、「〔フィリピン人の〕政治的行為者の大多数は、近代国家がとらなければならない主要な政策決定についてぼんやりと気づいているだけである」と語っている。あるいは、彼らはたとえ気づいたとしても、政府がとるべき選択は根本的枠組みをもつべきものであり、「一次的なつながり」と混同すべきではないということを理解しない、というのである。しかし、ランデは、「それほど遠くない将来に」、フィリピン人政治家たちが「権力志向をもたないイデオローグ、もしくは『集団的利益』を守る職務に専念する従順な公僕」へと「転向させられる」だろうという期待を抱いている。彼らは、近代国家がどうあるべきかについて、「薄ぼんやりした自覚をもつにすぎない」状態から多くを知る状態へとおそらく変化していくであろう。有権者たち自身が「計画にしたがって考えること」を学び、彼らの指導者たちに同様のことを行なうよう強いるようになったとき、「政治家を手なづけること」がはじめて可能となるという。

「転向させること」と「手なづけること」とは、聞き慣れた言葉である。それは、スペイン植民地支配のもとにおけるキリスト教への「転向＝改宗《コンヴァージョン》」以後のフィリピン史の物語と共鳴する。それは啓蒙の光のなかへ姿を現すという物語と響きあい、「計画にしたがって」考えることは「合理的に」考えることを意味することである。ランデはこの本を一九五〇年代後半に執筆したが、アメリカ植民地時代にフィリピンの歴史教科書を書いたバロウズ（Barrows, 1905, 1907, 1924）や彼が率いたアメリカ人教師団、つまり「民主主義の教育者たち」となお同じように語るのである。彼らによれば、近代国家における市民権の確立に備えるために、フィリピン人の主観性は教育をとおして変革されるべきものであった。ランデの言説は、転向＝改宗と保護監督というスペイン植民地時代とアメリカ植民地時代の二つの言説と完璧に一致する。もちろん両者には違いがあり、ランデは（おそらく研究に従事する受動的な観察者として）、過去の植民者たちや「教育者たち」が行なったように直接に介入するのではなく、単にこうした変化を「望ん」でいるように見える。しかし、本当にそうなのだろうか。ランデは単なる受動的な観察者なのだろうか。あるいは、彼の研究を、行動的なもの、つまり政治学において何らかの影響を及ぼす著作として見なすことができるのではなかろうか。民族主義者やマルクス主義者であるフィリピン人研究者たちに対してグレン・メイが向けた論争のように、ランデの研究が、公然たる政治的分野に利用されてきたことは、この研究書それ自体がフィリピン政治学におけるもうひとつの権力の中核であることを示唆している。

ここでランデのテキストに戻ることにしよう。彼によると、フィリピンの政治制度は、一八世紀初頭のイギリスの制度に似ているだけでなく、今日におけるその他多くの「発展途上国」の政治制度にも類似しているという。しかし、こうした見解が正当性をもつためには、次の条件が前提されている。すなわち、フィリピンの住民たちが、「彼らの習慣を改革することを望み、根本的枠組みをもって思考し行動するよう、彼らを教育するような、近代的志向をもった指導者たち――マルクス主義者であろうとなかろうと――による教化の大量服用」を被っていないということである（Lande, 1965: p. 107）。ということは、ランデによって名指しされた正当な政治制度に対する競争相手であるマルクス主義者はもちろん、その他の人びと（暗にスカルノを指しているのだが）による大規模な教化をとおして、変化は起こりうるものであり、また加速されうるものであることを意味している。しかし、ランデの研究は、実のところ、すでに脅威にさらされた「正常な」フィリピン政治の構造を強化するための試みではなかったのだろうか。彼によれば、急進的な政党が出現し、それは部分的に持続したが、その「非永久性」、つまり「それが短命に終わったこと」は、迫害が行なわれたり、農民に対する圧倒的軍事力が行使されることによって説明がつくものではない。フィリピンでは階級的基盤に根ざした訴えは持続したことがないし、持続しないだろうと、彼は繰り返し述べている。その理由は、フィリピン政治における本質的に特殊な性質として保護者と被保護者そして派閥間の関係が卓越していて、そうした関係は、彼も認めるように、時折現れる「階級的感覚」を否定するからである。

以上述べたことすべては、階級に基礎をおくパラダイムを提供する、彼の幻の競争相手が正しく、ランデが間違っているということを必ずしも意味するものではない。旧説の焼き直しや多くの研究書からの相互引用のみならず、イェール大学東南アジア委員会のハリー・ベンダによる推薦文すら利用しながら、ランデが構築したフィリピン政治像が、フィリピンにおける政治行動のより誠実な表現と見なされるようになったことを指摘すれば十分である。しかし、こうした「真実」は、現実には、競合するさまざまな解釈との抗争の末に確立したものである。これは、「民主主義のショーウィンドウ」の亀裂が明らかになり始め、新たな介入が必要とされた時期に立ち現れたのである。ランデの時代に起きたこのような変化について、彼自身がそれをどう捉えているのかについて間接的に言及した文章がある。彼は、この本の最後の部分で、「新しいフィリピンの産業家」、「民族主義的な知識人」、「幸福を求める農民」が、二大政党政治に対して「増大する影響力」をもつようになりつつあると警告する。これは、危険、つまり、ひとつの脅威を意味するものである。政党政治への接近を否定されることによって、こうした新しい勢力は「大衆暴力の非合法的爆発をとおして突如として彼らの存在を知らしめる」ことになるかもしれない、と。ランデは、アメリカ型政党制度が単一の政治手段でなくなってしまうのを危惧する。ここにいたって、彼は、「貧しい人びとの欲求不満は、有権者全般の間の『政治』に対する不満の、広範な、しかし方向性の定まらぬ底流のなかにその多くが現れることになる」と語る。あるいは、こうした欲求不満が、現在、議員の職にある人びとを短い間隔で「追い出し」、そしてほかの政治家たちや彼らの追随者たちに「機会を与える」ような手段をとおして表現されることもある、という。彼は、「実際には誰も根本的な枠組みをもった用語で改善方法を考えようとしない」、つまり、これらはすべて感情的であって、「方向性の定まらぬ」ものであると考えて、自らを慰める。にもかかわらず、彼によれば、ある個人もしくは政党が、現実に制度を転覆することになるような「危険」が明らかに存在するのである。

この本の最終章のなかの、さらに数頁あとで、ランデはフィリピン政治における彼の恩顧庇護的モデルが何に対抗して確立されたかについて、最も頑強な暗示的言及を行なっている。彼によれば、「思慮深いフィリピン人たち」は、彼らの政党制度のなかの欠陥に最初に気づく人びとである。彼らは、ランデと同様に、実際に選択の余地がなく、首尾一貫した計画などないことを知っている。しかし、彼は、フィリピン人批評家たちがこの制度の長所を見逃しがちであると嘆く。この制度は、公衆のさまざまな部門間の、あるいは多様な地域と社会階級の間における敵意や対立を最小限にとどめるものである。そして、これはフィリピン人が活用すべき財産なのである。ランデは言う、われわれは、ひとつの時代に世界のひとつの地域のなかに生きている、と。そこでは、「階級、地域、共同集団の間の抗争が、しばしば一部の人びとの手中のなかで演じられてきた。こうした人びとは、単一の強力な政党、もしくは強力な個人的指導者のどちらかによる独裁的支配制度を選択して、立憲的民主主義制度を創造しようとする試みを放棄するのである」。

このように、ランデの見解によれば、フィリピンの政党制度はいかに欠陥をもつものであろうと、政治を動かす唯一の装置である。その理由の第一は、それが、本性的に「フィリピン的なもの」、すなわち、基礎的文化特性の政治的表現として位置づけられることにある。そして第二には、既存の制度に代わる新たな選択肢がますます容易に手に届くようになり、それを受け入れることは、大惨事、すなわち、アメリカという個別レッスンの指導者との完全な決別をもたらすからである。これが意味することは、全体主義的な競争相手によって提供される政治の類は、非フィリピン的であり、たとえば、アメリカによる植民地的保護監督時代のような、ひとつの歴史的過程から生み出されたものではないということである。こうして、ランデのフィリピン政治行動に関するパラダイムは、歴史、社会構造、そして政治変動についてのさまざまな主張がせめぎ合う場のなかに位置づけられるのである。

ランデが語る決定的に重要な時期、すなわち、彼が博士論文執筆のために調査研究を行なっていた一九五五年頃から（この本が出版された）一九六五年までの時期は、政界と学界におけるいくつかの進展が合流したときであった。一九五〇年代初頭のフク団反乱(訳注26)の敗北と一九五七年におけるフィリピン共産党（PKP）(訳注27)の非合法化によって、有能な知識人たち——元PKP党員もしくはフク団の支持者たち——のなかには、彼らが「真の独立」と呼んだものを実現するための闘争を、教室と新聞や週刊誌の頁のなかに持ち込んだ人びとがいた。また、市民的自由の擁護者たちや民族主義者たちの大きな集団もあり、彼らは必ずしもマルクス主義思想を信奉していたわけではないが、この国において永続するアメリカの軍事的および経済的存在に対して批判的であった。強靭なナショナリズムと冷戦という国際的環境のなかで、一九四六年にアメリカが彼らに付与した独立がまったく無意味なものであると感じたフィリピン人がより一層増えていった。もっとも、こうした見解は大多数の人びとが支持したものではなかった。フィリピンの国家とその教育制度は、双方ともアメリカ植民地時代の申し子であり、スペインとアメリカの双方（そして現地住民のなかの監督者）を主要な行為者として、変化が進化的に起こるという見解を再生産することに関与してきたように見えた。再教育過程が実施されなければならない、と感じられたのである。

フィリピン人の精神構造を「脱植民化」するためのこうした闘争のまさにその中核に、時流に対抗する歴史叙述や伝記の普及があった。時の政党政治は、こうした知的変化に貢献した。一九五〇年代後半から、一流政治家たちは彼らの間の競争のなかで、一流文筆家たちを雇い、出版物に資金をつぎ込み、さらには集会や団体の後援すら行なった。「自由世界」に帰属する機能として、「自由奔放な民主主義」が存在する限り、政治的縁故主義が急進的知識人のための空間を保障した。たとえば、彼らは、「未完の革命」という用語を執筆活動や演説のなかで使うのを好んだディオスダード・マカパガル大統領のまわりに群がった。こうしたスローガンに対して、マカパガルは限定的で進化的ですらあるような意味を付与した。しかし、それはさまざまな方法で読まれ、意味内容を変えながら繰り返し引用された。雑誌記事、会議、討論集会のなかで、それは、反帝国主義的、中立主義的、社会主義的な意味内容をもつようになった。この時期が急進的な学生運動の出発点であり、それは、とりわけ一九六九年以降、マカパガルのあとを継いだマルコスと対峙することになったのである。

したがって、ランデの時代のフィリピン政治とは、共産主義の脅威への不安が渦巻くひとつの場であった。地方からの脅威が認識されることによって、ある種のイメージと隠喩が影響力を得ることができた。いわゆる「ドミノ理論」はよく知られている。しかし、私は、「パトロン・クライアント関係にもとづく派閥」もまたそうしたイメージのひとつであることを提起したい。ランデの著作は、戦後構築された歴史と政治に対する、主としてマルクス主義的で民族主義的な挑戦という文脈のなかで検討されるべきである。ランデの研究が行なわれ、彼の著作が出版された権力の発生源はほかにもある。フィリピンとアメリカの「特殊な」関係、彼が受けた学問的訓練、上院議員や下院議員と彼との親密な関係、彼の人種、さらには彼の性別もがそうである。一九六〇年代に恩顧庇護的パラダイムが誕生したこと、あるいは再誕生したと言うべきであろうかについて批判的に議論する際に、こうしたことのすべてが考慮されねばならない。

有力家族がもたらす無政府状態

一九六〇年代におけるランデの著作の問題点が、ごく最近の研究のなかではすでに克服されているとわれわれが考えないように、ここで、五四一頁の大著『有力家族がもたらす無政府状態《アナキー・オブ・ファミリー》――フィリピンの国家と社会』(McCoy, 1993) が登場した一九九三年にまで飛び越えることにしよう。この本の企画は、マルコス政権の崩壊、そして革命的（すなわち「民衆パワー」）と呼ばれたコーリー・アキノ政権のもとで古い寡頭的支配層が迅速に復活したことを説明する必要に照らして構想されたものである。編者のアルフレッド・マッコイによると、この本は、フィリピン人による記述がほとんど「歴史というよりむしろ聖人伝」となってしまう傾向を埋め合わせるために、政界との関わりをもつ有力家族とそれらの模範的（あるいは名うての）指導者たちに関する詳細な実証研究に対する差し迫った必要性に応えたものである。フィリピン人が書いた書物が、ほとんどまるごと批判されているのが印象的である。マッコイは、公明正大で冷静な外部からの観察者として、英雄的な人物表現への要求や民族主義的歴史学研究の主張の底流にある現実を明らかにしていると思い込んでいる。この「現実」とは、本質的にフィリピン人の政治的行動の根底に横たわる、家族主義、地方主義、汚職、そして暴力である。

マッコイは、ラテンアメリカ研究を活用しながら、フィリピンを理解するための適切な社会的鋳型《テンプレート》を見出していく。その社会的鋳型とは、「弱い国家と政界で活動する強力な寡頭的支配層」であり、有力家族を軸として国民の歴史を描くことが妥当であることを積極的に表明するものである。「家族」という言葉によって、マッコイは世帯を意味しているわけではない。むしろ、それは、政治のなかに動員され、「第三世界」でわれわれがいやというほど頻繁に目にする「弱い国家と強い社会の間の逆説的な関係」のなかに組み込まれている、親族ネットワークである。極端な場合、有力家族は国家を彼ら自身の「領地」にしてしまう場合すらあった。ラテンアメリカ研究でもやはり、こうしたことのすべてにどこかしら通じるところがある。若干異なった隠語を使ってはいるものの、これらはランデの見解に一致する。

マッコイの序論から、われわれは、合理的で近代化を促進するような、規律のとれた国家的中枢――植民地支配に起源をもつ――が、専制政治、有力家族中心主義、暴力の日常的行使（軍族主義《ウォーロードイズム》や残忍な殺人強盗）など封建的特徴を示す地方勢力の抵抗を受け、挑戦され、そしてついには腐敗するというイメージを得る。国家的中枢は、啓蒙化された理性、民主主義、資本主義、秩序、そして公的領域を意味する。他方、地方の辺境は、有力家族、門閥、派閥といった、特定の人びとに偏った利害がはびこるような前近代的な状況を意味する。マッコイが描くフィリピンとは、歴史的時間が歪曲されたある種の世界のなかで存続しており、まったき近代への、あの跳躍を行なうことができない。「国家の指導的政治家がもつ展望と地方の政治家の暴力とを結合した政治家」として、この本がフェルディナンド・マルコスのグロテスクな姿を生み出すことができた所以である。その最終的帰結は、「無政府状態」、すなわち秩序が欠如した状態であり、ことによると非合理性状態ですらあった。無政府状態は暴力を意味する。なぜなら、相対立する勢力が互いに容赦なく抗争するからである。この本の表紙には、ボディガードに囲まれたひとりの「軍族《ウォーロード》」の写真がある。これが、この本の意味する「家族」なのである。その対極には、国家の秩序と合理性が位置づけられるのだが、フィリピンでは国家が無秩序な有力家族によって乗っ取られてしまったというのである。こうしたイメージの帰着するところは、自由主義的で啓蒙主義的な意味で言う「政治以前」の状態である。

　おそらくこの時点で、われわれは、第一次フィリピン共和国が近代的国家ではなく、アギナルドというひとりの軍族によって率いられたものであり、革命軍はカシケが率いたギャングにすぎないという主張によって、アメリカによるフィリピンの征服が正当化されていることを思い起こす必要があろう。そうだとすると、マッコイがアメリカ植民地支配をひとつの積極的な意味をもった近代化促進事業と捉えていることは、驚くに値することなのだろうか。彼は、警察をはじめその他植民地国家機構をとおして、アメリカ人たちが地方の略奪的な政治家たちを寄せつけないようにできたことを強調する。これは、アメリカ人たちがフィリピン人大衆を地方有力者たちの支配から救い出していたという、一九〇〇年頃にアメリカ軍が行なった議論に立ち戻るものである。一〇〇万人近くの犠牲者を出しながら、なぜあれほどまでに多くの人びとがアメリカの支配に抵抗したのかは、この本が答える類の問いではない——もっとも、後段で私が議論するように、レシル・モハレスによる章では異なる視点が示唆されているのだが。カーナウとまったく同じように、マッコイは、「狡猾な」フィリピン人政治家たちが、土地という富と地方政府の役職を兼ね備え、アメリカ植民地国家の理念をなんとか打ち砕き、さらに独立したフィリピン国家を略奪したと繰り返し指摘する。彼は、たとえば、ロペス家兄弟が、「国家を巧みに操る中心人物であり、彼らのもつそれぞれの王国のなかの無比の操縦者たち」にすぎなかったことを強調する。幾人かのこうしたエリート政治家たちの性格や人柄について、何かしら好意的に記した書物（おそらく偶然にも、フィリピン人によって書かれたものであるが）を、マッコイは聖人伝として一蹴してしまう。歴史とは、人間の自然な卑しい本能が、それを制御する強い国家や合理性の近代的形態がなければ、いかに優勢をきわめるかを立証するものとされるのである。

マイケル・クリネインが執筆したドゥラノ家に関する章は、マッコイのパラダイムにきわめて忠実に従っている。この本の表紙を飾る軍族の写真は、セブ州ダナオ市一帯で政治的支配を確立し、中央政界で活躍する政治家たちの集票活動のために暴力を行使した、ラモン・ドゥラノその人自身に違いない。クリネインは、「政治的・経済的支配を維持するために〔家族〕が行使したメカニズム」の分析をめざしている。こうして立ち現れる物語は、「銃、ならず者、金」という政治の完璧な実例である。ドゥラノは、彼の「領地」において絶対的権力を保持する人物として描かれている。彼を抑制できるのは、彼の「中央政界における保護者」のマルコスだけである。「民衆パワー」は明らかにこの「堅固に身を固めた、遠くに住む軍族」に対して無力であった、と。

マッコイと同様、クリネインは現地住民《ネイティブ》のレトリックに対して軽蔑的である。彼は、ドゥラノが大衆と選挙民を保護していると主張することに対して、それは偽りであるとの烙印を押している。ダナオの大衆についての「真実」とは、彼らが軍族による権力の無力な犠牲者だということである。彼らは、せいぜい「依存の文化」のなかに絶望的に巻き込まれている人びととして描写されているにすぎない。しかし、この「依存の文化」の特徴とは何なのであろうか。それは、ホッブスやロックによるものとは異なるような、人間の行動や社会関係についての見解を提起するのだろうか。それは、社会のなかで循環する、ひとつの権力形態――軍族の権力を限定し、地方化し、あるいはむしろそれに可能性を与えるような――を浮き彫りにすることができるのだろうか。詳しい説明は何ら与えられていないのである。そしてドゥラノの晩年における宗教への熱中、彼と「キリストとのぎこちない同一化」、彼の慈善行為に対して、単に盛り沢山の嘲笑を浴びせたところで、何を得ることができるというのだろうか。クリネインは「レトリック」を撥ねのけて、彼の社会科学的見地から、ドゥラノに示されたような、現地住民による世捨て人的行動の「本当」の理由を掘り起こすことを主張する。彼によれば、これが、天国への道のりを確保するために神（「最後の保護者」）と取引をした、元軍族の典型的なフィリピン人的態度である。ここにおいて、東洋専制主義と恩顧庇護的関係制度という比喩的語句が織り合わさることになる（しかし、クリネインは、有力家族による政治をこのように具象化することによって、なぜドゥラノの息子デオは、父親に背いてこの家族の権力乱用を非難したのかを説明するのをむずかしくしている）。

ジョン・サイデルによるカビテ州のモンタノ家の研究は、マッコイの主題のもうひとつの変形である。モンタノ家はロペス家のようなタイプではない。彼らにはよりどころとすべき所有財産の強固な基礎が欠けているため、その社会的上昇には限界がある。サイデルによれば、（彼らは「王朝」を形成しないので）忠誠を比較の基準とするのではなく、先植民地期東南アジアにおける「大物」現象、とくにオリヴァー

・ウォルタースが探求した「武勇のひと」を比較の基準とすることを提起する。ウォルタースにとって「武勇」とは、先植民地時代と原史時代の東南アジア大陸部、そしてもちろんその他地域における、集落と権力集団（マンダラ）を動員することに対して責任をとる立場にある人びとの、精神力と指導力の源泉を意味する（Wolters, 1982）。その他の洞察を生み出すのにウォルタースの「武勇のひと」がきわめて有効な概念となっている理由は、「近代とは別種の」政治と社会構成体を特徴づけるように見えるさまざまの特徴や特質の全体をひとまとめにしたものと、この概念が不可分の関係にあるからである。こうして、われわれは、「武勇のひと」という用語から、「側近者」、「忠誠のネットワーク」、「現在志向」、「役割の交換」、「関係の流動性」、そして「即興」を連想することになる。ところが、サイデル論文では、「武勇のひと」とは、理想の近代的政治家の否定的「他者」を記録するのに役立っているにすぎない。

とりわけ、大物もしくは武勇のひとは、戦後の政治状況のなかでさまざまの機会を開拓した地方的軍族であるフスティニアーノ・モンタノのなかに体現される。モンタノ家は、スペイン植民地時代末葉以降に町に基盤をおくようになった、いくつもの小さな門閥がカビテ州を支配してきたという、一般的状況のなかに位置づけられる。サイデルは、門閥や首長が競合した一九世紀の光景をかなり詳しくあざやかに描写する。それは、アギナルドと彼の部下たちの民族主義者としての姿を意図的に傷つける画像である。彼らは、革命家としてではなく、地方の政治機構の先頭に立つ「大物」として、そしてのちの時代の、実際に軍族であった「民族主義的」政治家たちの先駆者として現れるのである。サイデルは、フィリピン歴史学研究の主流派に対してもうひとつの攻撃をしかけるなかで、「監視の目を光らす神父」が、「大物」の無秩序な活動を抑制するという、次の世紀におけるアメリカの警察とまったく同様の機能を果たしていたと見る。彼によれば、アメリカ占領時代初期にこの地域で続いた無法状態は、アメリカによる占領への抵抗の持続というよりは、むしろ有力な門閥の保護を受けた「山賊行為」によるものであった。したがって、サイデルにとって、マカリオ・サカイ(訳注28)は英雄ではなく、まさしく山賊であったということになる。しかし、なぜ山賊がしゃれた衣服をわざわざ身にまとい、革命的な共和国の理想を宣言したのか不思議に思うひともいるであろう。マッコイとクリネインの研究手法のなかで、再び、こうしたレトリックは、その背後にある「動かしがたい現実」に関するサイデルの明白な知識の前に葬り去られてしまうのである。

サイデルがマッコイやクリネインと親密に共有するものは、彼らが遭遇するフィリピン的政治関係のまさにすべてにおいて、個別主義的で、家族的なきずなを見つけ出す傾向があるという点である。このようにフィリピン的政治関係を固定観念化して示そうとする彼らの戦略を見破るのはむずかしいことではない。彼らはいくつかの対概念の組み合わせをとおして議論を組み立てている。すなわち、家族対国家、地方主義的対民族主義的、暴力対法、恩顧庇護的関係制度対真性民主主義であり、これらの対概念のうち前者に位置するものは、否定的な柱である。狭隘で利己的なホッブス的課題を全力で促進する、クラスメート、友人、親族、ボディガード、子分《プロテジェ》、そして保護者が殺到するなかで、民族主義的課題はまったく愚かなものに見えるようになっていく。マッコイ、クリネイン、サイデルの見方によれば、公的(すなわち民族主義的)領域と個人的(地方的、家族的)領域を同時に占有したり、両者の間を移動することはできない。そして、こうした政治によって発生する「二者的」関係もしくは個人的関係は、ときには封建主義とも呼ばれるような、ある種の政治的後進性以外の何の意味ももたないように見えるのである。

だが、『有力家族がもたらす無政府状態』という著書は、継ぎ目をまったくもたずにひとつの全体をなしているわけではない。この本を構成する八章のなかには、フィリピン的政治関係を固定観念化しようとする編者の戦略に侵されていない章がいくつかある。私の見解によれば、そのうちのひとつで、将来の研究の手本として傑出しているのが、セブのオスメーニャ家を扱ったレシル・モハレスによる章である。「〔オスメーニャ家〕は、フィリピンにおける政治的親玉、あるいは『軍族』に関する何らかのステレオタイプに適合するものではない」といった文章に例証されるように、この章の序論で、モハレスが編者の視角から一定の距離をおいているのに気がつく。セブ市の事例にもとづきながら、モハレスは、フィリピンの政治が理想的形態に適合することができないのはなぜかについてこだわること、すなわち、「支配者、指導者、そして大物」に焦点をあてたり、彼らがテロリズムや不正行為を行なうことに関心を向けること、あるいは、彼らが「問題の争点を個別主義的な関心に従属させること」などにこだわることに対して懸念を表明する。事実、彼は、こうした類の活動は、すでに認知された範疇である「プリティカ（pulitika）」、すなわち、エリートによって支配された策略と利権の政治——選挙戦をも含んだ——のなかに入ると指摘する。こうした行動の場は明らかに政治を支配するものであるが、しかし、それはまた、たえずその領域と意味を変化させており、重層的なかたちで政治が実践されるのを決して妨げるものではないのである。

その支配的地位にもかかわらず、エリート家族とそれを公の場で統率する傑出した人びとが、「プリティカ」という場をその全面的な統制のもとにおいているわけではない。政界に進出した有力家族は無益な場所では動かないということを、モハレスはわれわれに思い起こさせる。こうした有力家族もまた、地域社会によって作られているのである。ここで慎重に考察されるべきことは、レトリックである。なぜなら、（グラムシを引用するモハレスによれば）「政党と政治家は世界についての概念を宣伝し、被支配者の自発的な同意をまとめ上げる」からである。ところが、フィリピン社会のなかの有力家族による覇権的支配は「地域社会全体に遠く及ばず」、追従者と聴衆は、有力家族による支配を「再解釈し否定することができる」ので、こうしたことが政治的不安定の理由となるのである。モハレスは、オスメーニャ家の政治を、有力家族（個人的）対国家（公共）という、それ自体が社会の階層制度を示唆するような二項対立のなかに包摂するという罠にはまるのを回避している。モハレスによると、オスメーニャ家は利益の配分方法について話し合うことで、こうした利益の配分を意味のないものにしてしまうという。彼らは「巧みに公的恩恵と個人的利益とを結びつけるのである」。彼らは、「単に手段を利用する人びとなのではなく、自由な民主主義と自由な企業活動の教えの真の信奉者たちでもある」。なるほど、モハレスによれば、彼らは残忍な殺人強盗や贈収賄の政治に関わるが、しかし、また彼らの聴衆を活気づけ、同意を呼び起こすような方法で話し行動することもできる。政治的権力は、単に上から発散する抑圧的な力ではない。それは社会集団全体をとおして循環し、そして事実上、大物による支配を可能にするのである、と。

モハレスが書いた章は、フィリピン政治のオリエンタリスト的構築に代わりうるもうひとつの視座を指し示している。しかし、ランデの「恩顧庇護的関係制度とフィリピン政党政治」やマッコイの「フィリピン系有力家族がもたらす無政府状態」という言説のもつ意味は、アメリカによる平定の時代にまで遡る学問に基礎をおくものであり、そこから抜け出すのはなかなかむずかしい。その意図の善良さにもかかわらず、ベネディクト・アンダーソンの論文「フィリピンにおけるカシケ民主主義」（Anderson, 1988）は、学問がこうした言説網のなかにどのように捕らわれうるのかについての一例である。彼の最初の文章は、「……アキノ大統領は、彼女の曽祖父が南東中国福建省出身の貧しい移民であったという……われわれに最も多くの教訓を与える虚言を吐いた」である。アンダーソンがここで明かす真実とは、彼女が、「フィリピン系寡頭的支配層のなかで最も裕福で、かつ最も強靭な権力をもつ、ひとつの名望家の構成員のひとりである」ことにある。

しかし、実際に、曽祖父のコファンコは比較的貧しい移民から富を築きあげた人物である。そこでアンダーソンは、東洋人でないふりをした人物のイメージを抱きながら論文を書き始める必要があり、その後彼が踏んだ手順とは、フィリピン人エリートの歴史を、「中国系メスティーソ」、「カシケ」、「名望家」であって、「民族主義的」、「協力者的」、「腐敗的」、「封建的」な寡頭的支配層の形成と発展に還元することである。マルコス（「最も偉大なカシケ」）の失脚の余波が続くなかで論文を執筆したアンダーソンには、カーナウと同じように、現在を説明しうるような、歴史とフィリピン的「伝統」を描きたいという願望がある。アンダーソンは、「フィリピンの政治が、東南アジアにおけるほかのいかなる国のものとも、これほどまでにはなはだしく異なるようにさせている」まさにその要因である「政治的名望家」のなかに、こうした伝統を見出すのである。

アンダーソンの論文は、フィリピン社会史研究に従事する学者たち（たとえば、ウィックバーグ、オウエン、マッコイ、メイ、クリネイン、サイデル）の仕事に大きく依存しているだけでなく、ラテンアメリカ研究モデルにも拠っている。世界の歴史的段階のパラダイムがフィリピンに適用され、中国系メスティーソの社会的・政治的行動すべてがあまりにも巧妙なかたちで後進的な封建主義の範疇のなかに分類されるのである。われわれは、アンダーソンによるフィリピン革命の描写のなかにサイデルの影を見る。この革命は、メスティーソやカウディーリョ（頭首の地位、圧制、ボス政治を意味する用語「カウディーリャへ」と同義語）が率いたものであり、アメリカ軍が到着しなかったら、彼らは自ら独立した軍族としての地位についたであろうと、アンダーソンは想像する。文字通り一筆書きで、革命とアメリカの占領に対する抵抗が死に絶え、その代わりに野心的な有力家族に支配された無政府的な場面が登場した様子が描かれている。フィリピン人の指導者層を人種化し、「封建化する」というアンダーソンの試みは、世紀転換期にアメリカ人の観察者たちや平定政策担当者たちが表現しようと努力したものに実によく似ている。アメリカによる征服は、当時、文明化の必要性の問題であった、と。アンダーソンはさらに議論を進める。アメリカ植民地統治時代の現地住民による政治は、「アメリカ人たちが大仰に引き合いに出したように、文明化された『競技場』」と彼が呼ぶもののなかで、子どもじみたカシケ間の抗争になってしまう。彼によれば、一九四六年の独立はこの国を前近代の混乱状態に引き戻す。すなわち、それは軍族が中央政府の政治を支配するという状態であり、一九五〇年代の新たなアメリカの介入（たとえば寡頭的支配層の出身ではないマグサイサイ大統領を支持したこと）と一九六〇年代におけるマルコスの登場を必然的なものにするのである。

問題は、アンダーソンが提示した社会的・政治的発展の伝説が完全に間違った描写だというのではなく、むしろこの物語は、私が前述した学者たちによって生み出された研究から派生したもので、そのルーツが植民地時代の書物それ自体にあるということなのである。不思議なことに、ジャワの政治はもちろん、タイの政治に関するアンダーソンによる研究とも異なり、フィリピン人エリート層による政治をそれ自体の範疇の用語を使って描写しようとする試みが、ここではまったくなされていない。言語もしくは「レトリック」に関する研究がまったく試みられていないのである。アンダーソンは、ホセ・リサール(訳注29)とニック・ホアキン(訳注30)の向こうを張って、フィリピン人支配階級に対して容赦ない批判を浴びせる試みを行なっているものの、彼の努力は、そのエリート層の描写における複雑さの欠如、過度の単純化志向、そして人種と階級という範疇へエリート層を包摂するという方法によって実を結んではいない。リサールの感性豊かな筆致は、これとは対照的に、こうしたエリート層によって生み出されたさまざまの地位や経験をわれわれに伝えてきたのである。

　私はこの講義において、フィリピン的な政治のあり方が、その内部から本当に理解されることなく、どのようにしてそれがヨーロッパやアメリカのポスト啓蒙主義の政治的伝統における否定的「他者」として構築されているのかを示すよう試みてきた。われわれが前段においてすでに明らかにしたような、こころ／身体、理性／熱情、公共／個人などその他関連した二元論的対立は、一八世紀後半以来、政治的理性、「統治体」のイメージ、そしてまさに「政治的なもの《ポリティカル》」という理念そのものが構築され理解されてきた方法のなかに、より深淵な問題があることを示すものである。モイラ・ゲイテンスは、ヨーロッパ政治哲学における研究のなかで、政治以前の社会がその本質において原始的社会国家として認識されようと、あるいは孤立した個人の国家として認識されようと、「政治社会への道程は、一貫して、男性だけによって切り拓かれた道として描かれている」と指摘している。政体、すなわち、「理性、先見性、先送りの勝利」とは、男性たちが一堂に集まる場のひとつである。女性たちは組織のなかに組み込まれ、統制されるものの、彼女たちの貢献は、社会政治的貢献として認知されることもなく、また目に見えるものでもない（Gatens, 1991）。同様の見解は、自由主義的な哲学者たちによって、「野蛮なインディアン」にもあてはめられた。彼らは植民地化と征服の対象であり、彼らの差異が認知されることなく、統治体のなかに組み込まれたのである。

　カーナウの著書やそれを支持する研究書を私なりに読むと、フィリピン人の政治的行為者たちは、彼らの考え方と行動が「政治的なもの」のなかに入ることを許容されているという点で、古典的な政治理論において女性や「野蛮なインディアン」を周縁化する役割を果たしたものと同一の言説的機能に従っていることが示唆されよう。ジョン・スチュアート・ミルによれば、「〔女性〕は政治のなかでどちらが正しい側なのかを知らないし、またそうしたことを気にかけようともしない。しかし、彼女は何が金銭や招待状をもたらすのか、何が夫に称号を、息子に地位を、そして娘に幸福な結婚を与えるのかを知っている」。政治のなかの女性に関するこうした男性的で自由主義的な描写は、フィリピン人の「伝統的」政治行動の近代的な政治学的記述と十分相通じるものがある。狭隘で個別主義的なものの見方や人間関係から抜け出すことは大変困難で、ミルの描く「女性」像やランデによる「フィリピン人」像（ここでは女性化された東洋人を意味する）についてもほぼ同様のことが言える。なぜならこの二つは分析上「私的」領域に結びつけられているものなので、「公的」領域のなかに押し入ろうとすると、「公的」領域と「私的」領域の双方が混乱し続けるからである。

われわれは恩顧庇護的パラダイムについて再考しながら、なぜ二項対立が構築されるのか、そしてこうした対立関係をくつがえすような政治をどのように考えるべきなのかについて理解を深める必要がある。われわれは、事実上、女性とインディアンを排除した、「適切で」、「合理的な」政治という自由主義的でヨーロッパ的な構想の意味合いをより十分に理解する必要がある。そして、フィリピンの政治が未熟で無政府的なものであるという描写のなかに、こうしたことがどのように繰り返されているのかについてもしかりである。ランデはフィリピン人の「自己」に関して固定観念化した定義を行なうことによって、アイデンティティの「転換」や社会的・政治的関係の流動性について、のっけから説明することができなくなった。何らかのかたちで彼の分析の背後に潜んでいるもの——モハレスを例外として、この論文で私が検討してきたほかの研究者たちの研究も同様であるが——は、個人のアイデンティティとは、「当然のこととして」、固定され、縛られ、安定的であるはずのものであるという前提である。もし「自己」が、このような変位を抑制し、あるいはそれを隠蔽するようなさまざまの規律上の制度のなかに巻き込まれているにせよ、たとえそれが「西欧的な」自己であったとしても、矛盾や多様性や不統一の場としてそれが理解されるならば、ランデが観察し、気まぐれ、風変わり、そして異常性という地位に追いやったものを、より流動的で社会的に構築されたひとつの「自己」の働きであると見なしうるのである。かくして、われわれは、ここからフィリピン政治をそれ自体の枠組みのなかで分析し批判し始めることができるであろう。

まとめ

私はこの三回の講義において、フィリピン的な政治のあり方が、アメリカの平定作戦軍による解決を必要とするようなひとつの「問題」として、当初、どのように構築されたのかを明らかにするよう試みてきた。アメリカ人の観察者たちはこうした政治のあり方をそれ自体の枠組みのなかで本当に理解することがなかった（したがって批判することがなかった）のである。第一講義〔訳注31〕では、植民地時代の教科書がどのように一八九六年革命を描き、革命がもつ危険な意味合いを封じ込め、革命を不完全で失敗したものにしてしまったのかについて述べた。私は、どのようにしてフィリピン人が私的領域と公的領域とを区別できない未熟な人種とされ、それゆえアメリカという父親を必要としていたように描かれたのかについて語った。第二講義では、平定作戦を伴うような教化戦略に焦点をあてた。こうした戦略のもとで、アメリカ人や有産知識階層の希望や恐怖をとおしてフィリピン人が知られるようになり、その像が再構築されていったのである。身体的動作やアイデンティティの転換は、抑制され制止されるべきものであり、民主主義的国家における将来の独立に適合するような、適切で近代的な市民性が発展されるべきとされた。こうした「再形成」過程と植民地における被後見人との相互作用をとおして、アメリカ人官吏たちは、近代的臣民（理想化された「アメリカ国民」を典型とする）がいかなるものであるべきかについての彼らの理念に照らして、彼らが直面した行動を記号化したのである。

以来近年にいたるまでの研究には、こうした植民地官吏たちの先入概念がどっぷりと付着してきた。英語史料が彼らの声によって支配されているためである。しかし最も重大な問題がここにある。それは、フィリピンの政治が、依然としてその他者である普遍的——アメリカを意味する——規範とどのようなかたちで対等であったのかという問題である。私的対公的、有力家族対国家、無政府状態対秩序、軍族対指導的政治家というマニ教的な対極的図式のなかのどこにフィリピンの政治を位置づけることができるのであろうか。このような二項対立の枠組みのなかで記号化されたフィリピンの歴史と政治は、植民地言説を再生産するばかりで、欠如と失敗をいつまでも描き続けることになるだろう。

この論文を締めくくるにあたり、『コンパドレ植民地主義』の裏表紙の宣伝文をもう一度引用したい。「著者たちはそれぞれ個々の歴史的問題を事実関係にもとづいて分析するが、フィリピンにおける『アメリカ時代』のみならず、戦後の時代になっても亡霊として現れた協力と対立という大きな中心的課題に、彼ら全員が立ち戻っている」。まさにそのとおりである。しかし、こうした「大きな中心的課題」をも超えて、私が提起しようとするのは、アメリカそのものの問題である。アメリカがどのように自己規定しているかは、一八九八年以来、その植民地的「他者」であるフィリピンの表象方法のなかに亡霊として現れてきたのである。これが、一九七一年に新しい道を歩み始めようと志した「ミシガン大学出身の五人の若い研究者たち」に取りついた亡霊である。この亡霊は、カーナウの著書のすべての頁にまとわり続けているばかりでなく、今日のフィリピン研究の全体的潮流にのっぴきならないかたちで取りついているのである。

（注）この論文は、筆者がジョーン・A・バーンズ歴史学講座教授としてハワイ大学に招聘されたときの一九九七年一〇月の公開講座ではじめて発表され、次のシンポジウムのために改訂されたものである。"After the American Century? 1898-1998," sponsored by the Latin American and Caribbean Studies Center and the Center for South and Southeast Asian Studies, The Univeristy of Michigan, 15 September, 1998.

【参考文献】

Anderson, Benedict R. O' G. "Cacique Democracy in the Philippines: Origins and Dreams." *New Left Review*, 169, May-June, 1988, pp. 3-33. Reprinted in Rafael, ed. *Discrepant Histories*.

Barrows, David P. *A History of the Philippines*. Manila, 1905, 1907, and 1924 editions.

Benda, Harry J. "Peasant Movements in Colonial Southeast Asia." In *Continuity and Change in Southeast Asia: Collected Journal Articles of Harry J. Benda*. New Haven: Yale University Southeast Asia Studies, Monograph Series no. 18, 1972, pp. 221-235.

Gatens, Moira. *Feminism and Philosophy: Perspectives on Difference and Equality*. Cambridge: Polity Press, 1991.

Ileto, Reynaldo C. "The 'Unfinished Revolution' in Philippine Political Discourse." In *Filipinos and Their Revolution: Event, Discourse and Historiography*. Quezon City: Ateneo de Manila University, 1998.

Karnow, Stanley. *In Our Image: America's Empire in the Philippines*. New York: Random House, 1989.

Lande, Carl H. *Leaders, Factions, and Parties: The Structure of Philippine Politics*. New Haven: Yale University Southeast Asian Studies, Monograph Series no. 6, 1965.

Le Roy, James A. *The Americans in the Philippines*. 2 vols. Boston and New York: Houghton Mifflin, 1914.

May, Glenn A. "Civic Ritual and Political Reality." In Ruby R. Paredes, ed. *Philippine Colonial Democracy*. New Haven: Yale University Southeast Asian Studies, Monograph Series no. 32, 1988, pp. 13-40.

May, Glenn A. "Private Presher and Sergeant Vergara: The Underside of the Philippine-American War." In Peter Stanley, ed. *Reappraising an Empire: New Perspectives on Philippine-American History*. Cambridge: Harvard University Press, 1984, pp. 35-57.

May, Glenn A. *Inventing a Hero: The Posthumous Re-creation of Andres Bonifacio*. Madison: University of Wisconsin Center for Southeast Asian Studies, 1997.

McCoy, Alfred W. "Politics by Other Means: World War II in the Western Visayas, Philippines." In A. W. McCoy, ed. *Southeast Asia under Japanese Occupation*. New Haven: Yale University Southeast Asia Studies, Monography Series no. 22, 1980, pp. 191-245.

McCoy, Alfred W., ed. *An Anarchy of Families: State and Society in the Philippines*. Madison: University of Wisconsin Center for Southeast Asian Studies, 1993.

Owen, Norman G., and Michael Cullinane, eds. *Compadre Colonialism: Philippine-American Relations, 1898-1941*. Ann Arbor: Michigan Papers on South and Southeast Asia no. 3, 1971.

Rafael, Vicente L., ed. *Discrepant Histories: Translocal Essays on Filipino Cultures*. Philadelphia: Temple University, 1995.

Said, Edward W. *Orientalism*. New York: Pantheon Books, 1978（エドワード・W・サイード著、板垣雄三・杉田英明監修、今沢紀子訳『オリエンタリズム』上下、平凡社、一九九三年）。

Wickberg, Edgar. *The Chinese in Philippine Life, 1850-1898.* New Haven: Yale University, 1965.
Wolters, O.W. *History, Culture and Region in Southeast Asian Perspectives.* Singapore: Institute of Southeast Asian Studies, 1982. "Postscript" to the new edition, 1999をも参照。

(永野善子訳)

【訳注】

(1)著者がジョーン・A・バーンズ歴史学講座教授としてハワイ大学に招聘されたときに行なった三回の講義を指す。論文集『アメリカ植民地を知る――フィリピン戦争からの百年』(一九九九)は三回の講義を所収したものであり、本論文はその第三回目の講義である。
(2)本書第2章として訳出した論文を指す。
(3)本書第2章訳注7を参照。
(4)本書第1章訳注17を参照。
(5)本書第1章訳注11を参照。
(6)本書第1章訳注34を参照。
(7)compadrazgo. コンパドレ(compadre, 儀礼親)制度ともいう。スペインを起源とする制度で、洗礼の儀式のときに結ばれる儀礼上の親子関係である。通常、儀礼上の親(名づけ親)は、洗礼式とその後家庭で行なわれる祭事に対する責任を負う。一般に、儀礼親を自分より社会的地位の高い人びとから選ぼうとする傾向がある。こうした傾向のなかで、この制度は、本来もっていた宗教的機能を超えて、儀礼上の両親と儀礼上の子どもの実の親との社会的・経済的相互扶助関係に力点がおかれるようになった。
(8)本書第2章訳注8を参照。

(9)本書第1章訳注4を参照。
(10)本書第1章訳注8を参照。
(11)ラモン・マグサイサイ。一九〇七年生、五七年没。フィリピン共和国第三代大統領。一九四六年にリベラル党から下院議員に当選し政界入りを果たし、一九五〇年代はじめにフク団の鎮圧に成功し、一躍国民的英雄となった。一九五三年には野党ナショナリスタ党に移籍し、同年の大統領選で得票率六九パーセントの高さで当選した。その後も国民の支持は衰えず、五七年の再選が確実視されていた。しかし、五七年三月にミンダナオ島への視察旅行中、飛行機墜落事故で急逝した。
(12)ベニグノ・アキノ・ジュニア。本書第1章訳注12を参照。
(13)一九一一年生、九七年没。フィリピン共和国第五代大統領。一九四九年にリベラル党から下院議員に当選、五七年にはマグサイサイ大統領の不慮の事故により、ガルシア副大統領が大統領に昇格したのに伴い、野党副大統領に当選したが、閣外にとどまった。一九六一年に大統領に当選し、農地改革法の制定や為替管理の自由化などに着手したものの、その経済政策はあまり効果をあげなかった。一九六五年に再選をねらったが、マルコスに敗北した。
(14)本書第1章訳注24を参照。
(15)一九〇〇年五月にフィリピン委員会によって第一代公立学校担当局長に任命される。教育長官のベルナード・モーゼズとともに、アメリカ植民地時代のフィリピンにおける学校制度の骨格を形成した。当初の困難は、十分なアメリカ人の教師の確保と学校で使用する教材の調達にあったという。
(16)バロウズについては本書第1章の議論を参照。
(17)本書第1章訳注1を参照。
(18)本章訳注7を参照。
(19)本章訳注21を参照。
(20)ウィリアム・ハワード・タフト。一八五七年生、一九三〇年没。一九〇〇年に第二次フィリピン委員会委員長を務め、一九〇一〜〇四年には初代フィリピン民政長官となる。アメリカのフィリピン植民地統治の基礎を確立させ、以後の植民地行政に大きな影響を与えた。一九〇四年には陸軍長官に、一九〇九年にはアメリカ大統領に就任する。一九一三年の民主党政権の成立により、彼のフィリピン統治への発言力は失われた。

(21)本論文で頻繁に用いられる、パトロン・クライアント関係、パトロン・クライアント的結合、パトロン・クライアント的ネットワーク、恩顧庇護的関係制度《クライアンティズム》、恩顧庇護的関係《クライアンティスト》とは、著者が本論文で解説するように、一定の社会の構造における特徴が、「保護者《パトロン》」と「被保護者《クライアント》」からなる「二者的関係《ダイアディック》」を軸に捉えられるとの前提に立って組み立てられた概念である。アジアの農村社会の特徴を説明する主要な概念として、アメリカでこの概念がさかんに用いられ定着するのは一九六〇年代半ばのことである。とりわけこの概念を東南アジア政治研究に最初に持ち込んだのは、著者がいみじくも後段に述べるように、一九六五年にフィリピン政治の構造分析に関する著書を公刊した、カール・ランデであった。本論文で著者は、機能主義的社会科学理論の枠組みのなかで構築されたこの概念こそ、フィリピン政治をそれ自身の枠組みで捉えることを阻む最大の障壁となっていると主張しているが、著者にとって、この主張は必ずしも新しいものではない。なぜなら、著者をフィリピン歴史学者として一躍国際舞台に登場させた名著『キリスト受難詩と革命——一八四〇〜一九一〇年のフィリピン民衆運動』（一九七九）の第一章において、「フィリピン社会を理解する手法」として「パトロン・クライアント関係」では説明されえない点があることが議論されているからである。この点についての最近の研究については、本書巻末の「解説」で若干触れる。

(22)一般にテヘロス会議として知られる。一八九七年三月にマニラ周辺諸州のひとつ、カビテ州テヘロス村で開催された。この会議で、フィリピン革命を担った革命組織カティプーナンの二人の指導者、アンドレス・ボニファシオとエミリオ・アギナルドとの間の主導権争いが頂点に達し、この会議を経てアギナルドが革命の主導権を握った。ボニファシオは、アギナルドを頂点とする新革命政府への服従を拒否したため、革命政府に逮捕され、軍事法廷で死刑となり、同年五月に銃殺された。

(23)一八九一年生、一九五一年没。一九二二年に下院議員に当選。三三年にフィリピン人としてはじめて商務省長官に就任、三五年にはコモンウェルス政府（独立準備政府）の憲法起草会議代表委員のひとりとなる。太平洋戦争勃発時にはイロイロ州知事を務めていた。

(24)一九〇〇年生、四五年没。フィリピン社会党（ＳＰＰ）の創設者（一九二九年もしくは三三年創設）であり、中部ルソン地方の農民運動を指揮した。一九三八年に社共合同の結果誕生したフィリピン共産党（ＰＫＰ）の副委員長を務めた。思想的には共産主義者に近く、「抗米より抗日」をと叫び、急進的社会運動において指導的役割を発揮した。日本占領下で逮捕されると、再び反米的色彩を強くみせるようになった。なお、社共合同の共産党（ＰＫＰ）は一九五四年に分裂、その後、社会党（ＳＰＰ）は復活していない。

(25)フィリピン人歴史学者。生前、国立フィリピン大学歴史学科教授を務める。その代表作『アメリカ支配へのフィリピン人の対応、一九〇一～一三年』（一九六八）で、アメリカ植民地時代のフィリピン政治史の展開を、アメリカの植民地政策に対するフィリピン人の対応とアメリカによるフィリピン人の要求の受容形態を軸に論じたものである。この著作は、一九八〇年代後半にいたるまで、「再解釈学派《レビジョニスト》」と呼ばれる、アメリカとフィリピンの両国におけるアメリカ植民地時代フィリピン政治史研究の基本的潮流の原点となった。

(26)本書第1章訳注9を参照。

(27)一九三〇年八月、マニラの労働運動の指導者クリサント・エバンヘリスタにより創設、三一年に非合法化される。一九三七年にコモンウェルス政府大統領ケソンのもとで非合法措置が解除される。一九三八年にフィリピン社会党（ＳＰＰ）と合同。第二次世界大戦中は、抗日人民軍（フクバラハップ、通称フク団）を組織し、活発な抗日ゲリラ活動を展開し、その運動は戦後、人民解放軍（ＨＭＢ）と名を変えたフク団による武装闘争として拡大したものの、一九五〇年代にこの運動は鎮圧された。なお、一九六八年に新しい共産党として誕生した、再建フィリピン共産党（ＣＰＰ）については、本書第1章訳注35を参照。

(28)本書第2章訳注14を参照。

(29)本書第1章訳注2を参照。

(30)一九一七年生、二〇〇四年没。独立後のフィリピンにおいて英語で作品を発表し続けた代表的作家。その代表的作品のひとつ、『二つのヘソを持った女』（一九六一）、（邦訳、ニック・ホワアキン著、山本まつよ訳、めこん、一九八八年）では、政治的には独立を果たしたものの、経済的・文化的にはアメリカの植民地から抜けきれないフィリピン社会におけるアイデンティティ問題を扱っている。『タルラックのアキノ家』（一九八三）も、『アキノ家三代――フィリピン民族主義の系譜』（ニック・ホアキン著、鈴木静夫訳、上下、井村文化事業社、一九八六年）として邦訳されている。

(31)論文集『アメリカ植民地を知る――フィリピン戦争からの百年』（一九九九）所収の第一講義「一八九六年フィリピン革命とアメリカの植民地教育」を指す。同講義は、本書の第1章として訳出した「一八九六年革命と国民国家の神話」をもとに、ハワイ大で行なった講義であり、内容的に重複する部分が多い。本書で上記論文集の第一講義ではなく、あえて「一八九六年革命と国民国家の神話」を訳出した理由は、第一に、この論文のなかに著者のフィリピン革命に関わる独創的思考様式が見事に結実していること、第二には、同第一講義は、上記の初出論文をもとに著者がハワイにおけるフィリピン系移民の歴史と絡ませて、アメリカ植民地時代の教科書におけるフィリピン革命の位置づけについて批判的検討を加えたものであり、著者のフィリピン革命史観が日本の読者により直裁に伝わるのは、上記の初出論文であると判断したためである。

第2部　アメリカ植民地主義と異文化体験

ビセンテ・L・ラファエル

第４章　白人の愛――アメリカのフィリピン植民地化とセンサス（訳注１）

一八九九年三月にマニラに到着したディーン・C・ウースター（訳注２）――ミシガン大学動物学教授で、マッキンリー大統領がフィリピンの状況を調査する目的で任命したシャーマン委員会委員（訳注３）――は、エミリオ・アギナルド（訳注４）率いるフィリピン人兵力とアメリカ軍との間で起きた戦闘の痕跡の確認について語っている。衝突のあと、ウースターはフィリピン人の塹壕に向かって歩いたときの様子を、「死者と負傷者の数を数えながら歩いた。大規模な殺戮の荒っぽい顛末ばかり聞かされていたので、わが軍の銃火が実際にはどれほどの打撃を与えたのかを見たかった」（1）と説明する。合衆国内の反帝国主義者たちによるフィリピン・アメリカ戦争（訳注５）の戦闘の激しさへの批判に反駁したいウースターは、「反逆者たち」の死体を数値化されるべき公的情報源のためのデータと見なす。そうするために、彼は、数えるという作業を喪に服す儀礼に取って代え、死体のもつ特殊性を抹消する。さらに、ウースターが、この記述の結びの部分で死者についてまったく語らず負傷者のみに言及するとき、フィリピン人の死者の抹消の度合いはよりきわだったものとなる。「われわれが反逆者たちの塹壕を訪れたとき、わが軍の死者や負傷者のなかには放置されたままの者もいた。しかし、われわれが発見した負傷した反逆者たちはというと、彼らのそばには、必ずアメリカ製の水筒に入った水がおかれていた。言うまでもなく、心優しいわが国の兵士が残していったものにちがいない。また、堅パンを与えられている負傷者も少なくなかった。その後、彼らはみなマニラへ運ばれ、軍医から手厚い看護を受けたのであった」（Worcester: vol. 1, p. 308）[3]。

友愛的束縛

ウースターにとって、植民地戦争とは、現地の住民を征服し絶滅することを意味しなかった。むしろ、それは、混血で野心的なフィリピン人の一群が先導し、彼らに惑わされた農民や労働者たちによる騒動が引き起こした無秩序を鎮圧する、ある種の治安行為であった。中国系メスティーソのアギナルドをはじめ、フィリピン人指導者たちは、フィリピン国民の正統な代表ではなかった。実際、フィリピン国民など存在していなかった。存在するのは、途方もないほどの数の言語を話し、共通の文化を奪われ、衝動的で非論理的な行動を起こしがちな、不完全に文明化された種族《トライブ》と「未開人」という、異質な要素からなる混合体にすぎなかった（Worcester, vol. 2: pp. 921-922, 938）。

そもそもフィリピン国民というものが存在しないと想定されているのだから、フィリピン諸島におけるアメリカの存在は、別の国民の主権を脅かすものとは解釈されえなかった。公文書における記述によると、合衆国側は、介入をひとつの愛他的行為と理解しており、それは、アメリカの現地住民《ネイティブ》の安寧への関心を動機とするものであった。アメリカ軍は殺害するためではなく、フィリピン人が互いに殺し合うのを防ぐために彼らに銃を向けたのであった。こうして、一九〇一年の上院公聴会において、非キリスト教徒種族局長デービッド・プレスコット・バロウズ——のちに植民地政府の公立学校制度を統轄し、さらにはカリフォルニア大学バークレー校人類学教授を歴任する——は、次のように証言することができた。アメリカの慣行である水療法《ウォーター・キュア》——捕虜に水をむりやり飲ませ強制的に証言させる——の実行がフィリピン人を痛めつけたはずはない。そもそも彼らはより楽で安全な生活を送るために、戦争の真っ只中に自らすすんで家を捨て、アメリカの強制収容所に保護を求めた者たちなのだ、と。ウィリアム・ハワード・タフトもまた同様に、(訳注6)「拷問されない限り何も話さないだろうと語った……」フィリピン人がいたとし、「劣性人種《レイス》に対するものか否かを問わず、〔フィリピン人に対するこの戦争以上に〕同情と抑制力と寛大さに満ちた戦争はなかった」、と主張した。(4) 陸軍長官エリフ・ルートもようやく一年後にこれに同意し、アメリカ軍の「……自制心と忍耐力〔および〕寛大さを伴った、輝かしく力強い活動」を褒めたたえた。大規模な天災のみならず、砲火、疾病、飢餓によって何千ものフィリピン人が犠牲になったにもかかわらず、この戦争は「捕虜と非戦闘員への慈悲と思いやりを特徴として」いた。(5) なぜなら、結局のところ、戦争は、フィリピン人にとって価値ある学びの体験となったのであり、バロウズの一九〇一年の日記によれば、それは真の「神の恵み」であったからである。「戦争なしにはフィリピン人は自らの弱さを認識できなかっただろう。なぜなら戦争がなければ、われわれは任務を完全に遂行することはできなかっただろうから」。(6)

実際のところ、フィリピンにおけるアメリカ植民地主義は、マッキンリー大統領が「友愛的同化《ベネボレント・アシミレーション》」(訳注7)と呼んだもの、すなわち、植民者たちの「重大で他を卓越する意図」は、被植民者たちの「自信、尊敬、愛情を勝ち取る〔こと〕」にあるというレトリックによって動機づけられていた。(7) 同化としての植民地化は道徳的急務と考えられた。わがままな子どもである現地住民は、スペイン人の父から関係を絶たれ、ほかのヨーロッパ勢力に狙われもしたが、いま合衆国の慈悲深い抱擁を受け、養子とされ保護されようとしていたからである。父親に息子を指導する義務があるように、合衆国は現地住民という他者の成長に責任を負っていた。植民地化とは、搾取するのでも奴隷化するのでもなく、「人類のより高度の文明化を構成する高貴な理想」への「絶え間ない献身」を通して、「フィリピンの人びとの至福と理想」を育てることを意味した。[8] 植民地化とは、文明化させる愛、および文明のもつ愛であり、征服という破壊性を伴う犯罪行為とは完全に区別されねばならなかった。植民地支配は、「最も文明化された人びと」が、いまだ野蛮な無秩序に捕らわれている人びとに贈ることのできる、最も高貴な贈り物と解釈される。こうして友愛的同化という寓話が征服の暴力性を抹消するのである。

しかし、フィリピン人の「反逆者」はこれに愛で応える代わりに、戦争を起こすつもりでいるようだった。「彼らはなぜ敵意を抱くのか」シャーマン委員会は尋ねた。「フィリピン人はいったい何を求めているのだ」。フィリピン人は、スペインからもぎ取ったばかりの独立の承認を要求し、「アメリカ政府とその国民の純粋な意図と目的」を「誤って解釈」し、アメリカ軍を攻撃しているのだ。[9] 抵抗するにあたって、フィリピン人は理性をもたなかった。よって迷える子どもと同様、彼らには訓練を受ける必要があったのである。マッキンリーは言う、「必要なときは断固とした態度で、しかし、できるだけ厳格にならないように」。かくして、「強大な支配権力を維持し、暴動を鎮圧すること、そして合衆国の自由の旗のもとで、フィリピン諸島の人びとが、安定したよき政府の恩恵を受けることができるよう、それを妨げるようなすべての障害を克服する」必要性が、植民地化のもつ「崇高な使命」の決定的に重要な部分となったのである。[10]

ある種の暴力が友愛的同化という寓話を引き受けた。計画的な軍事力の行使は、植民地化における保護者の意図——植民地権威が彼らに望むことを現地の住民自身に望ませること——にかなうものと考えられた。「民主主義への熱望、心情、および理想」を規定する権限を行使するためには、フィリピン人の間に、規律と一貫した監視を執行する必要があった。フィリピン人は「合衆国の至高」を受け入れることを求められていたのであり、「……それに異議を唱える者は〔自ら〕破滅という最後を迎えるほかない」[11]。

植民地事業の中心にあって根本的矛盾に見えるものの存在は、フィリピン人の適性に関する仮定によっている。それは、フィリピン人は「われわれによって所有された経験」すなわち「自らを統治する」経験を欠いているというもので、それは、人びとの独立への準備を証明するような自己認識も、また欠如していることを示唆した（Worcester, vol. 2: pp. 981-988）。タフトの観察によると、フィリピン人は「無知という絶望的な状態にあり、……海の波のように瞬間の作用に左右されている……人びと」であった。フィリピン人は、子どもと同じようにかなり感化されやすく、自らの状況を熟考することができず、より優れていると認める人びとの行動を真似することしかできない。タフトが強調するように、現状では、フィリピン人は自らを所有することができず、他者によって所有されるのみである。この状況が、合衆国の介入を一層必須のものとした。なぜなら、現地住民は「向上させられ、労働……および自己管理の尊さを教わって」はじめて、彼ら自身の未来を決定することを許されるのだから[12]。

友愛的同化という寓話は、植民地主義の終焉の、不可避性とは言わないまでも、その可能性を予見していた。しかし、同様に重要なのは、植民地主義がまた、その終焉へいたる方法を自ら定義し設定することを強く要求する点である。植民地支配は自治への移行段階である。とはいっても、自らを統治する自己は、植民地の被支配者《サブジェクト》の行動の祖型をつくるための規律の基準と実践について決定する、植民地支配者との緊密な関係を通じてのみ、出現するのである。言いかえれば、植民地支配の到達点である自己統治は、被支配者が自らを植民地化できるようになってはじめて達成される。ウッドロー・ウィルソンは、フィリピンに関して次のように記述している。

自己統治とは、ひとつの特性である。それは、自己所有、自己統御、そして秩序と平和を保つ習慣、……自己管理と政治的統御の安定を、ひとつの国民に与えるための、長期にわたる規律を前提とする。これらは長時間の訓練なくして手に入るものではない……。いかなる国民にも、成熟さを伴った自己管理は、「与えられる」ものではない。長期の見習い期間を経て従順さを身につけることによってのみ、彼らはこの貴重な財産を手にすることができるのである。[13]

フィリピン人は種々雑多な性格からなっており、自らを支配する「特性」を欠いているので、「長期の見習い期間」が必要である。こうして、友愛的同化はその完結のときを永遠に引き延ばすことができる。というのは、自己統治や自己統御の条件が、植民地支配のしくみ、すなわち、自己の境界内に帰属する他者による統御と同一のものとなりうるからである。白人の愛は、将来的に自らの特性を主張することができる、いわば「文明化された国民」を育てる約束を提供する。しかし、それはまた統治権力の絶え間ない監督を必要とするような、規律と矯正の訓練計画に対する無限の服従を要求するのである。[14]

愛と規律の結合により、友愛的同化は、被植民者を解放した高貴な存在へと植民者を仕立てあげた。友愛のイデオロギーと規律の抑圧的・生産的制度との間の連結を強固にしたのは何だろうか。アメリカの公定言説《オフィシャル・ディスコース》によって育まれ、その程度は異なるとはいえ、フィリピン人協力者によって結局受け入れられるようになったフィクション——植民地支配とは民主主義的保護である——は、どのようにして維持されえたのだろうか。白人の愛と現地住民の服従は、どのようにして相互に補強し合ったのだろうか。

私は、友愛と規律のつながりは、フィリピン人の外観をつくり直す、表象をめぐる諸実践を通して可能になったと提起したい。植民地の被支配者として現地住民をつくり変えるためには、彼らを監督する者にとって、彼らが可視的存在となり、したがって到達可能となることが必要であった。さまざまな角度からの持続的な観察を経て、民主主義的保護のために友愛的同化の目標が定められ、理解され、そして伝達された。治安、公衆衛生、教育や選挙、さらには投獄に関しても、また通商においても、このような監督は、イデオロギーおよび実践の双方のレベルで植民地支配の接合を支えていた。特有の方法を用いて、植民地の被支配者を可視化することによって、植民地の監督は、植民地的アイデンティティの限界を国家の境界内に設定するという、強力なかたちの監視を達成していったのである。

しかし、このことは、監督、表象、支配を結ぶ回路が完璧に外から遮断されて、植民地国家を強力でまったく対抗不可能なものにしていたことを意味するものではない。実際、近年の研究は、アメリカの植民地支配がスペインという先駆者と同様に、統制できず、ましては理解することなど到底できないような力や出来事によって、たえず妥協させられてきたことを明らかにしてきた。たとえば、国家の代弁者《エージェント》ですら、その個人的忠誠の矛先やイデオロギー的傾向はまちまちであった。植民地政府は、本国の政治家による気まぐれな政策変更にまどわされていたが、アメリカの軍人や文官も一枚岩ではなかった。フィリピン人の能力に対する彼らの評価がさまざまであったため、征服と植民地化の適正技術に明確な意見の違いが生まれていたのである。フィリピン人協力者たちの間でも、植民地のパトロンとの個人的・政治的なつながりのみならず、フィリピン革命における彼らの関与に対しても温度差があった。対米協力は、立法、税、予算に加えて、フィリピン人の自治に対する適合性という人種差別色の濃い議論においても見解の相違をはらむことになった。同様に重要なことに、階級間の抗争が、アメリカ人やフィリピン人の植民地権力者と農民や労働者集団との間に衝突をもたらした。なかでも地域的反乱に発展したものは、容赦ない方法で鎮圧されていった。(15) しかしながら、植民地支配のレトリックを検証すると、国家の特徴を表すような支配的欲望の存在が示唆される。それは、友愛のイデオロギー、規律の習慣、および監督のネットワークの間に連続体を創ろうとする欲望、言い換えれば、知と権力の間のリレーを強化しようとする欲望である。本論文での私の関心は、この植民地的欲望の形成とその制度化における限界を問うことにある。

初期のアメリカ統治における植民地の欲望、すなわち保護のための、総体的かつ連続的な監督の確立を表す最も教訓的な文書が、一九〇三年に開始され一九〇五年に出版された、四巻からなる『フィリピン諸島センサス〔国勢調査(訳注8)――訳者〕』である。(16) 私は、植民地の被支配者の表象と同範囲に広がる植民地秩序を生み出すための装置として、センサスが機能した複数の方法について、ここで考察することにしたい。しかし、センサスの言説上の実践としての特徴は、フィリピン・アメリカ戦争というより広い文脈のなかで最もよく理解できることを強調することは重要である。(訳注9)

被支配者を調査する

センサス報告書とは奇妙な書物である。単一の著者はいない。なぜなら、その背後にあるのは、個人ではなく国家装置であり、それは、センサス調査員、事務員、専門家からなり、監督官と長官のヒエラルキーによって管理された、文字通りの大群なのだから。したがって、センサスには著者がいないというわけではない。センサスの執筆方法における官僚的性質が、著者性と権限を分散させ匿名化しているのである。それゆえ、センサス報告書の作成過程とその結果をひとりの個人が完全に見通すことはできないが、その一方で、センサスは、個別化されうるすべてのもの、すなわち、数値化され、作表され、分類されうるすべてのものを反映していると主張できる。いかなる読者も、センサス報告書を完全に消化することはできない。統計データに関する無数の表やグラフについて、その内容を詳細にわたって記憶することができないため、どんな読み方をしても、その意味を理解することはできないのである。機械的な方法で編纂されたセンサス報告書は、物語のシノプシスの域を超えている。世界の客観的表象と見えるものを伝えるというセンサスの権力、いわばその説得力は、部分的には、世界の多様性の全体を量的用語で描くという、特筆すべき能力によるものである。植民地（そしてあらゆる近代）国家にとってセンサス報告書の価値とは、それらが国家の表象能力、または統治能力を表象するところにある。国家の資源と人口を数値化し分類することにより、センサスは植民地的介入の全領域を可視化するのである。(17)

一九〇五年報告書は、アメリカ統治下における最初のフィリピン・センサスとして、「諸島の平定」を確認し、それを強化するための手段と見なされた。一九〇二年のアメリカ連邦議会法は、「反乱」の停止をセンサス実施の前提条件とした。センサス局をジョセフ・P・サンジャー将軍（すでにプエルト・リコとキューバでセンサス報告書を監督した経験をもつ）の監督下に設置したことは、戦争の終結を公的に主張するひとつの方法であった。新しい属領地の目録をつくる作業は、勝者の手に渡ったのである。センサスを実施する理由のひとつは、センサス出版後二年以内に、のちにフィリピン議会と呼ばれることになる植民地政府立法機関にフィリピン人代表を送るため、選挙の実施条件を整えることにあった。この立法機関は、フィリピン人の対米協力の実践を強化する目的で計画された。これによって、アメリカの覇権に対する、残存するすべての民族主義的《ナショナリスト》挑戦を封じ込めながら、無駄なコストをかけず、より効率的に、植民地国家を運営することができるとされた。協力は、保護の成功の指標、またはフィリピン人の白人権力への従属と欲望の認知度を図る基準と見なされた。「センサスを実施することは」、総督タフトによると、「最も重要な政府の機能のひとつを遂行する、フィリピン人の能力に対する試験となるであろう……。センサスは、フィリピン人を利するためだけに実施されるのであり、……〔そして〕、その実施を成功させるために、彼らは一致して協力しなければならない」のである（*Census*: vol. 1, p. 20）。

地方の監督官のみならず、センサス調査員として、フィリピン人の協力者を募ることで、センサスは、ひとつの課題を達成する能力を問う、試験のようなものとして機能した。センサスには規律が必要とされた。だからこそ、センサスは、将来の自治につながる実践的かつイデオロギー的道程とされえたのである。白人の愛の手段であるフィリピン・センサスは、心配そうなまなざしを向けるアメリカの教師を前に、実技を行なう機会をフィリピン人に与えることを意味した。センサスは、いわば、道徳の授業における実習であり、そこでは、数値化する能力が、すなわち、植民地の権力者に対して義務を全うできる能力でもあった。センサスは植民地法制の方向性をかたちづくり、フィリピン諸島におけるアメリカの資本投資の流入を容易にするための経験的素地を提供したばかりでない。植民地政府立法機関と同様に、センサスは、ある植民地秩序のなかの被支配者として、フィリピン人が自らを表象し、また表象される場所としても機能することになった。自らの従属と成熟のための役割を積極的に引き受ける、規律正しい行為者として。

中央集権的に組織され国家主導で実施されたアメリカのセンサス事業は、スペインのそれを凌いでいた。スペイン植民地政府は、センサスのデータを、主として、教区神父の担当地域住民に関する記録に頼っていたが、それは、不規則で到底包括的であるとは言いがたいものだった。さらに、より組織的なセンサスを実施しようとするスペインの試みは、まずもって税の取り立てと労働の徴用と連動していたので、住民たちの大規模な抵抗にあった（*Census*: vol. 1, p. 13）[18]。これに対して、アメリカがフィリピンで実施したセンサスは、人びとを搾取するのではなく向上させるものとされた。その基礎はすでに、一八九八年六月から一九〇三年の間に実施されたアメリカによるいくつかの調査によって整えられていた。フィリピン諸島について知識のなかったアメリカにとって、このような調査は現地の情報提供者の協力を鼓舞するばかりでなく、フィリピンに関する実情調査を行なうという目的を担っていた。このなかで最も重要なものが、大学関係者などの研究者によって統括された一八九九年と一九〇〇年のフィリピン委員会[訳注10]、そして、一九〇〇年から一九〇五年の間にデービッド・バロウズ、ディーン・ウースター、アルバート・ジェンクスといった人類学者によって実施された民族学的調査である。これらの調査はこの国の状況について多くを報告しており、現地住民の状況と類型を示す写真がふんだんに掲載されている。ポール・クラマーが指摘するように、科学的知識と考えられるものを収集するというアメリカの事業は、専門家の進歩主義的見解のみならず、スペイン植民地時代に書かれたフィリピンに関する膨大な既存文献にも依拠していた。さらに重要なことに、これらの調査は支援と情報の重要な源泉として現地住民、とりわけ、地方有力者の積極的な協力なしには実施することができなかった。こうした調査は報告書の出版や再版、そして新聞、議会での証言、教科書、研究論文において広範に引用されることになり、革命への期待に対抗する状況を整えるための、ある種の植民地的常識の基礎を確立することになったのである[19]。

センサス局は慣例に従って、依然として存在するあらゆる地域的抵抗を鎮圧するためにフィリピン人の協力を求めることに力点をおいた。よって、センサスを実施することは、すべての階級のフィリピン人を取り込むことによって、一八九八年にすでに現れていた反革命的ナショナリズムを強化するという、アメリカの試みとも合致するものであった。[20] 一八九九年に始まった植民地政府における裁判官の任命、フィリピン・スカウツの設立[訳注11]（一九〇一年）、地方自治体における制限選挙（一九〇五年）、さらに、フィリピン議会への代表選出（一九〇七年）などを通して、フィリピン人は、植民地国家との協力の型のなかにはめ込まれていったのである。[21] フィリピン人、とくに州や町レベルのエリートたちが、センサスの役人として用いられることには、実践上および教育上の理由があった。センサス局長官サンジャーが言うように、彼らを登用することとは、「フィリピン人の成長をセンサスの作成と関係づけて考え、彼らが未だ果たしたことのないような義務の遂行能力、つまりこの国で最低限必要とされる平均的知的レベルを試すことでもある」（*Census*: vol. 1, p. 13）。こうして総勢七五〇二人のフィリピン人が雇用され、女性はそのうち四〇人であった。反逆者が降伏するときのように、地方の監督官とセンサス調査員たちは、合衆国政府に忠誠を誓うよう義務づけられた。彼らは、また、それぞれの担当地域の調査をどう行なうかについての指示も受けた。アメリカ人とフィリピン人の監督官要員を補うため、センサス局はアメリカ軍将校やフィリピン警察のみならず、すべての州と町の役人を動員したのである（*Census*: vol. 1, pp. 16, 18-19, 36）。

センサスのデータ収集は並外れた大事業であり、それには植民地の首都で膨大な数の事務官を動員し、可能な限り網羅的にセンサス調査員をフィリピン諸島全土に配置することが必要であった。セオドア・ローズベルト大統領は一九〇二年七月にフィリピン・アメリカ戦争の終結を公式に宣言したが、ゲリラによる抵抗がこの国の多くの地域で続いた。アルバイ、ソルソゴン、ブラカン、リサールの各州では、センサス調査員は、いまや植民地政府から「ラドロネス」（ladrones）、つまり「山賊」として、札つきの犯罪者と見なされていたゲリラの攻撃を受けた。住民の数値化には住民の平定が必要であった。ゲリラ鎮圧のために警察が介入し、調査地の治安を保障することもしばしばであった。ミンダナオ島のいくつかの地域では、地域の情報源を利用するために植民地軍による「武力の誇示」が必要となることが一般的であったが、国内のほかの地域では、地方のエリートたちが、それぞれの地域における山賊についての情報を提供したり、彼らの降伏の手はずを整える目的で徴用されたのである（*Census*, vol. 1, pp. 22-23）。

このように、センサスは、植民地の境界において治安を維持することと、地域住民を植民地的知の空間に取り込むこととの間の不可避的なつながりを例証している。センサスの関係者は、白人、現地住民にかかわらず、監督官のヒエラルキーの監視のなかで作業を行なったが、その一方で、反逆者と呼ばれる人びとへ目を光らせていた。彼らは住民を調査したが、彼ら自身、国家によって調査されたのである。この意味で、センサスは観察を全体化するひとつの機械として機能した。統計データの収集と分類を通して、センサスは住民の社会的位置を図式化し、情報と再編成のための独立した対象物として住民を書き表しながら、彼らに対する監視を続けた。そして、暴力の組織的配置によって裏打ちされた監督の官僚化を通して、センサスはこの作業工程の対象となった人びとのみならず、それを管理する人びとまでを区別しながら訓練したのである。

監督が同化を促進した方法――すなわち、友愛と規律をつなぐ回路がどのように敷かれたのか――をよりよく理解するために、センサスのデータ収集の仕組みをより詳しく検討することにしたい。二つの形式が用いられた。ひとつは、一定地域の人びとを数値化し分類するための調査表であり、もうひとつは、調査表に示された一群の分類項目に従って個人の身元確認をする、キーボード形式のパンチカード

Census of the Philippine Islands taken under the direction of the United States Philippine Commission.

SCHEDULE No. 1.—POPULATION.

Supervisor's district, No. ——.
Enumeration district, No. ——.
Municipality, ——; barrio, ——; institution, ——.
Enumerated by me on the —— day of ——, 19—. —— ——, Enumerator.

Province, ——.
Judicial district, ——.
Sheet No. —. Page 1.

	LOCATION.					RELATIONSHIP.	PERSONAL DESCRIPTION.					NATIONALITY.	CITIZENSHIP.	OCCUPATION.	EDUCATION.				OWNERSHIP OF HOMES.			
	In cities or pueblos.															Primary.						
	Street.	Number of the house.	Number of the house in the order of visitation.	Number of the family in the order of visitation.	Name of each person who resides with this family or in this house.	Relationship of each person to the head of the family.	Color.	Sex.	Age at the last birthday.	Whether married or single, widowed or divorced.	Insane, deaf, dumb, blind.	Country of birth of this person.	Filipino, American, Spaniard, Chinese, Japanese, etc.	Occupation, trade, or profession of each person of 10 or more years of age.	Months of school attendance during the past school year.	Can read.	Can write.	Superior.	Is the occupant of the house the proprietor of the house, or land, or of both, or of neither?	Which is rented, the land or the house?	What is the monthly rent?	Is the house of nipa or of more durable materials?
	a	b	1	2	3	4	5	6	7	8	9	10	11	12	13	14	15	16	17	18	19	20
1																						
2																						
3																						
4																						
5																						
6																						
7																						
8																						
9																						
10																						
11																						
12																						
13																						
14																						
15																						
16																						
17																						
18																						
19																						
20																						
21																						
22																						
23																						
24																						
25																						

Census of the Philippine Islands taken under the direction of the United States Philippine Commission, 1903.

[Special statistics for non-Christian tribes of the Philippines.]

SCHEDULE No. 7.—POPULATION, SCHOOLS, AGRICULTURE.

Supervisor's district, No. ——.
Municipality of ——.
Enumerated by me this —— day of ——, 1903. —— ——, Enumerator.

Province of ——.
Judicial district ——.

	PUEBLO OR RANCHERÍA.	Tribe.	INHABITANTS.								SCHOOLS.						AGRICULTURE.											OTHER INDUSTRIAL PRODUCTS.				
			Of more than 15 years of age.		Under 15 years of age.		Total.		Births in 1902.	Deaths in 1902.	Total number.	Teachers.		Pupils.		What is the approximate average of the inhabitants who can read and write?	Total area cultivated.	Products cultivated.					Number of domestic animals.									
			Males.	Females.	Males.	Females.	Males.	Females.				Males.	Females.	Males.	Females.																	
	1	2	3	4	5	6	7	8	9	10	11	12	13	14	15	16	17	18	19	20	21	22	23	24	25	26	27	28	29	30	31	32
1																																
2																																
3																																
4																																
5																																
6																																
7																																
8																																
9																																
10																																

NOTICE.—When it is not possible to answer a question even approximately, write "Ign." instead of "Ignorado." The box headings of columns 18 to 32 have been left blank and should be filled out in accordance with the information collected. There should only be written down the products cultivated or harvested, such as hemp, tobacco, copra, vegetables, gutta-percha, etc. The names of these should be written in the box headings, and the quantities cultivated and harvested during the year 1902 should be written down in the columns underneath the numbers indicating the columns. If there are more products than the number of columns of the box headings, paste on an extra piece of paper and write down on this the quantities of the latter. The same method should be observed in connection with domestic animals, such as carabao, horses, sheep, cattle, fowls, etc. In columns 28 to 32 write down any other industries of the pueblo, such as pottery, textiles, cutlery, mats, hats, etc., and take notice of the instructions regarding agriculture and domestic animals given above.

図4-1　センサスの質問項目 (*Census of the Philippine Islands, 1903*)

である。この二つは相互に指標として機能した。調査表が、定められた一連の分類項目へと個人のアイデンティティを分割し分配するよう設計されたのに対し、パンチカードは、彼または彼女をある特定の記号の指示対象として再構成することを意図したのである（*Census*: vol. 2, p. 9-14）。

調査表用紙は、英語に不慣れなフィリピン人のセンサス調査員のために、スペイン語で書かれた。センサス報告書には、英語に翻訳された調査表の複写が添付されている（図4-1）。文明化されたと考えられた人びと（すなわちキリスト教徒）のための調査表は、「場所」、「氏名」、「続柄」、「風貌」、「人種」、「年齢」、「性別」、「婚姻の有無」、「職業」など、縦に並んだ一連の分類項目からなっており、未開人と見られた人びと（すなわち非キリスト教徒）用の調査表では分類項目はより簡略化されている。調査表用紙の上で数値化されることによって、ひとは表の上の一連の数字として押し並べられ、きちんと整頓された自らの存在を想像することができる。それは、あたかも、植民地国家の被支配者となることが異なる類の特殊性を引き受けることを必要とするかのようである。格子状に記されたひとのアイデンティティは、あらゆる歴史的特性から分離され薄っぺらな表面とその延長となる。言い方を換えれば、センサスの調査表は、伝記からアイデンティティを切り取ることで植民地社会のゆがんだ輪郭を映し出している。伝記が被支配者を歴史の行為者として表現することを必要とするのに対し、調査表は、関連性をもたず、かつ各々同等であるような価値の一覧の上に位置づけうる集合として、被支配者を配置するのである。

調査表を通して、センサスは分類項目の完結した一群に接合された一連の数字へと、個人を置き換えようとした。しかし、調査表の結果を集計するにあたり、センサスはまた、個別化され、それゆえ植民地公文書の膨大な倉庫のなかで回復させることができるものとして、被支配者を再構成することを試みた。こうした試みは、人口の一覧表を作成するために企画されたキーボード化されたパンチカード——

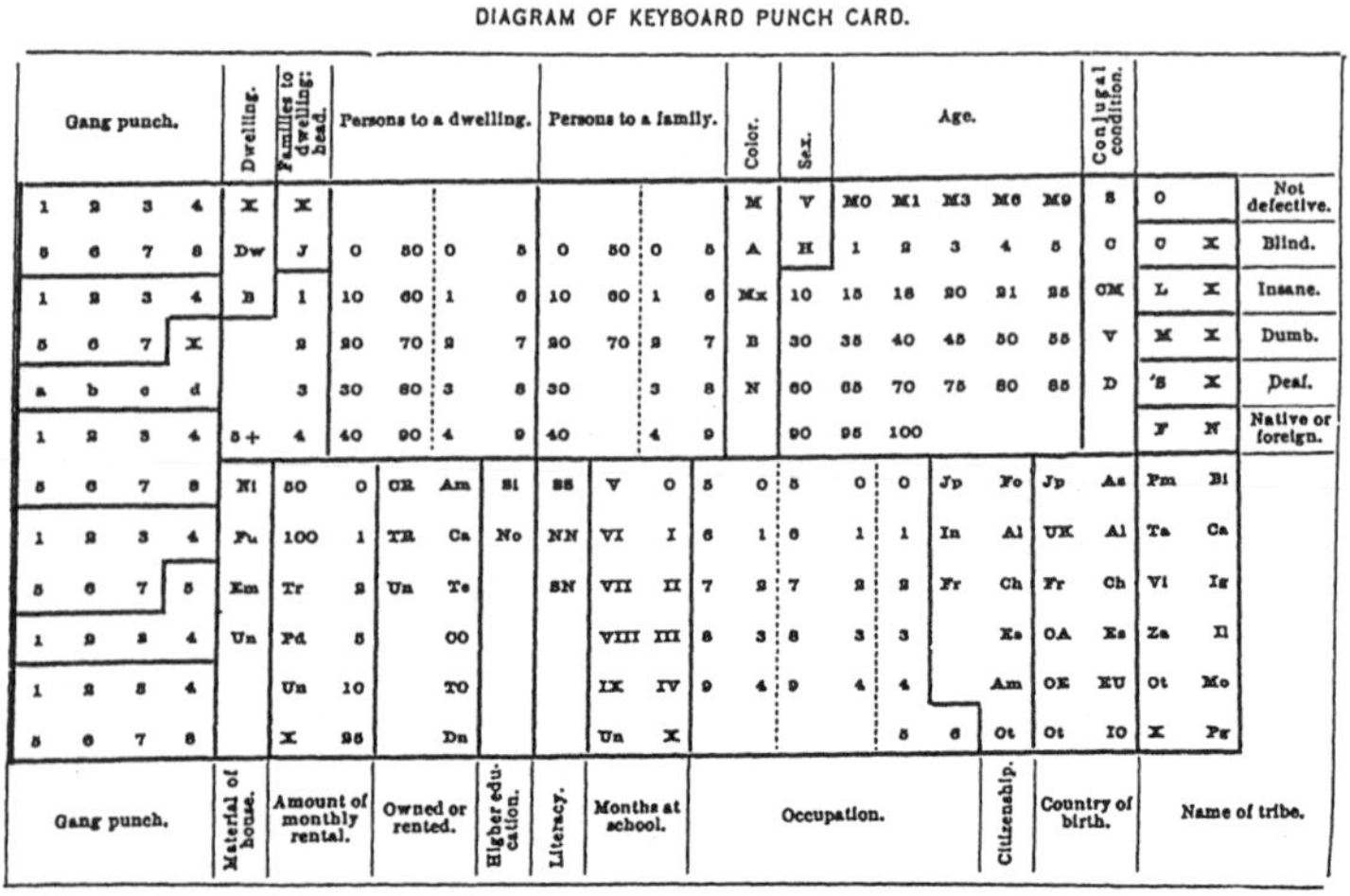

図4-2　キーボード形式のパンチカード（*Census of the Philippine Islands, 1903*）

一九〇〇年のアメリカ第一二次センサスに使われたものと類似している——のかたちをとりつつ、大量ファイル・システムへと成長した制度を通して可能になった。それぞれのカードには、調査表のデータに対応する数字と文字の配列がある。さらに、ナンバリング制度が、ある特定の個人の名前、そして彼女または彼が調査を受けた場所とカードとを結びつけたのである。パンチカードに適当な穴を開けることによって——たとえば白（blanco）には「B」、茶（moreno）には「M」、黄色（amarillo）には「A」、男性（varon）には「V」、女性（hembra）には「H」など——、カードは、個人の人種、性別、年齢、職業などに関する一連の情報を表示する機能を果たした（図4-2）。センサスは断言する。「パンチであけられた穴と数字の一群によって」、「フィリピンの人口と対応するおよそ七〇〇万枚のカードの一枚一枚を確認することができ、穴の位置の正誤も検証することができる」、と（*Census*: vol. 2, p. 13）。

パンチカードは、個人を一連の分類項目に属する数字の集合ではなく、一定の範囲の特徴を備えた者として描き、調査表と逆方向に、しかしそれを補う方向に働いた。調査表は、個人の特徴を項目化し、カードは調査表の項目を個人化したのである。この意味において、センサスは、フィリピン人全体の性質と個人の特徴を相互に参照することのできる、ひとつの公文書のように機能した。一方において、センサスは、種々雑多な人びとの全体性を数値化し、具体化された分類項目の格子のなかにそれを閉じ込め記録することによって、単一の人口を構成しようと試みた。他方において、センサスは、人口の構成員ひとりひとりに対して、固定観念化《エッセンシャライズ》され統制されているがゆえに復元しうるアイデンティティを貼りつけようと努めたのである。ベネディクト・アンダーソンが指摘するように、「すべての人びとがそこに含まれること、そしてすべての人がひとつの、そしてひとつだけの、きわめてはっきりとした場所をもつこと、それが人口調査のフィクションである」(22)。

センサスは、植民地において、質量化でき経験的に知ることができるすべてのものを蓄積する、無限に拡大する貯蔵庫として機能することができた。それは、センサスがその知の対象を植民地秩序の被支配者として分類する文法を提供したからである。数値化という実践と同様、分類というこの文法は客観的であるはずはなかった。むしろセンサスは、何よりもまず、植民地社会の状態を単一の人種的ヒエラルキーとして想像するために決定的に重要であった。

人種を再記号化する

タフトの言う「小さな茶色の兄弟たち」、すなわちフィリピン人に対する白人の愛とは白人優位思想にもとづいており、それは規律の実践を通して執行され、監視のネットワークによって維持された。一九〇三年センサスへの序文で、サンジャー将軍は、フィリピン人は時を経てよい市民となるであろう、そして、彼らのなかには、白人将校の命令に従うことのできる「すばらしい兵士」であることをすでに証明した者もいる、と述べている。同様に、白人の監督のもとにおかれたセンサス関係者たちは、複雑な国家機能を遂行する潜在力を現地住民がもつことを示したのである。適正な訓練を行ないさえすれば、ほかのフィリピン人たちも規律正しい人びとになりえないはずはなかった。サンジャーは言う。

自由かつ公正で寛大な政府の導きのもとで、より迅速で高頻度のコミュニケーション手段が設けられ、フィリピン人が互いに頻繁に連絡をとることができるようになり、さらに教育が一般に普及すれば、現存する種族間の相違も徐々に消え、フィリピン人は英語を話す多数の単一民族《レイス》となり、熱帯地域に住むほかのすべての民族をその知力と能力で上回るようになるであろう（*Census:* vol. 1, p. 40）。

植民地政策一般、とくにセンサスにおける友愛と規律の軌跡をまとめながら、サンジャーは、植民地の被支配者から、ひとつの国民――ここでは「英語を話す同質の民族」と考えられている――を造りだす可能性、より適切にはその好ましさについて繰り返し語っている。同質化は保護の過程を経てのみ達成されうるものであり、現存する「種族間の相違」を消滅させるのではないにせよ、それに取って代わることを意図するものとなろう。しかし、それを実現するためには、それらの相違の全体的な輪郭が調査され説明される必要があった。現地のさまざまな人種をひとつの国民へと変容させるためには、差異がまず生産され、そして再編成されなければならなかったのである。

センサスのなかの人口に関する表は、フィリピンの住民をおよそ二五の言語集団に分割し、「白」から「黒」にいたる少なくとも五種類の肌の色に加え、妥当する場合には、「国籍」や出生地で識別する。そして、一見共通項をもたないように見えるこうしたグループ分けは、「文明」と「未開」という二つの大きな範疇に集約された。当初、こうした差異は、物質文化よりも、むしろ宗教的特性と深く関係づけられていた。文明人と分類された人びとは、共通のキリスト教文化を受容していると見なされ、他方、未開人と区分された人びとは、ムスリム〔イスラム教徒——訳者〕、もしくはアニミズムの信奉者であり、双方とも完全にキリスト教秩序の外に位置づけられていた。前者は、フィリピン諸島住民の大多数を占め、センサスによると、その文明化の状態はスペイン支配の影響によるものであった。後者は、山に住む「異教徒」の首刈り族であれ、森の移動民であれ、南部ムスリムであれ、すべてスペインの征服に頑強に抵抗し、「ほとんど完全な野蛮から文明の幕開けまでのさまざまな段階」に生きる人びとと考えられた（*Census:* vol. 1, pp. 22-23）。

しかし、センサスでは、文明人と未開人の区分が、相対的かつ移行的と見なされていることを指摘することが重要である。未開人が「野蛮な」段階にあるのは、スペインが彼らを征服できなかったという歴史によるものであり、より強健なアメリカ政府がこの状況を打破するのである。実際、植民地の記録、とくにウースターの文書は、「未開人」を植民地の理想的な被支配者であるとする、熱のこもった記述に満ちている。彼らは、キリスト教国スペインや低地のメスティーソ・エリートたちの腐敗した影響を受けなかったため、白人男性の頑強で率直かつ不屈の愛にずっと染まりやすく見えたのである。低地部を山地部とつなぐ大規模な道路工事、アメリカ系企業のための鉱山の採掘、植民地政府高官の訪問用に開催された北アメリカ流の運動競技、交戦中の種族から植民地の駐屯地や前哨地の安全を守るための未開の地の警備。これらの作業を通して、未開人はより容易に規律を与えられることができるはずであっ

た。未開人は、保護への成熟した候補者であり、従属に最も感染しやすく見えたのである。(23)

その逆に、いわゆる文明化したフィリピン人は、友愛的同化の呼びかけに従うことなく、むしろ反抗的ですらあった。スペイン軍に勝利したのちその主権を主張し、一八九九年には共和国を宣言し、憲法を制定し、内閣を組織し、議会を召集した「反逆者」である文明化したフィリピン人は、危険なほど野望をもち、生まれつきあてにならない人びとと考えられた。戦争におけるその行為によって、こうしたフィリピン人たちは未開で野蛮であることを自ら証明した。そして、彼らは新しい植民地権力と協力することを選択したあとも、狡猾かつ日和見主義的で、しばしば怠惰でもあった。スペインの植民地化とキリスト教は、住民に見せかけの文明のしるしを刻んだにすぎなかった。彼らは、内面的には自らを文明化するという課題に値しないままであった。

フィリピン人の半文明化された状況を示唆する特徴のひとつとして、植民地文書のなかで最も一般的に参照されるのが、彼らがもっと考えられた模倣の傾向である。独自の思考ができないため、彼らが秀でていることと言えば、植民地の上役あるいは、階級的に見て上位に位置する者を模倣することのみであった。白人の有能な将校の命令に従う能力についてのサンジャーの記述は、こうした考え方を承認するかのようであった。センサスは、現地住民の模倣についての考え方を流布するような、一六世紀後半から二〇世紀初頭における、さまざまの植民地文書や旅行記を繰り返し引用した。その典型例に、軍医であり、のちに保健局長官となったフランク・S・バーンズ少佐の批評がある。

この人種は飲み込みが早く、生まれつきかなりの能力をもち合わせているが、このような人びとは、大きな責任を手にする前に教育されなければならない……。私の考え〔では〕、もし〔フィリピン人たちが〕高潔で折り目正しく人づき合いをする、十分な数のアメリカ人と活動をともにすれば、……われわれの仲間としての役目を果たす傾向はかなり大きいだろう。彼らは生まれつきの模倣者であり、それは人種的特徴なのである（*Census*: vol. 1, p. 505. 以下をも参照。vol. 1, pp. 494, 497, 499, 500-502, 507-508）。

「生まれつきの模倣者」として、フィリピン人は否応なしに、自らの内面的性質を形成するのに外側からの刺激に依存する。彼らは、思索的であるよりも単に反応的であり、自らの変容へ自覚的に働きかけるというよりも、周囲に対して直接的で感覚的な関係のなかに自らをおいたのである。タフト総督によると、彼らが戦争中に「残忍な罪」を犯したとするならば、それは、メスティーソの指導者たちの行動を模倣したからにすぎなかった（そしてそのメスティーソたちもまた、スペイン人の支配者たちを模倣していたのである）。タフトは、バーンズと同様に、人種の上で上位に位置する者に無批判に従うというフィリピン人の傾向は、「彼らは東洋の人種である……。ほかの東洋人種のように、彼らは疑り深い国民であるが、確信にいたれば完全な信頼をもって従う」という事実によるとする（*Census*: vol. 1, p. 530）。

現地住民による模倣は、人種の差異から生まれる劣性のしるしであると理解される。しかし、タフトによれば、まさにそれが白人の監視を招く理由なのである。「〔フィリピン人は〕発育途上のキリスト教徒の状態でしかない。彼らは模倣する人びとである。彼らは教育を受けたがっており、母語以外の言語を喜んで学び、ヨーロッパやアメリカの理想に嬉々として従う」（*Census*: vol. 1, p. 530）。タフトによれば、いまだに触れられていない未開人が、男性的愛を示す機会を白人男性に提供しているとき、文明化されてはいるが模倣的で腐敗した、東洋とキリスト教の異種混淆《ハイブリット》文化をもつ人びとは、白人の教師と司令官の熱心で念入りな保護を要求していたのである。

したがって、未開と文明とは偶発的で交換可能な表現であった。人口の差異を描きながら、センサスはその将来における再配列を映し出しもしたのである。これが可能になったのは、未開人と文明人の宗教上の差異が、より高位の事項、すなわち肌の色と人種に組み込まれたからである。キリスト教徒、非キリスト教徒にかかわらず、アメリカ統治以前にヨーロッパの影響が記されていようがいまいが、この二つのタイプはともに、その「茶色」という肌の色から見ると「大いなる同質性」を示しており、社会言語的組織的観点から見ると「種族」として生活を送っており、人種という観点からは東洋人種の一種である「マレー人」と見なされたのである（*Census*: vol. 1, pp. 411-412, vol. 2, p. 42-65）。こうしてセンサスは、フィリピンの一枚の地図の上に、文明人と未開人が隣りあわせで存在する様子を想像することを可能にする（*Census*: vol. 2, pp. 50-51）。未開と文明の個別の位置は、地図上に異なった色で示されている。しかし同時に、国家の調査のまなざしによって、未開と文明の境界が均一化された地平に抱合され平らに広げられていく様子を、正確に感じとることができる。未開人、または文明人としての彼らのアイデンティティは植民地の地理的身体《ジオボディ》における彼らの位置に対応しており、それはあたかも、彼らの際立った特徴が白人の友愛の同化力あふれるまなざしに触れることによってはっきりとしたかのようであった。センサスは人種的差異の構造を配置したばかりでない。それはまた、人種的差異の境界を決定するために、ある特定の人種の特権を確立したのである。

この人種的特権には、ひとつの系譜が授けられていた。「人口の歴史」と題されたセンサスの第一部では、当時の非キリスト教徒種族局長デービッド・バロウズが、外部からの異なる「人種」移動の波という観点から、フィリピンの人口流入について記述している。ここで彼は、フィリピンの先史時代史に関するほかの植民地文書の推論を繰り返している。それは一九六〇年代の考古学の進歩以来、まったく信用を失った議論ではあるのだが。センサスで波状移民理論が使用されていることを指摘する私の関心は、その正確さに対して異論を唱えることにあるのではなく、公文書におけるその普及が、フィリピン史を人種化しようとする植民地主義的関心から、どのように生まれたのかを明らかにすることにある。

フィリピンの先住民は、ネグリート（文字通り「小さな黒人」を意味するスペイン語）、もしくはアエタ、すなわち「土着の黒いこびと」と考えられ、その起源は、バロウズによると、謎に包まれたものであった。小柄で肌の色が濃く、「もじゃもじゃの髪をして」、森で非定住のくらしをし、質素な物質文化をもつ彼らは、バロウズやその他合衆国からの研究者にとって、人種的にまったく異なった存在であり、ほかの人口から歴史的に切り離されているように見えた。「彼らは、おそらく、今日までに発見されたどの民族よりも原始人の概念に近い」、とバロウズは指摘する。先住民のネグリートは、より文化的に洗練され肉体的に恵まれた、南からやってきたマレー人の波に圧倒されたと考えられた。マレー人は大きな船で到着し、諸島を征服し、先住民人口とときに通婚しながら、彼らを森へ追いやった。のちに移民の波がより強力なマレー人をもたらし、そのなかには、アラブ人からイスラム信仰を獲得した者もおり、古い世代のマレー人を山地に締め出した。しかし、マレー人ムスリムの浸透は、一六世紀のスペイン人カトリック教徒の到来によって阻止され、これが先史時代と正史時代の境目を記すことになった。また、スペインによる征服は、人口への「中国人要素」の流入をもたらした。交易を行なう商人が定住しマレー人と通婚するにつれて、小規模ではあるが経済的かつ社会的に重要なメスティーソ人口を生み出したのである（*Census*: vol. 1, pp. 411-417, 454, 532）[24]。

フィリピン諸島における植民をめぐるこの物語から、われわれが想像するのは、次々と現れる植民者

写真4-1　ネグリート（アエタ）(*Census of the Philippine Islands, 1903*)

たちによって居住地とされていく、空白地帯としてのフィリピンである。こうして、より色が濃く野蛮な民が、より色が薄く進んだ文明をもち肉体的に優勢な征服者に接して、不可避的に撤退させられるという時軸のなかで、フィリピン人口の、人種間、種族間の多様性が説明されるのである。実際、先史から正史時代への時代区分は、スペイン人の到着を待つことになる。したがって、人種的差異は、植民地化の長い歴史から生まれるものであり、おそらくそれは、いままでで最も強力かつ進歩的で、最も肌の色の薄い植民者、すなわち、合衆国からの白人の登場でクライマックスを迎えるのである。フィリピンの社会構造と文化史の双方が人種化された結果、外部から派生する関係のなかにフィリピンの人口が位置づけられることになる。それは、あたかも、合衆国による植民地化が自明のこととして運命づけられているのと同様、フィリピンはもともと征服される運命にあったといわんばかりである。植民の歴史の物語は、センサス調査と同様に、超越的かつ超歴史的な見通しのきく地点から、すなわち、白

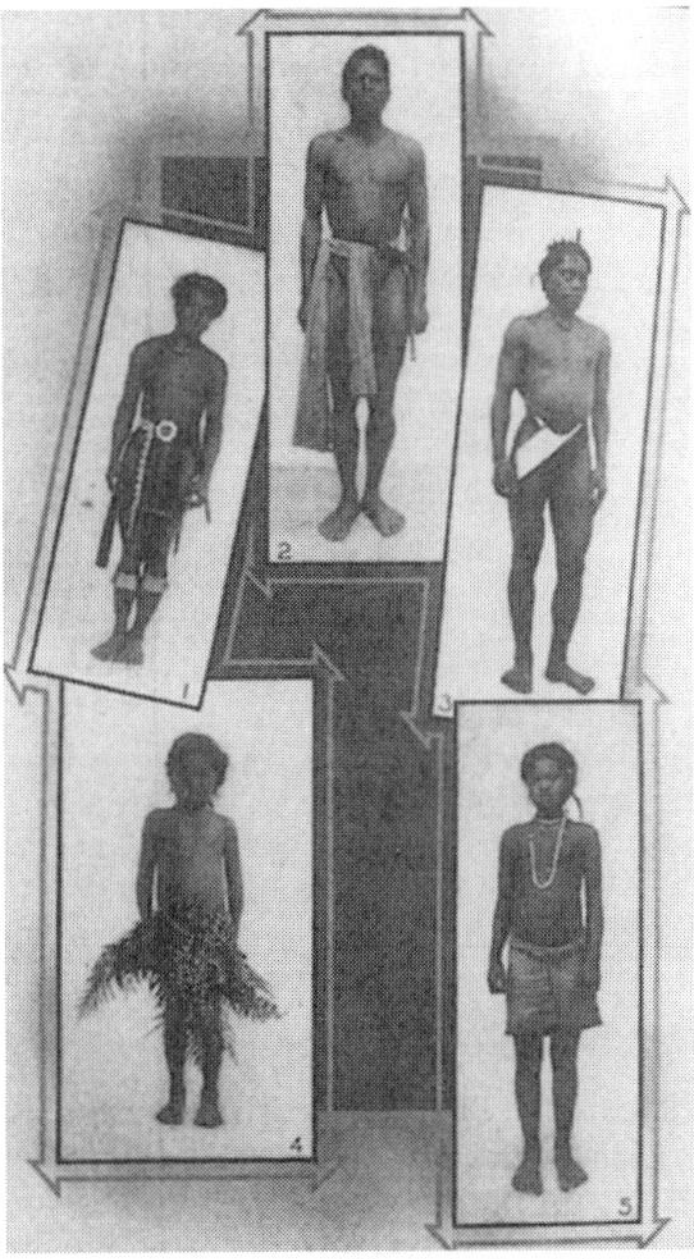

写真4－2，4－3　未開の非キリスト教徒民族（*Census of the Philippine Islands, 1903*）

人のまなざしと呼びうるものによって占有された地点から、植民地の被支配者を見渡すことを可能にする。このまなざしとは、空間的には気づかれずまた見られないままに、ほかの人種を調査しそのカタログをつくるという夢であり、時間的には、他者としての非白人の消えゆく過去を、自らの逆らいがたい未来という観点から見るまなざしであった。[25]

種々雑多で非秩序的な過去にすでに描かれているような、規制され、よく警備された未来を見通すという特権的姿勢は、センサス報告書のなかに見られるフィリピン人の写真に、とくに明晰に現れている。センサスの本文と統計部分から切り離されて、写真は、植民地主義の主観性のアルバムをなすよう構成されている。未開人、および文

写真4-4　文明化されたキリスト教徒（*Census of the Philippine Islands, 1903*）

明人の「典型的」例は、現地住民のセンサス調査員と地方監督官たちの写真とともに、第一巻に目立つように掲載されている。カメラのレンズを前にして民族衣装に身を包む植民地的身体は、彼らの歴史的および社会的文脈からねじれた位置にある。じっとしたままの彼らは、保護のさまざまな段階を体験する実例といった様相を呈している。最も低い段階では、ほとんど衣服をまとわぬままネグリートが地面に身をかがめていて、もじゃもじゃの髪をして、ミンストレル・ショー(訳注12)の座員のようににやりと笑っている。彼らは、植民地支配の文明感覚から最も遠く離れた存在のように映っている（写真4-1）。首狩りのイゴロット族は、マレー人の征服者の第一波の後継者と伝えられているが、彼らは、マレー人ムスリムと並んでより毅然として、威厳すら見られ、自らの種族の飾りを身にまとい、より進歩的な状態にあることを示している（写真4-2、4-3）。文明に一番近いのは、西洋のにおいに包まれたセンサス関係者たちである。アメリカ国旗を背景とした彼らの風貌は、よく訓練された身体を示唆しており、他方、名前と担当地域が添えられた地方監督官の肖像写真は、国家の機械装置に同化したブルジョアのお歴々の姿を映しているのである（写真4-4、4-5）。

センサスの人種化という枠組みの文脈のなかで、このような写真は統計表を視角的に補完している。それは、現地住民という被支配者を、知と改革の対象とするという、独自ではあるが関連性をもった方法である。センサスにおける表の作成が、現地住民のアイデンティティを顔のない数字へと抽象化するとき、写真は、統計に対してある種の複合的表情を与える。典型性の概念——私はこれを、秩序立った範囲のなかにある差異と代表的象徴の集合へと、文化的差異を還元することと捉えているが——に覆われながら、これらの写真は、画一的に数値化し分類するという、植民地的知のまなざしの一部を構成するのである。

写真4-5　センサスの監督官の肖像写真
(*Census of the Philippine Islands, 1903*)

未開人および文明化されたフィリピン人の写真は、センサスのみならず、植民地公文書のなかのさまざまな公的記録において再生産されている。多くは政府役人自らが撮影しており、最も著名なところでは、ディーン・ウースターが、フィリピンの人びととその状況を調査する定期的視察旅行のなかで撮影したものがある。植民地的文脈では、これらの写真は、センサスと類似した主張をする。さまざまな種族がフィリピン諸島には存在するが、彼らはすべて、ひとつの人種的ヒエラルキーにコード化でき、単一の視覚的場に閉じ込めることができる。現地住民の典型例、あるいは見本となりながら、植民地の被支配者の写真が映し出す画像は、同一の表象のネットワークのなかに文化的差異を位置づける。換言すれば、写真は、現地住民と彼らの世界を、不連続で分散した状態のまま、その相対的価値をランクづけし評価する特権を意のままに操るという、植民地化のまなざしを印しているのである。写真は、将来、文明に抱擁され完全に併合されるため、現在が過去へと消え行く運命にある、移ろいやすい意義を持つ客体として、植民地主義の被支配者を映し出す。征服の記念品であるこうした写真は、友愛的同化のジオラマとして機能する。センサスの表やグラフと同様に、写真もまた、アメリカによる支配の起源である暴力の足跡を抹消[26]する働きをするばかりか、白人の愛の規律的献身を維持する監督と分類の技術に賛辞を送るのである。

【注】

（1）Dean C. Worcester, *The Philippines Past and Present*, 2 vols.（New York: Macmillan Publishing Co., 1914） vol. 1, p. 308より引用。以下、同書の引用箇所は本文中に記す。

（2）この戦争に関する最も有益な史述として以下を参照。Stuart Creighton Miller, *Benevolent Assimilation: The American Conquest of the Philippines, 1899-1903*（New Haven, Conn.: Yale University Press, 1982）; Leon Wolff, *Little Brown Brother*（Garden City, N.Y.: Doubleday, 1982）; Russell Roth, *Muddy Glory: America's "Indian Wars" in the Philippines, 1899-1935*（West Hanover, Mass.: Christopher Publishing House, 1981）; Reynaldo Ileto, *Pasyon and Revolution: Popular Movements in the Philippines, 1840-1910*（Quezon City, Philippines: Ateneo de Manila University, 1979）; Glenn A. May, *Battle for Batangas*

(New Haven, Conn.: Yale University Press,1991). この戦争に関する欠くことのできない第一資料を収集した資料集に、John R. M. Taylor, ed. *The Philippine Insurrection against the United States*, 5 vols. (Quezon City, Philippines: Eugenio Lopez Foundation, 1971) がある。

(3) 次も参照のこと。Peter Stanley, "The Voice of Worcester Is the Voice of God': How One American Found Fulfillment in the Philippines," in *Reappraising an Empire: New Perspectives on Philippine-American History*, ed. Peter Stanley (Cambridge, Mass.: Harvard University Press, 1984), pp. 117-141. ウースターの生涯に対し、また帝国主義一般に批判的でありながらも、スタンリーはフィリピン研究という「周辺的フィールド」を専門とする同じアメリカ人の研究者として、帝国の周辺部で仕事をするウースターの苦境に、暗に共鳴していた (ibid., pp. 137, 140 を参照)。近年書かれたウースターの伝記には以下のものがある。Rodney Sullivan, *Exemplar of Americanism: The Philippine Career of Dean C. Worcester* (Ann Arbor, Mich.: Center for South and Southeast Asian Studies, University of Michigan, 1991).

(4) Miller, *Benevolent Assimilation*, pp.213, 216 より引用。

(5) Adjutant General of the Army, *Correspondence Relating to the War with Spain* (Washington, D.C.: U.S. Government Printing Office, 1902), vol. 2, pp. 1352-1353 より引用。

(6) Paul A. Kramer, "The Pragmatic Empire: U.S. Anthropology and Colonial Politics in the Occupied Philippines, 1898-1916" (Ph. D. diss., Princeton University, 1998), pp. 149-150 より引用。

(7) Adjutant General, *Correspondence*, vol. 2, p. 859 より引用。関連資料として次の書の付録を参照。Worcester, *The Philippines*, vol. 2, p. 975; *Report of the Philippine Commission to the President* (Washington, D.C.: U.S. Government Printing Office, 1900-1901), vol. 1, pp. 3-4.

(8) *Report of the Philippine Commission*, vol. 1, p. 4.

(9) Ibid.

(10) Adjutant General, *Correspondence*, vol. 2, p. 859 より引用。

(11) *Report of the Philippine Commission*, vol. 1, pp. 4-5.

(12) William Howard Taft, *The Philippine Islands: An Address Delivered before the Chamber of Commerce of the State of New York* (New York, 1904), pp. 6-9.

(13) Woodrow Wilson, *Constitutional Government in the United States* (New York: Columbia University Press, 1921), pp. 52-53. 一九世紀後半および二〇世紀初頭の合衆国における文明化、ジェンダー、人種の連関についての批判的歴史であり、友愛的同化のイデオロギーについて語るものとして、以下のものがある。Gail Bederman, *Manliness and Civilization: A Cultural History of Gender and Race in the United States, 1880-1917* (Chicago: University of Chicago Press, 1995), esp. pp. 170-216.

(14) フィリピンに関するアメリカの戦後ジャーナリズムと研究の多くは、いまだにこの友愛的同化の観念に共鳴している。最近の例として、ピュリッツァー賞を受賞した著作、Stanley Karnow, *In Our Image: America's Empire in the Philippines* (New York: Ballantine Books, 1989) を参照。同書に対する辛らつな批判として、Michael Salman, "In Our Orientalist Imagination: Historiography and the Culture of Colonialism in the U.S.," *Radical History Review*, no. 50 (spring 1991), pp. 221-232 を参照。また、アメリカのフィリピン歴史学研究に関する近年の批判的評価として以下を見よ。Reynaldo Ileto, *Knowing America's Colony: A Hundred Years from the Philippine War*, Occasional Paper Series, no. 13 (Honolulu: Center for Philippine Studies, 1999).

(15) たとえば、次の重要な論文を見よ。Reynaldo Ileto, "Orators and the Crowd: Philippine Independence Politics, 1910-1914," in *Reappraising an Empire: New Perspectives on Philippine-American History*, ed. Peter Stanley (Cambridge, Mass.: Harvard University Press, 1984), pp. 85-113. また、洞察力に満ちた植民地時代初期の社会史として以下を見よ。Paul K. Kramer, "The Pragmatic Empire." また、次も参照のこと。Warwick Anderson, "'Where Every Prospect Pleases and Only Man Is Vile': Laboratory Medicine as Colonial Discourse," *Critical Inquiry*, vol. 18, no. 3 (spring 1992), pp. 506-529; Sullivan, *Exemplar of*

Americanism; Michael Salman, "The United States and the End of Slavery in the Philippines, 1898-1914: A Study of Imperialism, Ideology, and Nationalism," 2 vols.(Ph. D. diss., Stanford University, 1993).

監視対象の表象を全体化するという植民地国家の願望を妨げるものについては、本章の後段の、煽動的なタガログ語劇の節で議論している［訳注＝この部分は本訳文では割愛している］。植民地国家のこの欲望に関するいくつかの側面については、たとえば以下の研究書を注意深く選択的に読むことによって推察することができる。Glenn A. May, *Social Engineering in the Philippines* (Westport, Conn.: Greenwood Press, 1980); Peter Stanley, *A Nation in the Making: The Philippines and the United States, 1899-1921* (Cambridge, Mass.: Harvard University Press, 1974); Ruby Paredes, ed., *Philippine Colonial Democracy* (Quezon City, Philippines: Ateneo de Manila University Press, 1989); Michael Cullinane, "Ilustrado Politics: The Response of the Filipino Educated Elite to American Colonial Rule, 1898-1907" (Ph.D. diss., University of Michigan, 1989); Norman Owen, ed., *Compadre Colonialism: Philippine-American Relationship, 1898-1946* (Ann Arbor Mich.: Center for South and Southeast Asian Studies, 1971).

(16) U.S. Bureau of the Census, *Census of the Philippine Islands*, 4 vols. (Washington, D.C.: U.S. Government Printing Office, 1905). 以下、同書の引用箇所は本文中に記す。

(17) とくに植民地国家および国民国家の形成との関連で、近代センサスの起源とその重要性について有益な議論を提供する研究に、以下がある。Benedict Anderson, "Nationalism, Identity and the Logic of Seriality," in *The Spectre of Comparisons: Nationalism, Southeast Asia, and the World* (London: Verso, 1998), pp. 29-45; Paul Starr, "The Sociology of Official Statistics," in *The Politics of Numbers*, ed. William Alonso and Paul Starr (New York: Russell Sage Foundation, 1987), pp. 7-57; W. Stull Holt, *The Bureau of Census: Its History, Activities, and Organization* (New York: AMS Press, 1929).

(18) 以下も参照。Onofre D. Corpuz, "The Population of the Archipelago, 1565-1898," in *The Roots of the*

Filipino Nation (Quezon City, Philippines: Aklahi Foundation, Inc.,1989), vol. 1, pp. 515-570.

(19) Kramer, "the Pragmatic Empire," chaps. 1 and 2.

(20) Vicente L. Rafael, *White Love and Other Events in Filipino History* (Durham, N.C.: Duke University press, 2000), p.p. 9-13.

(21) *Ibid.*, esp. chaps. 2, 3, 5. Owen, *Compadre Colonialism*; Bonifacio Salamanca, *The Filipino Reaction to American Rule, 1901-1913* (Norwich, Conn.: Shoestring Press, 1968); Onofre D. Corpuz, *The Bureaucracy in the* Philippines (Quezon City: University of the Philippine Press, 1957); Stanley, *A Nation in the Making*; Cullinane, "Ilustrado Politics"; Paredes, *Philippine Colonial Democracy*.

(22) Benedict Anderson, *Imagined Communities: Reflections on the Origins and Spread of Nationalism in the Philippines*, 2d ed.(London: Verso, 1991), p. 166（邦訳、ベネディクト・アンダーソン著、白石さや・白石隆訳『増補　想像の共同体――ナショナリズムの起源と流行』NTT出版、一九九七年、二七七頁、［訳注＝訳文を一部変更した］）。以下も参照のこと。Thongchai Winichakul, *Siam Mapped: A History of the Geo-Body of Siam* (Honolulu: University of Hawaii Press, 1993)（邦訳、トンチャイ・ウィニッチャクン著、石井米雄訳『地図がつくったタイ――国民国家誕生の歴史』明石書店、二〇〇三年）。また、人口が国家介入の領域として概念化されるにあたっての、写真と統計の絡み合った歴史について検討した、次の優れた論文からも多くを負っている。Alan J. Sekula, "The Body and the Archives," *October*, no. 39 (winter 1986), pp. 3-64. さらに、植民地のセンサスに関する古典的な論文として以下を参照。Bernard Cohn, "The Census, Social Structure, and Objectification in South Asia," in *An Anthropologist among Historians* (Delhi: Oxford University Press, 1987), pp. 224-254.

(23) Worcester, *The Philippines*, chaps. 20-25を見よ。

(24) フィリピンがいくつかの移民の波によって植民されたという考えは、ヨーロッパの民族学者で、ホセ・リサールの親友であったフェルディナンド・ブルメントリットによって、一八九〇年代に発表された。合衆国がフィリピンを領有したのち、彼の論文は英語に翻訳され、いくつかのアメリカの雑誌に掲載され普及した。アメリカにおけるそのほかの人種的移民理論の系統的説明については、以下を参照。Dean C. Worcester, *The Philippine Islands and Their People* (New York: Macmillan Publishing Co., 1898), pp. 473-482; *A Pronouncing Gazeteer and Geographical Dictionary of the Philippine Islands* (Washington, D.C.: U.S. Government Printing Office, 1902); William Cameron Forbes, *The Philippine Islands* (Boston: Houghton Mifflin Co., 1928), vol. 1, pp. 586-590.波状移民理論を明白に否定する考古学的根拠を簡潔に概観したものに、以下がある。William Henry Scott, *Prehispanic Source Materials for the Study of Philippine History*, rev. ed.(Quezon City, Philippines: New Day Press, 1984), pp. 31-32, 143-144.

(25) 植民地国家について言えることは、植民地的まなざしについても言えることである。支配したいという願望は、一方において、慣れない熱帯の文脈のなかで暮らすアメリカ人役人という存在に具現化されているような、妥協、不確実性、不慮の出来事によって左右されるものであった。しかし他方では、植民地社会という統治体《ボディ・ポリティク》は、非白人である他者の協力に依存したのである。ウォーウィック・アンダーソンの議論によると、白人のまなざしはまったく固定されたものではなく、はっきりしない視線の連続にすぎないように思われることもしばしばだった。以下を参照。Warwick Anderson, “The Trespass Speaks: White Masculinity and Colonial Breakdown,” *American Historical Review*, no. 102 (December 1997), pp. 1343-1370. この点に関しては、ハーバード大学ヒュートン図書館所蔵のウィリアム・カメロン・フォーブスの日記をも参照。

(26) センサス——実のところ、それは植民地政府報告全体に言えることであるが——は、現地住民の歴史を展示する帝国主義的博物館のなかのジオラマ・シリーズとして捉えられる。これは以下の論文から示唆された。Donna Haraway, “Teddy Bear Patriarchy: Taxidermy in the Garden of Eden, New York City, 1908-1936,” in *Primate Visions: Gender, Race, and Nature in the World of Modern Science* (New York: Routledge, 1989), pp. 26-58. 民族学的写真に対する批判は、同書第四章を見よ。また、一九〇四年のセントルイス博覧会における、帝国の夢を展示する試みの壮大な失敗に関して鋭い分析を行なった研究として、Kramer, “The

Pragmatic Empire," chap. 4を参照。

（辰巳頼子訳）

【訳注】

（1）本論文の原題は「白人の愛――アメリカのフィリピン植民地化におけるセンサスとメロドラマ」であるが、ここでは「メロドラマ」を扱った部分（三九～五一頁）を割愛したため、原題をこのように変更した。
（2）本書第2章訳注16を参照。
（3）本書第2章訳注7を参照。
（4）本書第1章訳注19を参照。
（5）本書第1章訳注1を参照。
（6）本書第3章訳注20を参照。
（7）本書第2章訳注8を参照。
（8）本書第2章訳注9を参照。
（9）後段の三九～五一頁を割愛したため、この後本文二四頁の下から七行目から二五頁の上から八行目まで削除した。
（10）本書第2章訳注7を参照。
（11）本書第2章訳注17を参照。
（12）アメリカにおいて肌の色を黒くしてショーに出演し、歌などのパフォーマンスを行なう歌手、役者。今日では人種差別的であるとされている。

第5章　植民地の家庭的訓化状況
――帝国の縁辺で生まれた人種、一八九九〜一九一二年

「私は熱帯の夜を愛し始めた。そして、夜がこのようにすばらしいことをこれまで知らなかったと感じ始めた」と、フィリピン総督ウィリアム・ハワード・タフト（訳注1）の妻ヘレン・タフトは、一九〇二年に、マラカニアン宮殿のベランダから見た眺めについて記している。「星は大きく瞬き、地上近くにまでたれさがり、あたかも濃紺の畑の上に現れた銀色の図形のようであった。……すばらしい夕焼けと月明かりの夜は、ほかのいかなる魅力的なものを合わせたよりも、アメリカ人の心をマニラとフィリピンに釘づけにしてきたのである。そしてこのふたつは、いずれも名状しがたいものである(1)」。

フィリピンを「名状しがたいもの」と述べることは、いうまでもなく、すでにそれを崇高なものと描写することを意味している。ひとつの眺めを構成しながら、帝国の空間は、個人的な消費と情緒的なまなざしに応じることができる。植民地のわが家――この場合、スペイン人植民者たちから力づくで取り上げた総督官邸であり、のちに独立後のフィリピン政府に譲渡された――の戸口でかくのごとく立ち振る舞いつつ、こうした眺めを消費することは、植民地の、そして同時にまた民族的でもある光景のなかで、土着的で、自然なものと受けとめられているものを家庭生活になじませる妙技となる。したがって、熱帯の「魅力」が征服という友愛《ベネボレンス》のしるしとなる。それは、帝国的美学の複合体の一部であり、故郷を離れている間、タフト夫人にくつろぎを与えるのである。

ヘレン・タフトの言葉は、アメリカ統治の最初の一〇年間に合衆国からやってきたほかの女性たちがフィリピンについて記述したことと別に異なったものではない。彼女たちは、植民地主義に家庭的なものと情緒的なものの双方の感覚を授ける。本章では、このようにして植民地主義に授けられたものの性質を考察する。一九世紀後半から二〇世紀初頭の植民地的近代性の構築に不可欠なものとして、熱帯地域植民地の家庭的訓化状況《ドメスティシティ》は、白人であることと女性であることの結合が、個人の両面的《アンビバレンス》な感情の源泉であると同時に、公的な資格を付与されたことのしるしでもあることを指し示した。[2] この時期の植民地的社会性は、支配者と被支配者の双方の性別化され人種化された具体的表現に関する西欧のブルジョワ的観念のグローバル化を反映し屈折させたものであった。フィリピンにおけるアメリカ帝国主義は、アジアやアフリカにおけるヨーロッパ帝国主義と同じように、家庭的訓化状況という観念のなかに、最も特権的な植民地官吏の個人的な生活を内包するだけでなく、それを表象するための公的慣用句《イディオム》を備えていた。植民地的近代性の特徴を表現する慣用句として、家庭的訓化状況とは、公と私の構造がそれぞれ移動性をもっていて無限に再生され、文化的および身体的空間を超えて変転できることを想定している。私は、アメリカによる植民地の家庭的訓化状況のフィリピンにおける形成に焦点をあてて、帝国において公と私の間の不安定な分離の構築を一方で可能にし、他方で不可能にしたいくつかの状況と、こうした両面的《アンビバレンス》な状態が、家のなかを出入りする家庭の亡霊たちを生んだ方法について問うことにしたい。

合衆国における白人女性と帝国主義に関する既存の研究は、多くの場合、イギリス、フランス、ドイツの植民地社会に焦点をあてる傾向にあり、アメリカが領有する植民地・従属地域におけるヨーロッパ系アメリカ人女性の存在にしばしば目を向けてこなかった。こうした傾向が起きるのは、ひとつには、合衆国における例外主義の神話がもつ機能によるものである。この神話とは、アメリカ帝国主義を、国家の民主主義的軌道からのひとつの逸脱と見なしたり、何はともあれ、アメリカの帝国主義的介入、とりわけフィリピンにおける介入を、ヨーロッパの帝国主義的介入よりもよほど良性であって進歩的なものと見るような一般的傾向を意味する。(3) 本章は、こうした想定を問い直す試みであり、植民地の家庭的訓化状況批判を、アメリカの国民性形成における帝国の本質的役割への過去および現在の探求に関連して位置づける。(4) そうすることによって、本章では、個人化され地方化された身体レベルにおけるグローバル化した権力関係を精巧なかたちで考察する上で、国民のありように関する性別化され人種化された考え方が有効性をもった方法について、詳細に述べることを試みるものである。

さて、ここで私は、フィリピン植民地で家庭的訓化状況についての考え方がどのように機能するようになったかを考察するために、合衆国からやってきた幾人かの女性たちの著作を検討する。このような想定は、私の議論によれば、こうした女性たちに二重のアイデンティティを与える効果をもっていた。彼女たちはサバルタン（したがって現地住民《ネイティブ》に類似していた）として登場したが、特権的階層（それゆえ、白人男性とクレオーレ／メスティーソのエリートに近似していた）であった。したがって、彼女たちは帝国の構造によって捕らわれつつも、権限が与えられていた。こうした曖昧な地位を与えられることによって、北アメリカ出身の女性たちは、フィリピンにおいて植民地支配の日常的不平等性を確立すると同時に、拒否することに関わることができた。自然の風景、コロニアル様式の邸宅、現地住民である召使の身体に関する彼女たちの描写を追っていくと、われわれは、彼女たちが慣れ親しんでいた家庭的領域の外における家庭的訓化状況の規範に、どのように対処していたのかを知ることができる。また、そのような対処方法が人種主義化された言語にどのように依拠していたのか、そして、そのような言語が、植民地的設定における社会的アイデンティティ——彼女たち自身と彼女たちが遭遇した現地住民の双方の

――の安定化に、ときには成功し、ときには失敗するというように、いかに問題をはらむものであったのかを知ることができる。最後に、私は、女性たちの記述のなかで情緒主義という慣用句が反復されることに注目しながら、植民地主義と家庭的訓化状況との間の新しく終わりのない皮肉な結合が、植民地事業にとって固有の緊張をどのように共振するかについて示唆するものである。

帝国を生む

アメリカによるフィリピンの植民地化は、フィリピン・アメリカ戦争[訳注2]の破滅的な結果を否認しながら、前章でわれわれが考察したように、友愛的同化《ベネボレント・アシミレーション》[訳注3]という政策の上にあらかじめ想定されていたものである。自明の運命《マニフェスト・デスティニー》という一九世紀の観念は、選ばれた人びとに対する神からの贈り物としてフロンティアを指し示し、その結果獲得したものは、「インディアン嫌いの形而上学」とリチャード・ドリノンが呼んだ考え方によって支えられた。[5] これとは対照的に、友愛的同化とは、事実上、自明の運命という考えを情緒的な仕方で再加工したものに等しかった。それは、現地の住民を絶滅させるのではなく、彼らを教化し、近代的政治的臣民として認められるような存在として再構築するよう呼びかけたものであった。フィリピン人は征服されたり奴隷状態におかれたのではない。むしろ、彼らは白人文明と平等ではあるが、彼らをそれと分離した上で自治可能な住民につくり変えるために、アングロ・サクソン流の民主主義の基本原理にもとづいて育成し監督する必要のある人種化された他者として、幼児化されたのである。

　したがって、大陸フロンティアが想定上の開拓者の人種に授けられた贈り物と見なされたのに対し、植民地フロンティアはいまや、植民地政府機構をとおしてこのような贈り物が返却される場所として見なされたのである。よい家政のひとつの形態としての帝国主義は、植民者と被植民者との間の情緒的な提携もしくは「特殊な関係」――主人と奴隷というよりは、親と子どもの間の絆――を創り出すことを意味していた。情緒的植民地主義は道徳秩序の回復として想定され、あらかじめ予定された時期に彼らが完全に自立した個人となり、彼ら自身が独立した国家的家政をもつことができるようになる条件を設定して、合衆国を文化的に貧しい人種の熱心な保護者の地位につかせたのである。

帝国主義による家庭的訓化《ドメスティケーション》（したがって国民化）の象徴として友愛的同化を考察することは、同時に、家庭的訓化状況の帝国主義化に関する重要な点を浮き彫りにするものである。フェミニストの研究者たちによる近年の研究のなかには、アメリカ帝国主義的想像における性別化された側面を指摘したものがいくつかある。(6) 帝国建設は歴史的に、合衆国における男らしさを再構築する国民的事業と結びつけられてきた。熱帯地域は、「汚染をもたらす」非白人あるいは非男性の他者たちのすぐそばにいることからくる空想上の危機の瞬間において、白人の男らしさの吟味と確認のための領域を切り開いたのである。帝国のロマンスとは、かくして、海外領土の男性的性格の後光《アウラ》を壮観なものにすることによって、本国で絶滅の危機に瀕した白人の男らしさを支えるための手段であった。

しかし、帝国の男らしさの形成は、それを可能とする文脈として、帝国の女性らしさの展開を必要とした。植民地的秩序は、身動きできないほど家庭的秩序に縛りつけられた。アン・ストーラーが示したように、二〇世紀初頭以降の熱帯地域において植民地の家庭的訓化状況を構築する上で中心的役割を担った人びとは、白人のブルジョワ女性であった。たとえば、アジアにおけるイギリス、オランダ、フランスの植民地で、白人女性が最初に行なったことは、現地女性の愛人によって象徴化される人種的腐敗の危険から白人男性を守ることを意味した。家庭的訓化状況の外観を用意しながら、白人女性は植民地化された住民の粗野な習性のなかで、中産階級の道徳と立派さを支える愛国的義務を負っていた。植民地官吏は、このような女性の存在を、異種族混淆の恐怖とその原因と見なされた道徳的堕落に対する予防法効果をもつものと考えた。白人男性の願望を家庭生活になじんだものにすることによって、白人女性はブルジョワ帝国主義的精神《エートス》を再生産するための重要な役割を担った人びとと見なされたのである。(7)

フィリピンに関して言えば、ヨーロッパ系アメリカ人女性たちは、植民地化に抵抗するよりはむしろ礼賛したのだが、彼女たちは、家庭の改革を支持する論理的延長として、そうしたのである。(8)友愛的同化という言葉は、文明化のための使節のなかの愛国的参加者として、彼女たちの多くを帝国の公共圏へ呼び入れた。植民地が拡大するなかで起きる突発的な偶発事件の只中で、日常の感覚を創り出す任務に与りながら、彼女たちは、社会的関係からいわば政治的なもつれごとを浄化するような家庭的領域の確立をめざしたのである。帝国の日常的な危機を並べ立て、それを包み込むための領域として、植民地の家庭的訓化状況をかたちづくるこうした過程を、フィリピンに関する彼女たちの記述のなかに読みとることができる。

家庭を動員する

私がここで考察の対象とする記述を行なった女性たちは、合衆国のさまざまな地域の出身者たちであり、彼女たちは同質の集団を構成していなかった。数の上で彼女たちは、大多数が男性で構成される白人社会のなかで少数派であったが、この白人社会は、それ自体としては、フィリピンで圧倒的多数を占める「現地住民」人口のなかの少数派であった。(9)こうした女性のなかには、植民地官吏の妻としてやってきた人びとがいた。また、職業人、その多くは教師として到着した女性たちがいた。そして少数ではあるが、独身女性もおり、少なくともそのなかのひとりは寡婦であった。ヘレン・タフトやエディス・モーゼスのようなごく少数の女性たちは、相当有力な家庭環境のなかで育った人びとで、彼女たちが知り合いとなった教師や看護婦など、かの白人女性たちの間でより共通に見られた生い立ちについて語ることが多かった。そして軍人の妻と民間人の妻との関係は、時として屈折したものとなった。

とはいえ、ひとたび熱帯地域に入ると、階級的・地域的などの社会的差異は、とりわけアメリカの国民的アイデンティティへの、共通で表面上は疑問の余地のない愛着に対して道を譲る傾向にあった。つまり、彼女たちは、全員が植民地における白人中流階層の女性らしさの代表者として行動するという感覚をもっていたのである。植民地社会の目新しい男性化した土地のなかに捕らわれて、合衆国出身の女性たちは、自分たちが記述したもののなかで、白人男性の姿と現地住民の男性と女性の召使の双方に対して彼女たちがもつ、相対的かつ変化しやすい依存的地位についての、防衛的で鋭く皮肉を込めた感覚を表現するよう努めた。そうすることによって、彼女たちは、帝国の支配と家庭のイデオロギーとの間の互いに本質的な関係を把握することになった。故郷を遠く離れてわが家をつくることによって、女性たちは、帝国フロンティアの上に「有益な共和主義」の家庭的な前哨地点を築き、植民地的再生産の政治において積極的な役割を引き受けたのである[10]。

一九〇〇年から一九一〇年における女性たちの記述のほとんどは、植民地から合衆国へ宛てた手紙、あるいは合衆国で書かれた回想録であるが、それらは彼女たちがフィリピン諸島に住んでいたときに家族や友人たちに宛てた手紙の抜粋であった。帝国の縁辺で認められたこれらの記述は、家庭内の光景が次から次へと巡回するさまを映し出している。その多くは、著者が生涯を送っている間、またはその生涯を終えた直後に、「個人の」直接的体験にもとづくフィリピンにおける生活の話をしばしばアメリカの読者に提供する手段として出版された。(11) 植民地的知に関する大量の記録文書《アーカイブ》の一部として、このようなテキストは、植民地社会における官職上の領域と逸話上の領域、公的領域と私的領域の境界線にまたがっている。したがって、このような文書は、アメリカ支配における政治的秩《エコノミー》序と象徴的秩序との間の不連続な接触地帯に目星をつけながら、書き手たちの境界的地位を分かち合うのである。

実際、女性たちの記述が手紙や自叙伝風のものであったという性格は、彼女たちから熱帯地域で繰り返し起きた孤立感の脚色を好んでいたことを示すものと言えよう。手紙や回想録は、女性たちの排除された役割を変える意味をもっていた。彼女たちの旅行を、帝国の他者性――フィリピン諸島の土地と人びとのみならず、彼らの生活を管理する植民地機構をも含んだ他者性――との偶発的で幾重にも媒介された一連の出会いとして描きながら。女性たちの記述は、話題の関心を気ままに移すばかりでなく、中断、予期せぬ出来事、そして突発的な始まりや終わりを伴いながら、植民地住民を家庭生活になじませることに絡んだ日常の過程を繰り返し上演して見せた。彼女たちは、慣れ親しんでわかりきったと感じるものの領域のなかで、異質で付随的に見えるものの表象と抑制を演じたのである。

こうした女性たちは、植民地行政の男性化した領域のもつ重苦しさと現地における住民や彼らの生活空間が織り成す目新しい光景とのせめぎあいをどのように調整しようとしたのであろうか。ひとつの戦略は、疎んじられているという彼女たちの感覚を皮肉を込めて語るものであった。たとえば、旅行に関する女性たちの記述は、まったくと言ってよいほど英雄的資質をもたず、なかば嘲るような口調すら伴っており、男性たちのテキストとは異なっていた。一九〇一年から一九〇八年までフィリピンで学校教師を務めていたメアリ・フィーは、彼女の経験を「まったく冒険心をそそらないもの」と描写している。(12) エディス・モーゼスが一九〇一年に次のように記述したとき、彼女は例外ではなかった。「フィリピンでは一般に危険が誇張されているように思う。女性たちがベンゲットの山道を通るのは無理だと言われてきたが、私たちは安全に道を下ってきたばかりでなく、何もかも楽しんだのである」(13)。

男性たちの記述と異なり、女性の書き手たちの旅行経験は、体力と人格を試し身体への統制力の感覚を回復するため、危険な状態に身をさらさなければならないような、勇壮な営みという観点から語られていない(14)。彼女たちは、また、同伴者や召使たちの存在を消去するという代償を払った上で旅行者が賞賛されるような、到着という輝かしい場面について述べてもいない。むしろ女性たちの記述は、植民地における探検の媒介的性格と現地住民という他者に対する彼女たちの依存関係を浮かび上がらせている。モーゼスは、「実のところ、案内役がいなかったら、われわれはこの旅行ができなかった」(Fee, p. 319) と説明する。旅行は、個人的な営みというよりは、むしろ共同で行なう偶発的な行事と考えられているのである。

しかし、植民地権力を皮肉ることは、植民地支配を転覆させることにはならなかった。帝国のために語ろうとする白人男性の主張を相対化しながら、こうした女性たちの記述は、植民地権力の再生産を必然的に伴うものの、それとは区別されるような女性化された勢力の領域に関心を寄せている。彼女たちは、家庭を植民地から分離しながらも、やはりそれが植民地の一部をなしていることを再び刻み込む。こうして、社会的階梯の保障に土台をおいた日常生活を崩壊させつつそのリズムを再生産するための、移動性をもった高度に柔軟性のある装置として、彼女たちは植民地における家庭的訓化状況を示すのである。より重要なことは、家庭についての語りは、それが日常的なことである限り、自明のこととして、そして無味乾燥なこととして理解されがちなことである。たとえば、植民地官吏であり民族学者でもあったディーン・C・ウースター(訳注4)の妻ノナ・ウースターは、ボントックの山地から、日記に次のように記している。「今朝、目的地まで三時間たらずのところまできたので、私たちはそれほど早い時間に出発する必要はなかったが、朝五時に気持ちよく目覚め、そして、卵、ポテトボール、ライス、ビーフシチュー、チキン、コーヒーで満足のいく朝食をとったあと、六時半に出発した。道中、空腹を感じる危険はない」(15)。

ウースターの日記のなかの旅行それ自体が、家庭的なものを示すしるしへと転化する。時計時間で測られた睡眠と余暇を伴った毎日の食事という日課は、旅行の経験を不連続な時間的単位として組織する。次に、こうした単位は、主人の日常的な必要と期待を維持するために現地住民の召使たちの活動のペースとその性質を決定しながら、彼らの労働を調整しかたちづくる。したがって、アメリカ人女性の見地からすると、帝国は移動性と予測可能性の場となり、そこでは、植民地的空間の地図をつくり、それを視察し調査する権限が、召使の管理および身体的機能と安らぎの秩序づけと交差する。帝国主義とは、白人女性の監督者としての存在とその召使たちの協調的な労働に体現されるような、進行中の家庭的訓化状況として受け入れられるのである。

そして私たちはバギオを発ってからはじめて、テーブルクロス、ナプキン、そしてきれいな皿にめぐり合えた。それは完璧なぜいたく品に見えた。エドアルドは本物の料理用こんろをもっており、明らかに、自分にできることを私たちに示すことにきわめて強烈な喜びを抱いていた。昼食用においしいスープ、とろ火で煮込んだチキンと蒸しだんご、ローストビーフ、ポテト、エンドウ豆、そして二種類のパイがあった。午後には、ホットドーナツと紅茶があり、夕食には、チョコレート・レアケーキのほか、おいしいものがたくさん並んでいた。……私たちは五時まで休憩したり書き物をし、その後ブリッジをすることに決めた。ブリッジを夕食の知らせがあるまで続け、夕食後には九時近くまでそれに興じた（N. Worcester: pp. 14-15）。

ウースターの語りの平凡さには、ある種の勝利の足跡がある。故郷から遠く離れているものの、彼女は、すぐかたわらにあって故郷を連想させるものを描くことができる。テーブルクロス、ナプキン、そしてきれいな皿。すべてが適切な場所に現れることによって、自分は排除されているのだ、という感覚を和らげる。ここで立ち現れるのは食べ物だけではなく、その生産と消費のための独特の文脈である。ウースターが記録するのは、ひとつの成果である。それは、植民地の家庭的訓化状況の境界を位置づけ確保するような、ブルジョワ的慣習の再生産である。帝国におけるわが家とは、召使の熱心な協力をとおして特権を再生産するための移動可能な場所である。料理人のエドアルドが準備した食事の種類を列挙することによって、ウースターは見知らぬ世界のなかで彼女がもつ権威の領域を確定する。こうした記述を読むことによって、ウースターの静かな喜びを感じとることができる。彼女の快感は、彼女が現地住民の労働者たちに対する支配を確立するときにもつ安心感、上からのすべての要求に彼らが順応するときの迅速性、そして彼らの生産物が、女主人の位置に関連して彼らの適切な位置を自ら確認するしるしへと変容するときの円滑さからくるものである。食事の合間にブリッジをし、休息をとり、手紙を書きながら余暇時間を過ごしたことを思い出しつつ、彼女は、そうした確認がもたらす結果を心に浮かべる。すなわち、それは、帝国の縁辺においてプライバシーを享受する喜びを含めた個人的快感という秩序正しい領域であり、ここで言う帝国とは、実に、それ自体がわが家における喜びを再創造するための状況《コンテキスト》を意味するものである。

家庭的活動の喜びを呼び起こすことがいかに一般的なことであったとしても、そうしたことは、女性たちのフィリピンに関する植民地的記述のひとつの側面にすぎないことを指摘することは重要である。そのような喜びは、もっとほかのことに付随していた。プライバシーの感覚と統制力がもたらした感情は、不安の周期的な瞬間を生み出しがちであった。というのは、この土地、現地住民の人びと、彼女たちの家庭、とくに召使たちに関する彼女たちの描写において、彼女たちのテキストもまた緊張の繰り返しで遮られていたからである。こうした緊張のなかで最も切迫していたのは、彼女たちがそれでもなお自分たちと区別しようと試みた、召使たちの「見知らぬ」身体に対する、書き手たちの構造的かつ物理的な近接さの感覚である。

植民地の絵模様

われわれは、植民地の家庭的訓化状況を演出するためのもっとも一般的な場のひとつを、女性たちが描いた熱帯地域の景観のなかに見出すことができる。すでに引用したヘレン・タフトの回想録のなかに見られるように、一組の秩序立った姿としてその土地を成り立たせることと植民地的排除の只中における差異を家庭生活になじませることとの間には、持続的なつながりがある。不平等な社会関係の設定というより、むしろ一枚の絵画として見るべき風景を想像しようとする動きは、たとえば、メアリ・フィーが描写したように、地方の蒸気船に乗って、マニラの南方に位置するビサヤ諸島のカピスに到着した様子にその特徴が示されている。

私の想像する熱帯地域の情景がついにそこにあった――水かさが増した潮流、見慣れない群葉に覆われた沼沢の浅瀬、そしてヤシが生い茂った深みへと導く無数の水路……。

そのあとにはすでに慣れ親しんだ情景が続き、多くの細かな点が目にとまったものの、私はそれを見過ごしてしまった。だが、私の第一印象は、こうした情景が最も魅力的なもののひとつで、最愛のものとして記憶にとどめておきたいというものだった。大きな正方形で白塗りの、赤い屋根の家が川の両側の土手に並んでいた。そして、水際へと下りていく平らな段差の上で洗濯物をたたく、絵のように美しい女性たちの集団がいた。橋の左側には草に覆われた広場があった。アーモンドの木々、堂々とした教会、いくつかの平屋の集落、そして上から吹いてくるそよ風になびく星条旗の旗ざおが広場に影を落としていた。まぶしいばかりの青空と澄みきった透明な空気があたり一面を覆っていた。町のうしろには、樹木で覆われていない低い山があり、ヤシの木々の上で草に覆われたその稜線がうねっていた。そして遠くには多くの山々のすみれ色の美しい網目模様があった。

私は、カピスが好きなのももっともなことだと実感していた（Fee: p. 72）。

ここでは熱帯地域は暗黒の中心ではなく、文化と自然が仲良く共存した風光明媚な場所であった。フィーの見るものが彼女の想像と一致するように、到着の光景は、彼女がすでに見たことのあるものとして展開し、あたかも風景は、はじめからただ彼女の思うところを満たし、彼女のためになるよう配置される目的で存在しているかのようであった。景色は、書き手を、植民地の印象の観察者であり収集家として位置づける。彼女は、旅行の写真でアルバムを埋め尽くすひとりの旅行者のように、そのような印象で彼女の記述を満たすのである。

フィーは、その土地を一組の外観に代えてしまうことによって、植民地的介入を行なう政府官吏ではなく、彼女の前を通り過ぎるものを無邪気に記録する個人的な旅行者になりすますことができる。事実、こうした無邪気な態度は、社会的なものに対する責任を回避する身ぶりである――それは、われわれがすでに見てきたように、家庭的なものの形成において決定的に重要な契機となる身ぶりである。実際、フィーはカピスにある彼女の家の窓から、「橋、広場、灰色の古い教会、そして刑務所をはっきりと眺めることができた。監視人が囚人を刑務所に入れるために出たり入ったりする様子に興奮を覚えながら」、と満足げに綴っている（Fee, p. 74）。このような眺めのある部屋をもつことによって、フィーは、穏やかな光景として帝国を理解する喜びを得るのである。家庭的なもののなかに閉じ込められた領域から、彼女は、植民地社会の外的空間から距離をおきつつも、なおかつ視界的にはいつでもそれに接近することができる。「最大の魅力」をもった光景として表現される植民地社会は、友愛的同化という空想と共鳴する熱帯地域の景観と融合される。彼女の窓から支配は強制なくして行使され、所有は、接触や汚染というやっかいな問題を伴うことなく生み出されるのである。

女性の書き手たちにとって絵のように美しい眺めがこうした喜びの源泉であったことは、熱帯地域の安らぎの光景の背後にあるものを彼女たちが恐れていたこととある程度の関係をもっていた。風景は、その上に注がれたまなざしを返し、見る者と見られる者の距離を打ち砕き、植民地の観察者の個人的生活における想像上の空間を混乱させながら振り返って見ることができる可能性を残していた。たとえば、ノナ・ウースターは、山岳州を旅行した際に、周囲にある現地住民の家屋の材質と色調を関連させながら棚田の色と形を賞賛し、その「美しい外観」について記述している（N. Worcester: p. 32）。すでに考察した記述に見るように、その土地を美化しようとする動きは、現地の労働者の痕跡を消し去る効果をもっている。棚田は旅行者のまなざしのためのパノラマとして存在し、現地住民が意図した営みから分離されている。それゆえに、ウースターは現地の農民の創造物を称賛して、「われわれは、人びとが絵画的な美についての観念を本当にもっていたと考えてしまうほどだろう」（N. Worcester: p. 32）と述べている。それはあたかも、絵画的な美はアメリカ人だけが感知することができるものであるかのようであった。それより早い時期に書かれた手紙のなかで、彼女はイゴロットの村々を見るために小道から外を見たときのことを次のように記述している。「それらは遠くから見ると本当に絵のように美しい――よくあることだが、『距離が魅力を添えているのである』。しかし、住民たちがほかのイゴロットとまったく同じように汚らしいことに疑いをはさむ余地はない」（N. Worcester: p. 28）。

さて、このようにして眺めに接することは、たとえ暫定的であっても、その眺めにはそのほかにいくつかの視点があるという可能性を想像することである。イゴロットがその土地との間に、目的にかなったものでありつつも、別の関わり方をもっているかもしれないという考えが、ふとウースターの心をよぎったものの、彼女はそれを拒否する方向へと傾いた。イゴロットが美的感覚をもちうるはずがなく、そうした感覚が欠如しているという兆候が、彼らの身体の上に刻み込まれている。

一方において熱帯地域の素朴な眺めがあり、他方においては、「汚らしい」現地住民を見ているという考えがある。このふたつが分離しているということは、植民地における家庭的訓化状況の言説にとりつかれている不安定状態の兆候である。というのは、このような瞬間に現れるものは、植民者が自ら被植民者の位置に滑り落ちていくと想像するような、植民地における出会いがもつ基礎的な両義性《アンバビレンス》である――そして私は、その両義性がそうした想像を可能とさせるのだと論じてみることにしたい。われわれは、一九〇九年にパンパンガ州のストッセンバーグ駐屯地（のちにクラーク基地〔訳注5〕として知られるようになった）に配属された陸軍将校の妻キャロライン・シャンクの手紙のなかに、このような瞬間を見ることができる。驚くに値することではないが、彼女ははじめから、フィリピンを合衆国の延長上の地形図の一部分として位置づけている。

私たちは、ダコタの暴風雪からアリゾナの焼けつくような砂地へ、そしてテキサスの日干し煉瓦造りの家、テント、なだらかな起伏の大草原へと移りながら、わが国のインディアン・フロンティアで二〇年間過ごしたのち、ここ熱帯の地で暮らしている。死火山のふもとで南十字星を仰ぎながらも、依然として星条旗のもとで家庭生活を築きつつある。(16)

荒野で家庭生活を送るという任務は、家庭というものを、移動するフロンティアの端に位置づけられた移動可能な存在として理解することである。シャンクの手紙は、「わが家」が帝国の建設における中継地点として機能するような、移動地図を描き出す。風景描写を伴いながら、わが家の場として描かれた帝国の地図は、フィリピンを植民地の前哨地点のネットワークのなかの結節点として、彼女がすでに知っているもののなかに組み込むのである。それは、地図の上のほかの地点――ダコタからテキサスまでの――で彼女がすでに見てきたものと何ら異なるものではない。シャンクにとって、フィリピンにいることは、すでに「故郷」にいることである。彼女にとって置き換えは、同じ星条旗がそうした置き換えの条件と限界を可視的なものにする限り、ひとつの居住様式になる。

しかし、置き換えの家庭的訓化は、軍の駐屯地に行く列車の操車場の混雑したプラットフォームで、シャンクが夫を待つ自分を見つめたときのように、危機に足を踏み入れることである。

私は、身のまわりに、八つの箱とバックそして小荷物を携えてたたずんでいた。すべてのベンチはタバコを吸う男女が座っていたり、あるいは彼らが席をふさいでいたりした。彼ら全員がスリの世界的チャンピオンであった。中国人、フィリピン人、ヒンドゥー人の男性、女性、そして子どもたちのグループが私を取り囲んだ。彼ら全員がタバコを吸ったり、嚙みタバコを嚙んでいた。そして私はこの「火線部隊」の真っ只中にいた。新品でアイロンのかかった私の麻のスーツと白い靴は、大変魅力的な標的となった（Shunk: p. 20）。

人種的他者という眺めと対峙することによって、シャンクの白人らしさが突如として彼女の前に立ち現れる。外国人の身体によって包囲された白人女性のイメージは、事実上、風光明媚な熱帯地域における友愛的白人の存在という植民地の空想を中断する。新品でアイロンのかかった彼女の麻のスーツのなかですべてがあまりにも可視的になることによって、シャンクは非白人の他者の身体的過剰性によって汚染されるという恐怖にとりつかれる。彼女の脆弱性の感覚は、フィーの記述のなかの天真爛漫さのポーズと同様、彼女の存在が現れるはずの植民地的文脈において、本当はあるはずの暴力の存在を否認してしまうことからもたらされる。しかし、暴力を否認することは、閉じこもることによって距離をおく効果を生み出すというより、むしろ、喫煙者であり「スリのチャンピオン」である人びとの、家庭生活になじませられていない身体に対して抑制されることのないほど接近した場所に彼女をただ位置づけるのである。シャンクは、帝国の枠組みのなかに自分の場所を位置づけるというより、むしろ見知らぬ意図の標的として自分自身が位置づけられていることに気づくのである。

彼女と夫がようやく列車の一等席にたどり着いたとき、はじめて彼女たちは「腕に鶏を抱えたフィリピン人たちと小荷物を抱えた中国人たち」から安全となり、彼女は冷静さを取り戻す。彼女は窓ごしに外を眺め、そして「苗を引き抜いたり植えたりしている現地住民、……茶色のチェスのコマが前かがみの姿勢で正方形の区切りの上におかれた、大きな緑のチェスボードのように見える数々の小さな水田」(Shunk: p. 20) という情景を見つめる。この「美しい眺め」(Shunk: p. 20) は、駅で人種的無秩序状態と見なしたものから救済されるという感覚をシャンクに与える。眺めを組み立てながら、彼女は、現地住民の身体が具象化され、それが彼女の思索の対象として彼らの場所に戻される光景の、見えざる見物者として心を静めるのである。

このような文章は、ひとが、自分のアイデンティティを再生産したり行使したりする必要がないときに最もくつろいだ気分になり、偶然的関係の網の目のなかに捉えられた身体の物質性に再び付着させられることによって、可視化を余儀なくされることを示すものである。ここでは、白人らしさが肉体から分離され、現地住民の姿から距離をおき、それと識別されているように見えるとき、白人らしさは最も安全となる。現地住民の身体は、アクセサリーとしてのみ現れ、植民地におけるアメリカ人女性たちのアイデンティティを伝える白人らしさと家庭的訓化状況との間の結合を強化するのである。

しかし、アイデンティティを要求することから救済されるというこの感覚は、つねに希薄なものであった。こうした書き手たちは、女性として、相も変わらず帝国の男性化された領域との不安定な関係性のなかにたたずんでいた。彼女たちは、白人男性の完全なる具現化を超越することを主張する、その具現化としての自分たちの逆説的な地位を、繰り返し思い浮かべていることに気づいたのである。したがって、白人男性の権力へ要求は、まさに表象の条件を管理することに基礎をおいていたのだが、彼女たちは、こうした白人男性を表象するという奇妙な役割のなかに位置づけられた。完全な暴露を回避した権力、まさにその権力の外観をさらけ出すという役割を負いながら、白人女性たちは、自分たち自身が見世物になっていることを敏感に意識したのである。

たとえば、長老派教会宣教師アリス・バイラム・コンディクトは、地方社会における彼女の存在がいかに「あらゆる類のフィリピン人……」の好奇心を駆り立てたかを回想している。「彼らは、私たちアメリカ人女性を間近に見たがっていたので、私がオルガンを弾き始めるやいなや、私は聴衆にほとんど囲まれてしまっているのに気づいた」(17)。シャンクは、彼女が市場に歩いていくと、現地住民が窓から身を乗り出したり、子どもたちが「私たちを『アメリカ人』と呼びながら」、彼女の方に走ってくるような、おせっかいな注目の対象になっていることを感じる不安について記している（Shunk: p. 73）。ヘレン・タフトは、夫とフィリピン委員会（訳注6）のほかの委員らとともに、一連の地方視察旅行中にさまざまな場所に出かけ、「白人女性は依然としてもの珍しい存在であり……彼らが私たちに視線を向けたとき、私たちは彼らに対してより強い好奇心のまなざしを向けたことは確かだ」と述べている（Taft: p. 187）。タフトは加えて、多くの地域で、「私たちは大騒ぎを巻き起こした。……人びとが群れをなして私たちのまわりに集まった」（Taft: pp. 193-94）と言う。そしてエディス・モーゼスは、タフトと同じ旅の途中、アメリカ軍医たちが使用していた「ガタガタの古い救急車」に乗ってアパリットの道を通り過ぎたときのことを、「じっと見つめる黒い瞳、丸い顔立ち、黒い肌の現地住民……、親たち、子どもたち、そして年長者たちは、風変わりな白人女性たちをひと目見ようとフロントガラスに群がった」と語るのである（Moses: p. 53）。

このような文章のなかで、女性たちは自分たちが現地住民の好奇心を引きつけてやまない対象物となっていることに気づく。遠くから画像を見る人間という立場から、彼女たちは、他者が心に描く直接的な対象物へと変化する。ここで、彼女たちの白人らしさは突如として彼女たちを裏切り、彼女たちの存在を隠すというよりむしろさらけ出すのである。モーゼスが「アメリカからやってきた奇妙な白人のご婦人たち」と表現した彼女の一行は、見世物として、彼女たち自身の他者性によって捉えられ、熱帯地域における置き換えと露出についての彼女たちの感覚を解消するというよりは、むしろ倍加する。現地住民の好奇心にあふれた瞳をとおして、白人女性たちは、写し出された自分たちの身体が自分たちのもとに跳ね返ってくるのに気がつくが、それは、世間一般のふしだらな誘惑の求めに応じるような、不気味でそれゆえに家庭生活のなかに持ち込まれない姿として戻ってくるのである。

差異から自由であるというより、むしろ差異の上に予測されているものとしての白人らしさは、植民地化された他者のまなざしの対象である女性化された身体と結びつけられたとき、もっともはっきりと目に映るようになる。けれどもそのような予測は、結局、暫定的なものにとどまる。たとえば、モーゼスの記述のなかで、われわれは、現地住民の関心の力を封じ込めるための戦略が働いているのを見る。彼女が受けとる表情は常に、人種化された身体から生まれたものとして描かれている。「黒い瞳」、「黒い肌」、そして「丸い顔立ち」の現地住民の身体は、ひとつの優越した容貌を構成する力に従属し、かつ依存するものとして、すでに特徴づけられ分類されていた。したがって、現地住民は白人女性の身体を見つめるが、しかし、それは決して安全性と不可視性の場からではない。見ることによって、彼らはすでに見られており、植民地の物語の人種化された描写にたえずさらされるのである。確かに、白人女性の身体が視野に入っているものの、それは女性たちのテキストのなかの物語描写の届かないところにある。これに対して、まるで虫けらのように、「その場に群がっている」、「けばけばしい」が、しかし「汚れた裸足の男性たちや女性たち、そしてぼろをまとった女の子たち」として、テキストのなかにその痕跡を残すのは、現地住民の身体である（Moses: pp. 62-64）。

そこで、こうしたテキストのなかで、われわれは、具現化に関する白人女性たちの反復感覚が現地住民の上に移されるという、置き換えのレトリックに出会うことになる。アメリカ人女性たちは、自分たちのアイデンティティを白人と女性の双方として再構成しながら、いまや疎遠で目ざわりに見えるのは現地住民であるというように、位置関係の反転を設定する。自分たちの置き換えの感覚を置き換えつつ、彼女たちは、視角の循環の制御を回復する。そうすることによって、彼女たちは、現地住民の身体を、植民地的差異の物資的および象徴的再生産のための資源として、再び注目し＝記述《リマーク》するのである。景色をひとつの「眺め」へと止揚するのと同様に、拒否と反転の物語の経過は、現地住民の身体を一組の外観や印象へと変化させる。現地住民の身体は、観察する自己に対して外部に存在する、過剰性をもった痕跡として位置づけられることによって、帝国の歴史の秩序を瓦解する力学が働くなかでそれ自身を表象することができるような、白人女性の演技者《エイジェンシー》が出現する機会を与える対象物となるのである(18)。

倒置、置き換え、拒否の連鎖のなかに捕らわれて、植民地の家庭的訓化状況は矛盾し不安定なものにならざるをえなかった。たしかに、両義性は、すでに私が論じたように、家庭的なものの本質的構成要素であったし、疑いなく現在もそうである。そして内部性を構成するまさにその空間、白人の女性らしさを思い起こすためのプライバシーの領域、すなわち、植民地のわが家、これほど両義性が生産的なかたちで作用していることが明白な場はどこにもないのである。

場の内と外の家庭的訓化状況

合衆国の家庭的訓化状況をかたちづくる建築様式は、公共圏と市場からの圧力に対置するよう設計され、歴史的に「個人的な眺めと保護された通路」によって成り立ってきた(19)。ブルジョワ的家庭の内的空間は、娯楽と休養の場所となるよう配慮され、内部は壁で外部から遮断され、窓と扉は、家のなかの移動と同様、家の外への出入りのための通路を制限し個人化していた。家庭内部は分割され、娯楽の空間が、家事を行なう場所から隠され分離されるよう設計された。こうして彼らは、家庭的訓化状況の痕跡を隠すことによって、その作用を明らかにしたのである。このような意味で、中産階級の家庭は、市場もしくは公共圏の開放的で流動的な空間とは性格が異なるものと考えられた。後者には、見せびらかし、そしてさまざまな顔立ち・言葉・商品の流通が、不特定の他者によるおせっかいな関心を伴いつつ君臨する。市場の影響力と政治的変化のはかなさと不確実性の只中で耐久性と安定性を内包しながら、家庭は、その所有者の私的生活の外面的様相として、つまり、所有権それ自体の事実のあかしとして、そしてそれゆえに所有を前提とした個人主義の理念の記念碑として機能するはずのものであった。

アングロ・アメリカ的中産階級の家庭的空間についてのこうした観念は、植民地フィリピンにおいて弱体化する傾向にあった。一九世紀後半から二〇世紀前半のほとんどの時期をとおして、都市中心部でフィリピン人エリート用に建てられた家は、湿気の多い気候ゆえに通風に最大限配慮して建てられた、スペイン風コロニアル様式と島嶼部東南アジア風のデザインの異種混淆形態《ハイブリッド》であった。家の木造の居間には、頑丈な壁ではなくて、強烈な日差しを遮るカピス貝でつくられた大きな窓があった。このような窓と底面のすそ板は、家のなかが通りから見えるように脇へ寄せることができた。同じように、居間の内部のつくりは、扉の上部につけられた格子状の仕切りと壁に使われた軽い素材のおかげで、空気、光、音を循環させることができた。アソテアと呼ばれる大きなベランダは、魚や水を備蓄したり、洗濯物を干したりするような多目的空間として機能した。それはまた、とりわけ夏の暑い夜に家族が集う場所として、そして時々は召使たちの寝場所として利用された。このような家では、空間は「囲いこまれたり、封じ込まれる」ことなく、「そして……共通の部屋（bulwagan）と個人の部屋（silid）は、ひとつの連続した全体を構成してい」たように見えたのである。[20]

合衆国からフィリピンにやってきた人びとは、マニラや地方都市でこのような家に住んでいた。彼らが自分たち自身で新しい家を建てたのは、よりのちのことで、一九二〇年代になってからであった。空間が開放的につくられ、部屋の間の境界には多くの隙間があることが多くの人びとの印象に残ったが、こうしたことはすべて、プライバシーが欠けているように感じられることを事実上認めるものであった。たとえば、エディス・モーゼスは、「こうした家のなかでは、あらゆる音を聞くことができる。というのは、換気をするために、すべての扉の上に開けっ放しの空間があるからである……。これは、マニラの家のもうひとつの特徴なのだが、私はそれが嫌いである」（Moses: p. 16）と強調する。そしてメアリ・フィーは、トイレを使うときの不快感を思い出している。なぜならその床は竹を細長く切ったものでできていて、「私は、誰かが下に迷い込んでいるのではないかという不断の恐れにさいなまれていた」（Fee, p. 75）からである。家の多くの部分と同じように、トイレも外部から完全に遮断されることなく、全体を見通すことができるような建物のなかを分有していた。内部は絶え間なく外部との交流をもちながら存在しているように見え、このためプライバシーの空間は、公共の突然の浸入から完全に密封されることはなかった。植民地の家では、白人女性の身体は、あたかも常に露出する間際の状態におかれていたように感じられるのである。

無差別で突然の露出が起こることに対する予見は、時として、見知らぬ勢力と生き物によって身体的侵略を受ける恐怖というかたちで時折記録された。そのような瞬間に、家庭的訓化状況の幻影は、混乱とパニックという鋭い感覚によって中断されたのである。

ほかのアメリカ人女性たちの記述に共鳴して、イギリス人女性キャンベル・ドーンシーは、一九〇四～〇五年に夫がイロイロ州で大きな製糖工場を経営していたとき、彼女の部屋のなかにこもりつつ、熱帯の気候の影響を受けながら、自分が白人であるのを思いのまま表していたことを、いきいきと伝えている。

風が私から去っていったとき、汗がどっと吹き出した。私の顔から汗が紙の上に滴り落ち、衣服は汗でぐしょぐしょになり、頭が痛み、ずきずきし始めた……。汗をびっしょりかかずに椅子を動かすことができず、庭を歩くこともできないのは、ひとをいらだたせるものである。その上、衣服にはうんざりし、厚ぼったく感じる。運動するとひどい不快を生じるが、運動を怠ると病気になってしまう。(21)

身体を保護しその痕跡を隠すというより、植民地のわが家の内部は、むしろ外部からの浸透を受けるのだが、それは気候の威圧的圧力から始まる。過剰で抑制できないもののように見えるように、ここ熱帯地域は白人女性の身体を解体する。それはたえず汗をかき、その最も基本的な動作でさえ制限されているように見える。汗でぐしょぐしょになった彼女の衣服は、動きがとれないという彼女の感覚をさらに強め、彼女の身体を隠すというより、むしろ欺く。かくして、ドーンシーの冷静な感覚は、苦悩に満ちた身体によって混乱するが、その身体は気候のお蔭で断片化され、その周囲の環境によって強要された制限のもとで拘束されていると感じる。この意味で、彼女は、すでに示した記述のなかで描写したような、過大に具現化された役に立たない現地住民というイメージに薄気味悪いほど似たものになり始めるのである。

不快と混乱の場としての植民地の家は、また、キャロライン・シャンクの手紙のなかでも見ることができる。家庭のなかで、彼女はたえず包囲されていると感じる。「虫の数は暑さとともに増加する。最も悪質な害虫は、羽蟻である。それはとても小さいので、髪の毛、目、耳のなかに入り、短い袖の上を這い上がり、首のあたりまでやってくる」(Shunk: p. 80)。湿気が多く、衣服がじめじめして「肌に吸いつき」、台風と雨が大きな雑音を立てるので、「私たちは叫ばなければ、お互いの話が聞こえないほどであり」、さらに、不意をつくように地震がときどき起こるのを、彼女はぼやく (Shunk: pp. 86-87)。さらに、シャンクは、この国の歴史のなかで最悪のコレラ流行のひとつに数えられたその只中に居合わせて、疫病を抑えるための衛生対策に伴う石灰と石炭酸の臭気に嫌悪感を抱く。そのような匂いは、多数で無差別の死、つまり場違いで無名の喪失についての想いを生じさせるのである (Shunk: p. 90)。

こうして、植民地の家庭的訓化状況は、単に愉快な眺め、すなわち、安全で隔離された距離から理解されるような一組の秩序のある外観として熱帯地域を投影するだけではない。それはまた、このような隔離状態の限界を感じるという恐怖をも引き起こす。気候と虫は、白人の身体とその周囲の環境との境界を消去する働きをし、白人の身体の物質性と偶然性を再び刻み込む。支配力の空想化された感覚を剝奪されて、シャンクは、彼女が自分自身以外のものであるように感じ始める。彼女の不満に見られる強迫感に捕らわれた性質は、そもそもは現地住民によるものだとされるはずの、ある種の不本意な模倣を示している。こうして、彼女は、帝国における家庭的主体としての彼女のアイデンティティが形成されるにあたって対峙する、まさにその対象物に近づくようになる。彼女のアイデンティティの外的源泉に接近することによって、彼女は、秩序の瓦解が繰り返し起こる場として、家庭的なものを理解するのである。

家庭的秩序は、内部と外部との混同を特徴とする、無秩序の恐怖の繰り返しとの関連においてのみ理解することができる。それは、あたかも中流階級の白人らしさが、他人はもちろん自分自身の身体における繰り返された封じ込めを必要とするような、沈着冷静というジェンダー化された観念のもとで叙述されているのとまったく同じである。こうしたことは、もう一度、われわれに、白人らしさと家庭的訓化状況との間の密接な結合を思い起こさせる。ブルジョワ的植民地という設定のなかで、白人らしさと家庭的訓化状況の双方は、外向的で公共的な偶然的他者による、内向的で個人的な独立的自己の潜在的転覆として経験されるような圧迫的状態のもとで、劇的に明確に表現される。植民地の家庭的訓化状況は、文明と野蛮との間の境界で均衡をとりながら、白人らしさの感覚を、危機と転位のなかでかたちづくられたジェンダー化した演技者を成立させる要素として保護するのである。このような理由から、植民地における家庭的訓化状況は、差異を再編成し、自分自身と他者の表象を調整するよう要求することができる。しかし、こうした秩序の確保は永久に続く仕事になるであろう。なぜなら、植民地の家庭的訓化状況もまた、召使たちを統制する力にもとづいて叙述されたからである。しかも、そのような統制力は、われわれがこれから考察するように、現地住民の勝手気ままな模倣を定期的に必要としたのである[22]。

召使と情緒的人種差別

白人女性たちと彼女たちの召使たち、すなわち、明らかに世帯の最も核心的な部分となっているものとの関係のなかに、われわれは家庭的訓化状況の弁証法が最もいきいきと作動しているのを見ることができる。エディス・モーゼスは、「当然のことながら、召使階級は私たちが最も密接に接触する人びとである」(Moses: p. 346) と述べている。召使たちは、わが家における最も親密な領域のなかを巡りつつ、同時に、しばしば家財道具やペットと同じ次元で語られるような、最も周辺的地位に押しやられたのである。彼らが奉仕する相手からはっきり区別されるにせよ、召使たちは、白人アイデンティティを構成するプライバシーのリズムと日常の仕事の再生産において決定的に重要であった。確かに、家庭的秩序がもつ真の可能性は、召使の労働に依存しており、彼らの存在なくして、熱帯地域における白人女性の演技者は実現しなかったのである。とはいえ、家庭的主観性の形成は、われわれがすでに見たように、世帯に対する支配的統制力の問題として理想化される。従属と拒否のはざまにあって、白人女性たちは、期待と恐怖の双方として、家庭的訓化状況をもたらす意志を実現する準演技者として、さらに、そうした意志を挫折させる源泉として、召使たちの身体と対峙したのである。(23)

その背景として、世紀転換期のフィリピンでは、家事使用人たちが多様な構成要素から成り立っていたことを指摘するのは有益である。植民地の世帯では、圧倒的に男性の召使たちが雇用されたが、彼らは中国人かフィリピン人であり、普通、すでにその世帯と結びつきのある親戚の斡旋を通じて獲得されたり、ある雇用者からほかの雇用者へと、いわば譲り渡されたりした。大多数の家事使用人が女性であった当時の合衆国と異なり、植民地フィリピンでは、住み込みの召使たちの四分の三以上が男性であり、少数の女性たちは、普通、洗濯を行なう日雇い労働者として働いた。(24) 年季奉公の召使というよりはむしろ賃金労働者として雇用され、家に住み込んだ召使たちは、年齢にかかわらず、幼児扱いされ非性別化されて、スペイン語では「ムチャーチョ」、英語では「ボーイ」と呼ばれた。夜になると、彼らは、家のなかの床の空いている場所ならどこにでも寝た──サラと呼ばれる居間、ボラーダと呼ばれる廊下、地下、あるいは、アソテアと呼ばれるベランダ。さらに、こうした少年たちは、わずかの賃金しか得ていなかったので――一九〇七年のウィニフレッド・ハッブル夫人の記述によると、日当は一〇センタボ(五セント)にすぎず、それに加えて、パン、黒砂糖、コーヒー、コメの配給があった――、彼ら自身の財産を築くことを考える余裕はなかった。[25] プライバシーと財産をもたない召使たちは、財産をもつ個人に相対するものであり、彼らがアメリカ人の雇い主たちとやり取りをするためのしるしとしては、彼らの身体だけが残されていることも少なくない。

合衆国出身の女性たちが書いた文章のなかで、家事労働者は、善良な召使と役立たずの召使という両極的な視点から理解されるため、その人種、ジェンダー、世代、階級構成の複雑性は、時折一瞥されるものの、無視される傾向にある。召使たちの間の差異を二元化する再構成は、ひとつの家庭的秩序――その様相は、家庭内労働それ自体の痕跡の系統的抹消を通じて生み出されるような秩序――の単なる効果というより、むしろ彼らの保証人として、白人女性たちを位置づけるように働くのである。

モーゼスは言う。「あなたの第一印象は、私たちが、しつけられた間抜けな人たちを手元において、家事をさせているというものであろう。というのは、あたかも上半身裸の黒い肌をした生き物が、大きな黄麻布の袋をその手足の下において、四足で広間をあちこち走り回っているかのようだから。彼は、ナラの木でつくられた床を磨く、サルにも似たただの苦力《クーリー》労働者なのである」(Moses: p. 14)。現地住民の召使とサルとの比較は、あらゆる意識的もくろみの存在を消してしまったまったくの身体および動作として、他者を説明するための、典型的かつ、いまや驚くまでもない方法である。モーゼスにとって、家事とは、動く身体とその労働の結果との間の区別を曖昧にすることのその繰り返しゆえに、一連の純粋に機械的な動作のように見える。現地住民の身体は、その労働と完全に区別することができず、それは働いているというより、むしろあたかもサルのように仕事という事柄の物まねをしていると映るのである。

キャロライン・シャンクが手紙のなかで似たように描写するのは、召使たちのこの動物のような、したがってたえずこれから家庭生活になじませるべき姿である。彼女は自分の新しい召使について、次のように記している。「彼は、無表情で肩をそびやかして歩く。シャツのすそを外に出し、短いズボン下をはき、裸足のままで、非常に大きな葉巻タバコを吸っている。彼はひとことも話さず、色濃く染まった反逆者《インスレクト》のように見える」(Shunk: p. 9)。召使は、傲慢で、ほとんど犯罪者のようで、少年とはほど遠く、いわんや善良な人間などではない。彼の沈黙は彼の外観と結合して、シャンクの心のなかに家庭的秩序の協調的な生産というよりは、むしろその破滅をもたらすのである。

こうした沈黙は、善良な召使と役立たずの召使とを区別する上で重要な役割を果たす、ある種の言語的秩序、すなわち、善良な召使を役立たずの召使に転換させてしまう秩序を暗示する。モード・ハントリー・ジェンクスは、次のように言って、彼女の新しい料理人への不満に関する退屈な話を締めくくっている。「彼は英語をひとことも理解できない。そして、私たちが彼に言うことすべてに対して、彼は、『ヘイズ(hayz)』という言葉を吐き、最も白痴的なしぐさをする。私が聞いた限り、こうした表現は、料理人以外の人びとにとって何も意味せず、さらに料理人もその意味を説明することができないのである」[26]。料理人の能力のなさは、彼が女主人の話を理解できないこととの関係で問題にされる。彼は理解できない言語を持ち出すが、それゆえに、彼の女主人の立場のみならず、彼自身の立場を認識することができない。その代わり、彼が自分の意志として伝えるのは、彼が支配者の言語で意志疎通をはかることができないということである。こうして、料理人は二重に罪を犯し、家庭のなかで彼自身とジェンクスの地位の双方を蝕むのである。

したがって、家庭的秩序の限界は、意思疎通に関わる秩序の働きの上に予測されているのだが、こうした秩序なくしては、世帯における人びとの適切な場所に関する、いかなる類の好意的なやりとりや相互認識も不可能となろう。メアリ・フィーが語るように、意志伝達に失敗したことを伝えようものなら、結局は「悪い少年」が白人の女主人を怒らせることになり、彼女は過ちを犯した召使に対して、訓練の名のもとに、時々ぶったりなど暴力的措置に出たり、あるいはクビにしたりするのである。召使は、時には、自分が好ましい人物でないことを確かめるかのように、女主人の行為に対する報復として彼女から物を盗む。家庭生活になじませることに失敗した結果、女主人は自分のアイデンティティのみならず財産の喪失をも招き、その回復は、召使を追放するか、あるいは彼を再度取り込むことによって可能となる（Fee: pp. 228-231）。

だが、召使を再度取り込むためには、彼とうまく連絡をとり、説得する方法を見つける必要がある。多くの場合、召使たちは、支配者の言語である英語では、首尾一貫したかたちで話すことができなかったので、白人女性たちはしばしば、召使たちの話ぶりをまねすることで、あたかも彼らに対してレベルを落として話していることに気づくのである。一例として、モーゼスは、中国人の料理人に、彼が話す言葉は彼女から見ておおよそこのようだと思えるような話ぶりで、家を清潔に保ってコレラの脅威から逃れなければならないことを、次のように説明する。「私はライ・チンに言った。コレラ、みんなゴキブリ同じ、みんなとっても小さい。彼はほこりに隠れて、飛び跳ねて『中国』少年もフィリピン人も殺す。もし『中国』少年が家をきれいにしていれば、死ぬはない」（Moses: p. 222）。同様に、フィーは、召使たちに対して夕食の準備のための指示を与えるために、彼女が彼らの言語と考えたものをまねしなから、「スペイン語とビサヤ語を混ぜ合わせて」、意志を伝達せざるをえない。そして、シャンクは、中国人の料理人に、「彼が料理した風変わりなものを、私たちは食べることができなかった」という自分の意志を伝えるのに苦労しながら、ついに次のような態度でもって彼と対決するのである。


「アー・ヤン、あなた、腕いい料理人ね」

「ええ、彼、とても腕、いい」

「いいえ、あなたの腕は悪い」と、私は頑なに言い切った。「あなた、とても腕、悪い料理人ね。すぐおいしいをつくるか、さっさと出てけ！」

　私は、いまにも爆発しそうな中国人の怒りの恐ろしいありさまにたじろいだ。しかし、昼食のとき、私たちはかろうじてお互いの目や口を信じることができたのである。それはまさしく申し分ないほどみごとな料理であった。……そしてその日から、すべての食事が夢のような料理となったのである（Moses: p. 40）。


　白人による物まねは、意志伝達と家庭のなかの秩序を回復するための扉を開く。このような物まねは、召使の話し振りを繰り返すことによって成り立っているが、それは、まずはじめに、英語をそっくりまねようとする試みに失敗したものとして、記述のなかで受け入れられる。計算された反復と現地住民の物まねのパロディという方法によって、白人女性は男性の召使と対峙する。召使は、女主人が召使の物まねの腹話術を行なうことを通してのみ、植民地を描いたテキストのなかでようやくその声を与えられる。召使たちは、こうした記述のなかでは、あたかも女主人の物語と物まねによる介入によって生まれるような、引用符の枠内だけで語ることができる。召使たちは、彼ら自身を表象することができないような姿としてしか、彼ら自身を表象することができず、ただ次のようにしてのみ表象されうるのである。第一に、ゴミや病気と揶揄的に結びつけられるような、サル、ペット、罪人、子どもたちに類似した、家庭生活になじまない理解しがたい姿として。第二に、白人の女主人が模倣したり復元することができるような、模倣的な対象として。召使たちの物まねを引用しながら、白人女性たちは、召使たちとの出会いをかたちづくり、そうすることによって、それを家庭生活になじませるという、意志伝達上の権力を取り戻すことができる。その際、白人女性たちは、自分たちが召使たちに対してもつ権力を皮肉り、さらに、そうした権力が友愛的なものであることを表現しながら、彼女たちにとって近しい存在である召使たちから距離をおくのである。(27)

植民地のわが家がもつ表象的秩序のなかにいったん包摂されると、召使たちは、植民地における家庭的秩序を生産するための協力者の一員として数えられるようになる。シャンクは、彼女のお気に入りの召使について、次のように記している。

家令のナンバーワンはひとつの財産である。夕食時間の午後七時になると、彼は、私たちが夕暮れを眺めるポーチの隅に静かにやってきて、「奥様、夕食の準備ができました」という意味の言葉らしきものを告げる。彼は、パリパリとした白い衣服に身を包み、葬儀に雇われる泣き屋のように見える。私たちは公式の饗宴に出席するかのようにすべての儀式とお付き合いし、ビセンテは私の椅子のうしろに、公式の「休め」の姿勢で直立する。彼は、静かに、そして礼儀正しく仕える……。テーブルには、きれいな赤い色調のろうそくと鮮やかな赤いユリの花が見られる。トカゲは壁を走り降りて、電灯に引き寄せられた虫を捕まえる。大きなコフキコガネはブンブンとうるさい音をたてて動き回り、テーブルの近くに接近しすぎると、「ボーイ」が手際よくそれを捕まえる（Shunk: p. 41）。

善良な召使たちがいることで、理想的な家庭領域——ここでは、さえぎられることがないような、完璧なかたちで権力が認知され、社会的階層秩序が完全無欠なかたちで成立したものとして理解される——の出現が可能になる。控えめでほとんど目につくことがない理想的な少年とは、主人に仕え、なおかつ、労働過程それ自体を、聞き取ることができず不可視的なものにするという働きを行なうひとである。わが家の時間的かつ空間的秩序づけが、魔法を使ったように、ごく自然に現れる。そして召使の身体が、「パリパリとして」、こぎれいな白い衣服に身を包み、直立したものとして、こうした秩序と連続したものとして描かれる。この少年は、家庭生活になじんだ白人少年の複製となり、同時にそれは、この少年自身とは根本的に異なる遠い存在として現れる。虫の動きさえも含めた家庭のなかのものの関係を統合しながら、「家令のナンバーワン」は白人の快適地帯を確保するが、それとともに、彼はこうしたことを達成するのに必要な労働の痕跡を隠すまでにいたるのである。

風景がひとつの眺めになるように、家事は、白人の主人の個人的消費のための審美的経験へと転化する。シャンクは別の箇所で次のように述べている。「アー・ヤンは銅像のように厳粛で微動だにしない。そこで、彼をほめるG婦人は、『彼の姿は絵画なのかしら』とささやいた。なるほど、彼は、リンネルのコートと白いズボンに身を包み、白いリンネルの帽子をかぶっている」（Shunk: p. 76）。善良な召使は、「銅像」として描かれることによって白人女性たちの熟視の対象となり、家庭的秩序の再生産のなかから、そしてその再生産をとおして彼の演技者を導き出す。彼は、友愛的同化という寓意物語を、自分の身体の上でそのまま文字通りに解釈する。無口で控えめな彼は、自分の労働の痕跡を消去する能力があることを評価される。さらに、変調されたこびへつらいのなかで、彼は、白人女性の観察者たちのために、帝国の荒れ狂うフロンティアの只中で整えられた階層秩序のなかに再配列された差異を目撃するという、スリルをつくり出す。こうして、主人たちはさまざまな恩恵の余剰に与ることになる。彼らは、彼らの物質的必要を保証するような、召使の労働力を利用することができるだけでなく、召使の身体——いまやその労働から抽出することができ、そして、熱帯地域の眺めのように、植民地支配の空想化された友愛を反復する審美的な所有へと転化される——に対する象徴的購入を確保するのである。(28)

善良な召使とは、家庭的秩序の形成における歴史的不測性を抑制することによって、家庭的秩序を表象することができるように見える人びとである。女性もしくは男性の召使は、白人の女主人の役割の物まねをし始め、白人女性の意志を沈黙のうちに表象する存在として行動するが、彼女の権力を転置したり、くつがえすことはない。このため、召使は、家庭的な領域から政治的なことを取り去るような、感情の行き交いを行なうためのしるしを備えている。かくして、ノナ・ウースターは手紙のなかで、次のように記すのである。「サンチャゴの妻アナは、この季節のバギオにおける重宝な存在であった。彼女は最上のナプキンを洗濯してアイロンをかけ、そのほかに洗濯すべき小物があれば、どれでも洗濯し、アリスと私の髪をシャンプーで洗ってくれた。……グレゴリオは、旅の道中の完璧な召使であり、どんなことでも引き受けた」(N. Worcester: p. 92)。メアリ・フィーは、彼女の記述を善良な召使たちについての一連の穏やかな描写で締めくくる。そうした召使のひとりは、命をかけて、女主人の持ち物が火事で焼失するのを救うのである。たしかに、フィーはカピスでの生活について郷愁的になる。そこでは、

「東洋の静寂さ」（合衆国における「民主主義から生まれた新しい自信」の結果として示されるような、「有色人種のポーターの無作法さ」と対照的な）によって、彼女は「よく整頓された」家に連れ戻され、故郷で得ることがむずかしいような、熱帯地域における独立した生活に導かれるのである（Fee: pp. 246, 291）。モード・ジェンクスは、ボントックを去る夜に、次のように述べている。「昨日、私たちの召使たちが去ったとき、私は涙を流した。……バートもほとんど泣きそうだった。私たちは彼らについて多くのことを考えた。彼らは本当に善良な召使たちだった」（Jenks: p. 134）。他方、キャロライン・シャンクは、フィリピンを去るときのことを回想して、彼女の召使たちについて、そして白人の女主人と家令のナンバーワンとの間の愛情のほとばしりについてなつかしそうに語っている。「『誰が奥様の部屋を掃除するのですか』と彼は尋ねた。そして靴墨を差し出し、彼が『これは司令官さまの靴です』と憂鬱そうに言ったとき、私は悲しみで心が引き裂かれそうになった」（Shunk: p. 176）。

このように愛情のこもった別れの光景は、白人女性たちによる記述のなかできわめて共通に見られるものである。彼女たちは、白人への愛を黄色人種への愛情と交換するという空想を繰り返す。われわれは、こうした空想が、友愛的同化という観念のなかで機能するのをすでに見てきた。植民地の家庭的訓化状況のまぼろしは、相互認識というメロドラマ——現地住民の召使がこびへつらうことを望むようになり、その結果、白人女性たちの感傷的な支配を肯定する——のなかで最高潮に達する。現地住民の召使は、貴重な財産にふさわしく、不平等をロマンチックに描くためと征服の成り行きを称賛するための手段を提供する。帝国主義的郷愁というこのような瞬間は、女主人と召使との間の階層秩序を神秘化しながら、感傷的な分離のなかで維持される差異の秩序づけに対する愛情のこもった心遣いとして、家庭的訓化状況を記念するのである。(29)

【注】

（1）Helen Taft, *Recollections of Full Years* (New York: Dodd, Mead, and Co., 1914), p. 214. 以下、この文献の引用頁は本文中に示す。

（2）帝国主義とブルジョワ的家庭的訓化状況との本質的関係、とりわけ近代女性の主観性の登場に関する研究が増えており、そうした研究の一部を列挙すると以下のとおりである。Rosemary Maragoly George, "Homes in the Empire, Empires in the Home," *Cultural Critique* (winter 1993-1994), pp. 95-127; Jenny Sharpe, *Allegories of Empire: The Figure of Woman in the Colonial Text* (Minneapolis: University of Minnesota Press), 1993; Anna Davin, "Imperialism and Motherhood," *History Workshop*, no. 5 (1978), pp. 9-65; Ann Stoler, "Carnal Knowledge and Imperial Power: Gender, Race, and Morality in Colonial Asia," in *Gender at the Crossroads of Knowledge: Feminist Anthropology in the Postmodern Era*, ed. Micaela Di Leonardo (Berkeley: University of California Press, 1991), pp. 51-101; Vron Ware, *Beyond the Pale: White Women, Racism, and History* (London: Verso, 1992); Nupur Chaudhuri and Margaret Strobel, eds., *Western Women and Imperialism: Complicity and Resistance* (Bloomington: University of Indiana Press, 1992); Sara Suleri, *The Rhetoric of English India* (Chicago: University of Chicago Press, 1992); Margaret Strobel, *European Women and the Second British Empire* (Bloomington: Indiana University Press, 1991); Gail Bederman, *Manliness and Civilization: A Cultural History of Gender and Race in the United States, 1880-1917* (Chicago: University of Chicago Press, 1995).

（3）このような見解を示す兆候をもつ著作に、Stanley Karnow, *In Our Image: America's Empire in the Philippines* (New York: Ballantine Books, 1989) がある。また、David Joel Steinberg, *The Philippines: A Singular and a Plural Place*, 2d ed.(Boulder, Colo.: Westview Press, 1990)をも参照。

（4）たとえば、帝国主義的遺制のレンズをとおして合衆国の国民史とその歴史学研究を再検討するという、近年の新たな関心がもつ意義については、重要な論文集であるAmy Kaplan and Donald E. Pease, eds., *Cultures of*

United States Imperialism (Durham, N.C.: Duke University Press, 1993) を見よ。著名な研究者として、さしあたりウィリアム・アッペルマン・ウィリアムス、リチャード・ドリノン、マイケル・ロジンの名前を挙げておこう。彼らの著作は、いうまでもなく、帝国の資料をとおしてアメリカ国内の文化と政治について考えるために、欠くことのできない指針として機能してきた。フィリピンにおけるアメリカの支配の歴史に関して、旧説を打破するような、より最近の再解釈については、以下を参照。Paul A. Kramer, "The Pragmatic Empire: U.S. Anthropology and Colonial Politics in the Occupied Philippines, 1898-1916" (Ph.D. diss., Princeton University, 1998); Warwick Anderson, "Colonial Pathologies: American Medicine in the Philippines, 1898-1921" (Ph.D. diss., University of Pennsylvania, 1992); Michael Salman, "The United States and the End of Slavery in the Philippines, 1898-1914: A Study of Imperialism, Ideology, and Nationalism," 2 vols.(Ph.D. diss, Stanford University, 1993).なお、以下も参照。Vicente L. Rafael, ed., *Discrepant Histories: Translocal Essays on Filipino Cultures* (Philadelphia, Pa.: Temple University Press, 1995).

(5) Richard Drinnon, *Facing West: The Metaphysics of Indian Hating and Empire Building* (New York: New American Library, 1980).

(6) たとえば、以下を見よ。Donna Haraway, "Teddy Bear Patriarchy: Taxidermy in the Garden of Eden, New York City, 1908-1936," in *Primate Visions: Gender, Race, and Nature in the World of Modern Science* (New York: Routledge, 1989, pp. 3-51); Amy Kaplan, "Romancing the Empire: The Embodiment of American Masculinity in the Popular Historical Novel of the 1890s," *American Literary History*, vol. 2, no. 4 (winter 1990): pp. 659-690; Susan Jeffords, *The Remasculinization of America: Gender in the Vietnam War* (Bloomington: Indiana University Press, 1989); Bederman, *Manliness and Civilization*.

(7) 以下の論文を参照。Ann Stoler, "Carnal Knowledge and Imperial Power"; "Rethinking Colonial Categories: European Communities and the Boundaries of Rule," in *Colonialism and Culture*, ed.

Nicholas Dirks (Ann Arbor: University of Michigan Press, 1992), pp. 319-352; "Sexual Affronts and Racial Frontiers: European Identities and the Cultural Politics of Exclusion in Colonial Southeast Asia," *Comparative Studies in Society and History*, vol. 34 (July 1992): pp. 514-551.

(8) 進歩的かつ近代的勢力としての帝国主義は、アメリカ的思考が機能する多くの領域における重要な特色であった(そしてあり続けている)。そしてそれはしばしば、奴隷制度廃止論(たとえば、植民地支配を、フィリピンにおける奴隷制の現地形態の最終的痕跡を取り除くための手段としつつ)、キリスト教への改宗、そして、総督のひとりであったウィリアム・キャメロン・フォーブスが「仕事という空想物語」と呼んだもののレトリックのなかに織り込まれたのである。たとえば、以下を見よ。Salman, "The United States and the End of Slavery"; Kramer, "The Pragmatic Empire."

(9) *Census of the Philippine Islands* (4 vols. [Washington, D.C.: U.S. Government Printing Office, 1905]) によると、一九〇三年のフィリピンの全人口七六〇万人のうち、合衆国出身の白人は約〇・二パーセント、合計八一三五人であった。このうち、男性が六九二〇人、女性が一二一五人であった。つまり、一九〇三年には、アメリカ人社会の女性人口は全体のわずか一四・九パーセントにすぎなかった。アメリカ人は、その次に実施された一九一八年センサスでその実際の数が減少したものの、北アメリカ出身の白人社会のなかの男性と女性の比率は変化しなかった。もちろん、これ以外にも白人がおり、その構成は、スペイン人三八八八人、イギリス人六六七人、そして少数のフランス人とドイツ人などであった。*Census*, vol. 2, pp. 14-15, 44 を参照。

(10) 「有益な共和主義」という用語は、ワラス・ラドクリフ師から借用したもので、以下の文献から引用した。Stuart Creighton Miller, *Benevolent Assimilation: The American Conquest of the Philippines, 1899-1903* (New Haven, Conn.: Yale University Press, 1982), p. 171.

(11) たとえば、以下を参照。*An Army Woman in the Philippines*, by Caroline S. Shunk, Kansas City (Mo.: Franklin Hudson Publishing, 1914) への出版社の序文; *Death Stalks the Philippine Wilds*, by Maude Huntley Jenks (Minneapolis, Minn.: Lund Press, 1951) への著者の夫アルバート・ジェンクスの序文;

Recollection of Full Years, by Helen Taft (New York: Dodd, Mead, and Co., 1914)への序文; *An Englishwoman in the Philippines*, by Cambell Dauncy (New York: E. P. Dutton, 1906)のアメリカ版への序文。

(12) Mary H. Fee, *A Woman's Impressions of the Philippines* (Chicago: A. C. McClurg and Co., 1910), p. 44. 以下、この文献の引用頁は本文中に示す。

(13) Edith Moses, *Unofficial Letters of an Official's Wife* (New York: Appleton and Co., 1908), p. 310. 以下、この文献の引用頁は本文中に示す。ヨーロッパ人とヨーロッパ系アメリカ人の旅行記に関する優れた研究であり、本論文の執筆にあたり筆者が啓発を受けたものとして、Mary Louise Pratt, *Imperial Eyes: Travel Writing and Transculturation* (New York: Routledge, 1992)を参照。

(14) 合衆国の白人男権主義者たちによるフィリピンに関する記述の典型例として、Dean C. Worcester, *The Philippines Past and Present*, 2 vols.(New York: Macmillan Publishing Co., 1914); William Cameron Forbes, *The Philippine Islands*, 2 vols. (Boston: Houghton Mifflin Co., 1928)を参照。

(15) Nona Worcester, 1909, Bentley Historical Collection, University of Michigan, Ann Arbor, p. 7. 以下、この文献の引用頁は本文中に示す。

(16) Caroline S. Shunk, *An Army Woman in the Philippines* (Kansas City, Mo.: Franklin Hudson Publishing, 1914), p. 28. 以下、この文献の引用頁は本文中に示す。

(17) Alice Byram Condict, *Old Glory and the Gospel in the Philippines* (Chicago: Fleming and Revelle Co., 1901), p. 67.

(18) 白人女性たちの身体が非白人の身体に近づくと汚染されてしまうという悩みに潜在的に囲まれているという空想からみると——これは当時、合衆国でかなり広まった空想であるが——、植民地における白人社会の人種的ヒステリーの登場は——アメリカ本土と同様、イギリス、オランダ、フランスの植民地においても見られる——、肌の色の区別を超えた性的関係を規制する法律を洪水のように生み出したと考えられるであろう。しかし、そのようなことはフィリピンでは起きなかった。植民地フィリピンで反異種族混交法が制定されることはなく、非公式に人種差別が行なわれたにもかかわらず、黒人差別法は太平洋を渡って適用されることはなかったのである。確かに、植民地に関する記述は、ほとんどが上流階級のフィリピン人と合衆国からやってきた人びととのつきあいに関する多くの事例からなっている。植民地フィリピンではアメリカ人がきわめて少数——一九〇三年がピークで全人口の〇・二パーセント以下——であり、とりわけ植民地統治においてフィリピン人の協力を引きつける必要があったことからすると、人種差別の制度化は不可能であったに違いない。おそらく、肌の色の区別に関してはっきりした境界が設定されなかったために、合衆国からやってきた植民主義者たちの間での身体的・文化的統合の感覚を識別する上で、人種主義的言説がより重要になったのであろう。以下を参照。Vicente L. Rafael, "Mimetic Subjects: Engendering Race at the Edge of Empire," *differences: A Journal of Feminist Cultural Studies*, vol. 7, no. 2 (1995), pp. 127-149.

(19)家庭生活をかたちづくる建築様式に関するこうした議論は、以下の研究に負っている。Gillian Brown, *Domestic Individualism: Imagining the Self in Nineteenth-Century America* (Berkeley: University of California Press, 1990), pp. 71-72; Witold Rybczynski, *Home: A Short History of an Idea* (New York: Penguin, 1986).

(20)Fernando N. Zialcita and Martin I. Tinio, *Philippine Ancestral Houses*, Quezon City, Philippines: CGF Books, 1980, pp. 6, 19. なお、以下をも参照。Resil Mojares, *Casa Gorordo in Cebu: Urban Residence in a Philippine Province, 1860-1920* (Cebu, Philippines: Ramon Aboitiz Foundation, 1983).

(21)Dauncy, *An Englishwoman*, p. 339.

(22)こうした恐怖の封じ込めは、家庭生活に関わる技術のなかでも特別の役割をもつものである。家庭生活に関わる技術の多くは、とくに一九一二年後に出版された、家庭生活に関するさまざまな手引書や家事に関わる情報誌、そして公民科の教科書のなかで詳細に記述され、北アメリカ出身の女性たちやフィリピン人のエリート女性たちに対して、世帯をどのように管理し、召使たちをどのように監督するのかについて助言を与えている。軍事作戦と行政上の業務の言語の物まねをしながら、こうした手引書では、家政管理は、監視と介入の場として位置づけるための継続的過程として見なされる。家庭的訓化状況は、内側と外側との間、純粋なものと汚染されたものとの間の境界を再生産するための暴力の、日常的で合理化された管理業務として受け入れられるのである。たとえば、以下を参照。Mrs. Samuel Gaches, *Good Cooking and Health in the Tropics* (Manila: Bureau of Printing, 1922); Alice M. Fuller, *Housekeeping: A Textbook for Girls in the Public and Intermediate School of the Philippines* (Manila: Bureau of Printing, 1917).

(23) 私がここで述べるような女主人と召使の関係は、明らかに、植民地期フィリピン社会に特有のものではない。その理由のひとつは、家庭的な立派さを召使というそれとは区別されつつも効率的な存在とを結びつけた、一種の西欧ブルジョワ的生活様式のグローバル化にある。しかし、われわれが見るように、アメリカ支配下フィリピン諸島における隷属の人種的・性別的配置の特異性は、合衆国の中流白人女性と、アフリカ系アメリカ人やアジア系、ラテン系の移民の召使たちとの間で織り成す家事労働の力学に対して、類似性をもつと同時に際立った対照をなすものである。たとえば、以下を参照。David Katzman, *Seven Days a Week: Women and Domestic Service in Industrializing America* (New York: Oxford University Press, 1977); Phyllis Palmer, *Domesticity and Dirt: Housewives and Domestic Servants in the United States, 1920-1945* (Philadelphia, Pa.: Temple University Press, 1989); Judith Rollins, *Between Women: Domestic and Their Employers* (Philadelphia, Pa.: Temple University Press, 1985); Daniel Sutherland, *Americans and Their Servants: Domestic Service in the United States from 1800-1920* (Baton Rouge: Louisiana State University Press, 1981); Evelyn Nakano Glenn, *Issei, Nisei, War Bride: Three Generations of Japanese American Women in Domestic Service* (Philadelphia, Pa.: Temple University Press, 1986); Mary Romero, *Maid in the U.S.A.* (New York: Routledge, 1992). とくに男性の召使の問題について、フィリピンの事例をアフリカとの比較において検討した有益な研究として、Karen Tranberg Hansen, *Distant Companions: Servants and Employers in Zambia 1900-1985* (Ithaca, N.Y.: Cornell University Press, 1989) を参照。

(24) *Census*, vol. 2, p. 101 を見よ。この時期のフィリピンでは、家事労働がなぜ女性ではなく男性によって独占されていたのかという問題は複雑であり、本章の紙幅のなかで解答することはできない。

(25) Winnifred Hubble, Unpublished Papers, 1907-1908, Bentley Historical Collection, University of Michigan, Ann Arbor.

(26) Maude Huntley Jenks, *Death Stalks the Philippine Wilds*, ed. Carmen Nelson Richards (Minneapolis, Minn.: Lund Press, 1951), p. 90. 以下、この文献の引用頁は本文中に示す。

(27) 模倣、近代性、植民地的関係の相互関係についての刺激的な研究として、Michael Taussig, *Mimesis and Alterity: A Particular History of the Senses* (New York: Routledge, 1993)を参照。なお、以下をも見よ。Walter Benjamin, "On the Mimetic Faculty," in *Reflections: Essays, Aphorisms, Autobiographical Writings*, ed. Peter Demetz, trans. Edward Jephcott (New York: Harcourt Brace Jovanovich, 1978), pp. 333-336.

(28) 一九世紀後半と二〇世紀初頭の合衆国における中流階級的規範のなかで、召使を必要とすることが、そのひとの立派さを表すひとつの方法とされていたことを、ここで指摘することは有益である。つまり、召使が家庭にいるということは、召使の労働をとおして家庭的領域を管理する任務を負った妻として、女性たちを位置づける家父長的体制が機能していることを示す重要な指標としての役割を果たした。デービッド・カッツマンが一八八〇年代から一九二〇年代にいたる時期について記述しているように、「合衆国全土をとおして、当時、中流階級の生活様式においては、提供される気楽さのために、もしくは地域社会における家庭の地位を示すものとして、召使が必要とされた」(*Seven Days a Week*, p. 149)。こうした女性たちの多くが、以前から合衆国で召使を雇用していた経験があり、それゆえフィリピンにおける召使がスリルに富み満足を与える目新しいものに見えるようになったのかどうかということは、それほど問題ではない。むしろ重要なのは、家庭のなかでの隷属と、それに付随した政治的かつ象徴的秩序が、北アメリカと西ヨーロッパにおけるブルジョワ的覇権を構成する立派さについての観念のなかで、欠くことのできない部分だったことである。

ここでの焦点は、ブルジョワ的立派さへの要求それ自体が、経営管理労働を優先するなかで、家事労働を含めた肉体労働に対する需要を超越しようとする要求から分離することができなかったことにある。この場合もやはり、肉体的表現を否認し抑制する能力は、肉体労働と自分自身との距離をとるという立派さの観念のなかで問題にされながら、すでに示唆されているように、白人アイデンティティの形成においてまさしく決定的に重要なのである。こうしたことが意味するものは、身体の痕跡の消去としての白人らしさのコード化から、ブルジョワ的アイデンティティの形成を分離することが歴史的に不可能なことであり、さらに、ここで私が検討する植民地的文脈が、このような観察を明確化するためのひとつの方法にすぎないことである。

(29)現地住民の召使たちが自分自身の従属的地位についてどのように理解していたかについては、依然として疑問の余地がある。北アメリカ出身の女性たちの記述のなかの、現地住民による白人の物まねが果たした機能は、ガヤトリ・スピバックの主張を言い換えると、サバルタンのなかには話すことができる人びともいるが、それは、ほかの人びとの犠牲を伴ってはじめて可能になることを示唆するものである。とはいえ、フィリピン人作家カルロス・ブロッサンは、自伝のなかで、合衆国からやってきた女性司書の召使として、一九二〇年代にバギオで短期間働いたときの記述を残している。ブロッサンがイギリスと北アメリカの双方の文学の手ほどきを受けたのは、この女性司書メアリ・ストランドンをとおしてであった。後年、彼は、彼女の厚意に対して返礼することを試みて、アイオワ州に彼女の家族を訪ね、著書を一冊寄贈した。そして、また、ブロッサンは、西海岸の移民労働者であったとき、彼の兄弟とともにロサンゼルスの富裕な家族の召使として短期間働いていたことを記している。彼は、女主人に侮辱されたあと、この家を去った。植民地の家庭的訓化状況についてのブロッサンによる再解釈、フィリピンと合衆国の双方における彼と白人女性との屈折した複雑な関係、そして帝国主義的精神との関係においてではなく、むしろ社会主義的企ての実現への志向との関連における友愛的同化の概念の改造は、別稿で改めて取り扱う価値のある課題である。Carlos Bulosan, *America Is in the Heart* (1943); reprint (Seattle: University of Washington Press, 1973), pp. 67-75, 140-143を参照。

（永野善子訳）

【訳注】

（1）本書第3章訳注20を参照。

（2）本書第1章訳注1を参照。

（3）本書第2章訳注8を参照。

（4）本書第2章訳注16を参照。

（5）二〇世紀初頭にフィリピン革命軍との戦争でアメリカ軍が騎兵隊の前進基地として使ったことが、その始まりとなる。ブラカン州で戦死したアメリカ軍大佐の名を採って「フォート・ストッセンバーグ」と呼ばれた。一九一九年、この基地の一部が空軍基地となり、飛行中に事故死したハワード・クラーク少佐にちなんで新たに命名されたものである。第二次世界大戦後、アメリカ在外基地のうち最大の空軍基地であったが、一九九二年にスービック基地などともにすべての米軍基地がフィリピンから撤収された。

（6）本書第2章訳注7を参照。

第６章　国民性を予見して
――フィリピン人の日本への対応に見る自己確認、協力、うわさ

一八九八年にマリアノ・ポンセ（訳注１）――当時、彼は、スペインと交戦状態にありその直後に合衆国と対戦して短命に終わったフィリピン革命政権の駐日大使であったが――は、横浜から同志のひとりの民族《ナショ》主義者《ナリスト》に宛てた手紙のなかで、世紀転換期におけるフィリピン人の日本人に対する態度を次のように典型化している。

われわれは日本人に援助を要請しているが、それはわれわれが彼らと共通の守るべき利益をもつことができ、また人種の類似性（afinidad de raza）によって結ばれている唯一の民族だからである。そして、地理的に近接していることで、この二つの国は共通の運命（un mismo destino）をもつにいたっている……。日本人以上に、われわれの現在および将来の政治状況を理解する人びとはいない。(1)

そして、日本人と自分自身との想像上の同一意識を強調するかのように、ポンセは洋服を着た中国人の民族主義者孫文のそばに立ち、和服を着た自分自身の写真を民族主義者の同志たちに送っていた（写真６－１参照）。彼らの背後の壁にはフィリピン革命の指導者たち（エミリオ・アギナルド（訳注２）とアントニオ・

ルナ)[訳注3]の写真、そして女性の写真(ポンセの妻か?)がある。驚くべきことは、当時勃興しつつある相異なる民族主義的アイデンティティの間に見られた神秘的なまでの浸透性を、この写真が再び蘇らせている、その方法である。日本人、フィリピン人、中国人が、ヨーロッパを起源にもつ有産階級的表意《シグニファイヤー》を伴いながら、ともに並んでおり、そのありさまは、あたかも彼らの異なるアイデンティティの間の流通性と互換性を示唆しているようである。ポンセを魅了したのはおそらく、ほかの国民のアイデンティティとして認識しつつも同時にそれを自己のなかに取り込む可能性、区別しつつもひとつの文化からもうひとつの文化へ滑り込む可能性をこの写真が暗示していたことにあったのであろう。

最も高名なフィリピン人民族主義者ホセ・リサール[訳注4]のいくつかの手紙にも、これと似たような関心が時折示されているのに気がつく。ポンセの手紙からさかのぼること一〇年前に、リサールは東京から家族に宛てて次のように書き送っている。「私は予定よりも長く当地に滞在しています。というのもこの国は非常に興味深く、また将来フィリピンは日本と多くの接触と関係をもつことになると思われるからです。私はいま日本語を学んでいて、[そして]もう理解することができるようになっており、上手とはとてもいえませんが自分の言いたいことを表現できます」(2)。

日本についてのこうした表現やその他の言及に見られるように、フィリピン人民族主義者の第一世代は、日本が四〇年後に東南アジア諸民族を植民地化し彼らの間に宣伝しようと試みた「汎アジア主義」の、より大衆主義的な側面を先取りしていたように思える。実際、アメリカ植民地時代を通して、フィリピンの民衆的抵抗運動は、武器のかたちであるにせよ、あるいは直接的な軍事的介入のかたちであるにせよ、それによってこの国に独立がもたらされるような日本の援助を恒久的に請い求めるという特徴をもつことが多かった。こうして「日本」は、フィリピンの反植民地運動の歴史における一連の高度に

写真6-1　マリアノ・ポンセ（左）と孫文（右）、横浜のポンセ宅にて
（*Mariano Ponce, Cartas Sobre la Revolucion, 1897-1900*, Manila: Bureau of Printing, 1932）

緊張を帯びた足跡の一部となり、旭日旗の朝日を独立の光（iwanag）と結びつけるフィリピン人さえいたほどであった[3]。

国難に際しての援助源として日本を想定することができたのは、フィリピンを支配しうる存在として日本を見なしていなかったからである。ここに、太平洋戦争前のフィリピン人の日本に対する態度の根本的な特徴がある。つまり、日本はもうひとつの「国家」――すなわち植民地支配を受けず、歴史的自決権をもつ場所――と見なされていた。日本はフィリピンがめざしていたものを象徴していたのである。この国民性への強い願望こそが、フィリピン人に、日本とフィリピンとの間の「人種の類似性」、「共通の利益」、「共通の運命」といったことを語らしめる原動力となったのだ、と私は思う。彼らが思い描いた将来の日本との結びつきは、優越種への従属ではなく、互いへの敬意と相互的義務の関係によって特徴づけられたものであった。言い換えれば、日本がほかの諸国との相違を明確化できること――国民性《ネーションフード》の特徴――こそ、フィリピン人が見習ったものであった。

こうした相違にもとづく類似がフィリピン人民族主義者によってどのように演じられたかについては、リサールが家族に語った、あまり知られてはいないが大変興味深い逸話から知ることができよう。リサールは一八八三年にパリで日本絵画展を訪れているときに、当時のヨーロッパ在住フィリピン人の例に漏れず、「日本からきた人」と間違われた。そして絵を見ていたフランス人から、展示されている日本画について情報を提供してくれるように頼まれた。リサールはここで、自分は日本人ではないと訂正する代わりに、日本人になったという幻想に身をゆだねた。彼はさらに「日本の歴史に逃げ込み」、日本の憲法について語り、彼の知る日本人芸術家の伝記について語った。「彼らは［絵画の］描き方について尋ね、私の説明に魅了されていた」と率直に喜びを示しながら述べている。ところが、ある女性が絵の下の方にある日本語で書かれたものを読むよう頼んだとき、彼は一瞬大変な困惑に直面した。嘘が露見することを恐れつつも、リサールはさらにもうひとつの作り話をした。つまり、自分は西洋について学ぶために、幼少時に天皇によってヨーロッパに派遣されたグループの一員であるため日本語が読めず、その結果「われわれの母国語」を学ぶことができなかったのだ、と。(4)

この逸話は、ポンセの写真と同様に、誤りを出発点として用い、植民地的従属の境界線を書き換えている。リサールのパリの印象についての長く散漫な記事のなかにあって、この話は無駄話やゴシップのような感じがある。本当のところ、ここに何があるというのでも、ここから何にたどり着くというのでもない。とはいえ、この話はリサールとフィリピンにいる家族との間で交わされ、まるで誤認の楽しみに連座することを求めているかのようである。とすると、そうした楽しみはどこからくるのだろうか。

ここで注目に値するのはフィリピン人から日本人への想像上の移行を、ヨーロッパ人の推測によって突如促されたとはいえ、なおリサール自身がいかにたやすく身に引き受けたかということ、また、この存在論的な移行がいかに言語によって抑制されたかということである。日本語が読めないことで、リサールは自分と日本人とを区別する、変更のしようのない相違に気づいたが、しかし、それによってリサールはもうひとつの夢想を持ち出し、フランス人の話し相手の要求をかわしたのである。この場合、リサールは、日本を、人びとの生来の道徳的独自性はもちろん、いわんや肉体的な独自性よりもむしろ母語の特定性の上にその現実が立脚している国家である、と考えていたように思える。ほんのつかの間にせよリサールが自分を日本人として想像できたということは、血縁ではなく言語によってその範囲と統一が設定される国民的アイデンティティの虚構性と順応性を明らかにしている。(5) リサールは、誤認されたことへのほとんど天衣無縫と言ってもよいような喜びをもつことで、自分だって日本人になれたはずであった——実際ほとんどのヨーロッパ人はそう思い込んでしまったように——と言おうとしているように見える。つまり、それは、彼がスペインによって植民地化された単なる臣民である必要はない、ということを意味する。「日本」は、リサールに植民地の境界線の恣意性を悟る機会と所与のアイデンティティから抜け出す見通しを与えた。「日本」とともに、異なる歴史を想像し直す爽快な可能性が、たとえ空想上であるにせよ、現地住民《インディオ》としての自分のためにやってくるのである。こうして、誤認されることで、リサールはヨーロッパ人の他者から自分を峻別するさまざまな方法を試演する機会を得る。それは、あたかも国民的アイデンティティを表現することが、ほかの地域の異なるアイデンティティの登場の予見で——予期するという意味と先取りするという意味の両方で——色づけられているかのようである。

公定ナショナリズムの矛盾

この予見としての自己表現の過程は、二〇世紀前半を通してフィリピン人のアイデンティティ形成につきまとい、その分だけ問題をはらむことになる。対スペイン独立革命と連続して展開された、トラウマ的な対米戦争とそれに続くアメリカ植民地支配によって、すでに異種混淆的《ハイブリッド》であったフィリピン人の国民的アイデンティティは一層細分化され、地方化された縁故主義《パトロネージ》の構造、スペイン的キリスト教の遺産、そしてアングロ・アメリカ的な「植民地民主主義」といった制度的権力の間に捕らえられてしまった。民族主義的エリートたちは、諸現地語（タガログ、ヒリガイノン、セブアノ、イロカノなど）と二つの公用語であるスペイン語と英語のなかでうまく切り抜けなければならないという制約を受けた。アメリカの支配のもとで徐々に現れてきたのは保守的で反革命的な政治秩序であり、それは、ベネディクト・アンダーソン流に言えば「公定ナショナリズム」、すなわち民衆運動の覚醒に脅威を覚えた支配的エリート層、もしくは新興エリート層によって実行された「国民と帝国の意図的結合」である。[6] 公定ナショナリズムとは、一方において、国民性の創出に必要とされる象徴的な力の源泉を指導者層の手に集中し、他方において、社会階層の最下層からのより平等主義的な国民性の表出を押さえ込むという機能を果たすものである。フィリピンでは、公定ナショナリズムのおもな担い手はほとんどがメスティーソのエリートたちからなる中核的集団であり、彼らは対スペイン独立革命および対米戦争の軍人が多く、急速にアメリカ植民地政府の行政機構のなかに吸収されていった人びとであった。民族主義的エリート層の多くは、スペイン植民地主義の反動の権化たる修道会とは決定的に反目していたが、彼らは、アメリカに押しつけられた世俗化が進展しつつあった市場指向的な政府と協力することによって利益が得られることに、すぐに気づいたのである。[7]

スペインとは異なり合衆国は、武力と説得を組み合わせてフィリピン諸島を巧みに単一の行政単位に仕立て上げることに成功した。その過程で合衆国は、その大半が、一八世紀後半に出現し始めた地主メスティーソ階級の子孫によって構成される、文字通り全国規模の寡頭的支配層《オリガーキー》が創出される条件を規定していったのである。[8] 地方および中央政府の官職、公務員職への参入、そして一九三〇年代までには立法機構全体と行政司法部門の一部への支配を通して、植民地国家の行政組織に重要な利害関係を獲得するにつれ、彼らは国民性を想像する際の基となる象徴的源泉を独占するようになった。[9] 実際、彼らは自分たち自身を、守るべき共通の利益をもつ支配階級と見なすようになったばかりか、とくに合衆国との関係において、自分たち以外の国民を独占的に代弁する存在と見なすようになった。そして彼らは自分たちの階級的利益を国益と同一のものと信じたため、彼らの政治生命がフィリピン自体の存立そのものを決すると考えたのである。

フィリピン製品のアメリカ市場への優先的参入、エリート支配の国内的な脅威から安全を守るための警察と保安隊の創設、人びとのエリート層に対する正当性を保持するための仮想的独立の約束などの方策を通して、合衆国は結局のところ、フィリピンの新興寡頭的支配層の理想的な同盟者となった。皮肉なことに、アメリカ植民地支配下において、国家エリート層はかつてないほどに繁栄し、独立そのものが彼らにとって政治的にも経済的にも厄介な課題になってしまうほどであった。太平洋戦争勃発前夜に、彼らの多くは公には祖国が独立した地位を得ることを支持していたものの、ひそかにアメリカがフィリピンから撤退することの帰結——彼らの祖国と階級の双方にとっての——に疑念を表明するものがほとんどであった。[10]

戦争がついに開始されたとき、フィリピンは、その準備を怠っていた国——一九四〇年代半ばまでに独立するという約束を伴ってコモンウェルス政府[訳注5]の地位が付与されたばかりであった——として破滅的状態に陥り、エリート層の権威に深刻な危機をもたらした。フィリピン人の指導者たちは都市という安全な場に逃れ、彼らの伝統的な富の基盤である大農園《アシエンダ》を見捨てて農民に託したため、農民はすぐに地代支払いを拒否し、換金作物に代わり、コメやトウモロコシなどの食糧作物生産に切り替えた。敵国との通商を禁止した日本人によって、フィリピン人エリート層は、かつて莫大な利益をもたらしたアメリカ市場から切り離されたため、早々に経済的な優越性を失った。それに加えて、この新しい支配者には、かつて農民や無産者の挑戦から彼らを保護したような「法と秩序」をもたらすことを期待することはできなかった。[11] アメリカ当局と違って、日本当局は、エリート層の特権を保証するために、とくに地方における武装抵抗を十分に抑えるということができなかった。植民地支配者が交代するなかで、日本の占領はフィリピンの寡頭的支配層の脆弱さをあらわにし、したがって、階級的利益と国益との間の亀裂を痛烈なかたちで明らかにしつつ、植民地的庇護のもとでの公定ナショナリズムのもつ解決不能な矛盾を露呈したのである。いまや同盟者というより支配者の姿をとった日本、この日本の存在に対してフィリピン人が見せたこれまでの対応とは異なる側面を理解する試みは、この矛盾の文脈のなかでこそ可能となるであろう。

対日協力のレトリック

合衆国に逃れた人びとと異なり、フィリピン国内にとどまったフィリピン人指導者層の日本占領に対する典型的対応は、日本軍政当局への協力であった。この国の支配階級の大多数は、ごくわずかの例外を除き、しぶしぶ受け入れたか喜んで受け入れたかの程度の差こそあれ、日本を後ろ盾とするフィリピン行政委員会〔訳注6〕における地位や、一九四三年一〇月からは日本が承認した共和国における地位を受け入れたのである。

エリートの対日協力に対するこれまでの言い分は、次のとおりである。軍政という状況のもとでは、対日協力だけが唯一可能な選択肢であり、ほかの選択肢はありえなかった。実際のところ、日本と協力することによってフィリピン人指導者層は、戦争の暴力的な衝撃から人びとを守るために、地位を利用して占領の衝撃をかわそうとしてきた。「最も高い教育を受け、有能で、〔政治的〕経験に富むフィリピン人」(12)として、彼らは国民のために取り成しをする義務を感じ、「新体制」の要求と荒廃したこの国の必要との間を仲介したのである、と。

それ以上に重要なことは、戦後フィリピン人指導者層が、自分たちの協力は本当の意図を隠したものであり、その行動は紋切り型のジェスチャーにすぎず、また演説も、日本当局をだまして自分たちが彼らを支持していると思い込ませるように仕組んだ空っぽのレトリックにすぎなかった、と主張したことである。事実、彼らは、政府における彼らの地位を利用して、極東アメリカ陸軍（USAFFE）[訳注7]に情報を提供し、内密に連合軍のフィリピンへの侵攻に関する情報をほかの国民にもたらした、と考えていた。日本人に監禁されたゲリラを解放するよう働きかけるために、自らの特権的な地位を用いた、と主張する人たちさえいたのである。[13]

つまり、フィリピン人エリート層にとって、対日協力とは、この国の存続を保証し、米軍の帰還に備えることであった。対日協力は決して反逆などではない、むしろ地方におけるゲリラ部隊の武装抵抗と違わぬほどの英雄的行為と見なされるべきだ、と彼らは主張したのである。占領時代における自分たちの行為についてのエリートの弁護は、結局、言葉の意味を逆転させた。すなわち、「協力」は、実は対日「抵抗」であり、「抵抗」、とくに地方でのゲリラの側のそれは、実は合衆国との「協力」であった、と。日本の後ろ盾で成立した共和国の大統領であったホセ・P・ラウレル[訳注8]は、「みなが協力者であり、反逆者などいなかった[14]」と記している。

「抵抗としての協力」（あるいは逆に「協力としての抵抗」）という問題は、いまではおなじみとなった、「誰が誰のためにどういう状況で語る権利があるのか」、という問いの周囲を廻っていた。弁明の調子と内容から判断するならば、フィリピンの寡頭的支配層は、自分たちには国民を代表する当然の権利がある、と信じて疑わなかった。また、彼らの階級的利益と彼ら以外の国民の利益とが別のものである可能性について思いいたることもなかった。むしろ、彼らにしてみれば、対日協力こそ彼らがフィリピンを代表する手段に対する独占を守り抜くための論理的な方法であった。対日協力者の主要な論客のひとりであり、多作な民族主義的文筆家のクラロ・M・レクト[訳注9]は次のように述べている。「私たちは〔日本人〕

と協力する義務がある。同時に、日本の利益のためにせよ、それ以外のひとの利益のためにせよ、他者による支配が許容されるような状況を、私たちは容認できない」、と。ここで言う「他者」とは、非フィリピン人を意味するだけでなく、より厳密にいえば、全国規模の寡頭的支配層集団以外の人びとを指している。(15)

なぜフィリピン人エリートは、日本に対して語りかけ、また日本のために語ることによって、国民のために語り続けている、という考えに固執できたのだろうか。バタアン(訳注10)に退却する前に、フィリピン・コモンウェルス政府大統領マヌエル・ケソン(訳注11)とダグラス・マッカーサー(訳注12)将軍はともに、フィリピン人政府高官に対して、住民に対する戦争の影響を軽減することは何でも、たとえ限定的な対日協力を意味したとしても、行なうよう指示した。しかし、私が興味を覚えるのは、エリートの対日協力の動機についての言い分が本当なのか偽りかを評価することではない。そういうアプローチを行なうとしたら、協力と抵抗を区別する客観的で超歴史的な基準があることを前提としなければならないからである。むしろ、私としては、フィリピン人エリートが、彼らの行為から彼らの意図を、また彼らの言葉から彼らの意味を切り離したと主張した、その方法について問いたいのである。

著名な対日協力者たちの演説にざっと目を通すと、協力者のレトリックの誇張されたさまを感じとることができる。たとえば、当時の行政委員会委員長ホルヘ・B・バルガス(訳注13)は、日本占領の一周年記念日の演説を、次の言葉で始めた。「フィリピンとフィリピン人が再生したのは、大日本帝国の高貴さとその未来像のおかげであり、……その啓蒙政策が私たちの国家諸機関を尊重し励ましたからです。私たちが受けた莫大な恩恵に対して、私たちは日本にどれだけの公の謝辞を述べても足りないほどです(16)」。この演説やほかの多くの演説でもそうだが、バルガスは一様に、日本軍が「不屈の勇気に満ちて」いると述べ、「西洋の物質主義」に対抗する日本の「聖戦」を担うことができたことで、フィリピン人は常に「賞賛と感謝で満たされて」いると語った。同様に、日本人のフィリピン人観も積極的に受け入れられた。すなわち、「西洋の影響に対する中毒」の結果、「快楽への過剰な嗜好、努力や義務からの逃避、そして誤った希望で自分を慰めようとする願望」である。と同時に、フィリピン人救済のための日本の処方箋も受容された。それは、「勇気、忍耐、誠実、倹約、堅実、努力」(もちろん、このいずれもすでに日本文化の顕著な特徴である)といった「われわれがすでに喪失した東洋的価値観」を回復し、それによって「大東亜諸国のなかでわれわれがふさわしい地位を占めること」とされたのである。(17)

対日協力者のレトリックで印象的なのは、大東亜共栄圏のイデオロギーのおもな特徴——「東洋人」のためのある種の「東洋主義」——を再生産する機械的機能である。これらの演説の作為的な性質によって、そこにはあたかも人間的意図がないかのように見せている。純粋に紋切り型であることで、特定の個人から生まれたものでないような装いをしているのである。対日協力者の演説の空虚さは、部分的にはそれらが英語で書かれ、英語で話されたことにあるのではないか、と私には思える。日本は、とりわけタガログ語の使用と日本語の学習を促すことで、フィリピンから西洋の影響を除こうとしたのだが、それでも英語が引き続きなお、日本軍政当局とフィリピン人との間の意思伝達言語であった。実際、タガログ語の文学雑誌『リワイワイ(夜明け)』を除けば、占領期に公式に認可されたごく少数の出版物は、『トリビューン』のように、すべて英語であった。(18)

興味深い(そして私の知る限りおおよそ言及されていない)状況、すなわち、占領者と被占領者がどちらにとっても外国語である言語で結ばれていたという状況が生まれた。一九四〇年代までのフィリピン人エリート層はお互いの間ではたいていスペイン語で話し、合衆国からやってきた植民地政府役人などとは英語で話し、現地語で話すのは、自分たちと同郷の人びとや使用人など社会階層の低い者たちと話すときだけであった。アメリカの公的政策は、おもに公立学校制度を通じて英語を広めることであった。この計画は比較的成功し、植民地統治体制確立後わずか三八年の一九三九年にして、二六・六パーセントものひとが英語を話すことができたのである。さらに重要なことは、新世代のフィリピン人植民地官僚の間で英語がますます広く用いられるようになったことである。彼らは一九一六年以降に進展した植民地政府の急速な「フィリピン化」のもとで、公務員試験に合格するために、この英語という言語を知っておく必要があった。以前スペイン語にあった魅力を英語がもつようになったのである。その魅力とは、権力の源泉に語りかける能力を示すことで、植民地社会のなかの自らの地位を変えることができるというものである。

とはいえ、この植民地国家の上層部分について言えば、フィリピン人指導者層は英語よりもスペイン語を話し続けていたのである。これは、彼らの大多数が一九世紀後半のスペインの制度のもとで教育を受けたことを考えれば驚くにあたらない。言語学者のアンドリュー・ゴンサレスが言うように、「アメリカ植民地時代初期には、スペイン語が知識人〔階級〕の言語として用いられ続けた」。スペイン語はまた、太平洋戦争勃発までフィリピンの法廷で使用される言語を独占したため、フィリピンにおける植民地行政の手続きと同様に、植民地法制も主として英語対訳つきのスペイン語で行なわれたのである。(19)したがって、戦前のフィリピン人エリートにとって、英語は相変わらず新奇な外国語であった。英語はまだ、それ自体としては、スペイン語や現地語のようには階級のアイデンティティや国民意識を表現する主要な言葉として機能することはありえなかったのである。

国家エリートの間で英語が比較的なじみのないものであったことは、対日協力者のレトリックの性質とフィリピン人指導者層がのちに彼らの意図と彼らの言葉を切り離すことの容易さを説明するのに、部分的に役立つだろう。英語を通して日本に協力することにより、フィリピン人エリート層は、自分たちのものではないがある程度は使える言語のもとで従属に甘んじたように思われる。英語によって彼らは何かを取り戻すことができた――あるいは少なくともそう見えたのである。そうした方法で、戦後になってから、彼らは戦時の自分たちの声明を自分たち自身から切り離すことができた。それはあたかも、自分たちは英語で話したのだから非難には値しない、と言うかのごとくであった。[20] 英語で話すことは、他人の言葉を使って他人の考えを表明すること、つまりここではアメリカ人の言葉を使って日本人の考えを表明することであった。そうすることで、彼らは「新体制」の言説上の支配から距離をとるかたちで、フィリピン人であるということ――すなわち、異種混淆的で、スペイン語と現地語の双方を使用することで成立する自己と、その自己が語りかけ、また弁護する対象である想像の共同体と――を維持したのである。こうして、彼らは自分たちの対日協力任務を計略と同時に抵抗の一形態と見なした。クラロ・M・レクトが戦後まもなく記したように、対日協力のレトリックは「中身がなく」、「うわべだけ感謝を述べたもの」であり、「皮肉を込めた賞賛歌」であった。そうした演説のレトリックの大げささは、「フィリピン人指導者が見ざる、聞かざる、言わざるで行なった……騒々しい協力」を表明したにすぎなかった。[21] 彼らのレトリックの作為性を強調することで、対日協力者たちは英語のおかげで、何はさておき、すでに過剰なほど堂々と決定されていた人種と帝国の言説に、いわば二重の記号体系を与えることができたのである。[22]

このように、対日協力は言語的な次元をもっていた。それは、まさにほかの植民地言語である英語を配置して階級間紛争をひたすら曖昧にすることで、階級の特権を守ろうとする戦略として機能したのである。国家エリート層は英語が話せたため、引き続き自分たちを国民を代表する特権的存在として見ることができた。英語によって彼らは日本人に語りつつ、しかし、また日本人を超越することができ、日本人のイデオロギーをパロディ化しながら、なおかつ日本人の権威に服したのである。同様に、英語によって、彼らは彼ら以外のフィリピン人に、彼らがなお植民地権力の源泉と接点をもち交渉する能力をもち続けていることを示すことができた。英語の重要性は、日本人とフィリピン人指導者層との間の意思伝達媒体となったことよりも（伝達された内容は何であれ、フィリピン人指導者層によって覆され取り消されうるものと見なされていたにせよ）、むしろ英語の存在が、植民地支配下の意味体系全体をエリート層が特別にその手中に収めていたことを意味している点にある。多様な言語を操ることで彼らはさまざまに移り変わる立場をとることができた。すなわち、自らの階級的覇権を維持しようとする「対日協力者」として、占領を独立国家の基礎づくりのために用いようとする「国家建設者」として、そして連合軍への密かな支持者として、また日本の厳しい要求をそらす「愛国者」としてである。ホセ・P・ラウレルが回顧録で記しているように、「対日協力には英雄的性格がある。すべては対日協力の状況、動機、……手段、そしてその度合いによって左右される」のである。[23]ラウレルのような人たちは、英語を通して、動機を隠蔽し、二つの植民地権力の中心との親密さとそこからの隔離をともに成し遂げる手段を見出した。こうして彼らは、彼ら自身の権力基盤を保ったが、その本質は、いわば二つの帝国――合衆国と日本――と二つの国民――日本人とフィリピン人――との間の境界を往来し植民地化する、まさにその能力にあった。

だが、その一方、占領期にほかのすべてのフィリピン人が対日協力者のエリート的解釈を必ずしも快く受け入れたわけではない、ということにも注目すべきであろう。対日協力者の行動に関するエリート的見解が最終的に対日協力の歴史上の標準的な説明となったのは、一九四五〜四六年にアメリカの承認のもとで人民法廷が開廷され、複雑だが結局役に立たなかった一連の調査と告訴が行なわれ、それに引き続いて、一九四七年に新たに独立宣言したフィリピン共和国の初代大統領で、自分自身も対日協力者であったマヌエル・ロハス(訳注14)による恩赦が行なわれたのちのことであった。戦後における対日協力問題の解消と非政治化にまつわる詳細について、ここで考察する必要はあるまい。しかし、対日協力者でも抗日軍人でもなかったフィリピン人がいたわけで、彼らが占領という出来事にどう対応したのかを問うことはできよう。

うわさと国民性の予見

政府役人でなくもなく、エリートでもない人びとの対応の全体像について包括的見解を提示することは、この章の範囲をこえる。むしろ、私は、占領期のさまざまな記述のなかに幅広く触れられていないながら分析されなかったことに焦点をあてることにしたい。それは、マニラにおけるうわさの流行である。うわさは対日協力のレトリックとは大きく異なる様相を呈していた。対日協力が民族主義的表現の諸様相に対する支配の総合化をめざしたのに対して、うわさは、国民を表象するその他の情報源と経路を示唆する傾向があった。それらは、植民地支配における与えられたアイデンティティと定められた地位から逃れる傾向をもっていたという点で、ポンセの写真に見る誤認の瞬間やリサールの逸話を思い起こさせるような仕方で働いたのである。

テオドロ・アゴンシリョの二巻本である『運命の歳月――フィリピンにおける日本の冒険、一九四一――一九四五』(訳注15)は、日本占領下のフィリピンについて、最も広範に引用され、最も包括的な記述をもつ著作のひとつであり、うわさについて具体的に例証している。(24) アゴンシリョが残したフィリピン史の著作群は戦後の民族主義的思想に多大な影響を及ぼしたが、その彼の非凡なテキストを読むに際し、私は、占領という文脈におけるうわさが国民性を概念化する際に付随する緊張のいくつかを際立たせる、その方法に注意を促したいと思う。

この本は一九六〇年代に出版されたが、アゴンシリョ自身が序文で触れているように、その素材の多くは、戦時中彼が密かにつけていた日記や彼自身が交わしたり小耳にはさんだ会話の記憶をもとにしたものである。戦争勃発当時、大学を出たばかりの若者であったアゴンシリョはマニラに住んでいたが、それはいわば、自分が語る出来事の多くの参与観察者としてであった。確かに、彼の本は、日本占領についての歴史であるとともに民族誌でもある。それ自体としては巧みに逸話と分析の間を行き来しており、語りの様式を混ぜ合わせている。公的な記憶と私的な記憶を横断しながら、戦争という危機にさらされた人びとの主観的な状態の描写に没頭するその部分が、もっとも読者を惹きつけるところである。

その結果生まれたのが、独自の様式をもつ民族主義的歴史である。著者は、帝国主義間紛争の空間のなかに捉えられた国民性の常に揺れ動く位置を追いながら、出来事のさまざまな意味にたどり着くために異なる言語を翻訳するにつれ、多様な主体的位置をとらざるをえなくなった。苦難と究極的な勝利という弁証法的な語りをつくり出す代わりに、アゴンシリョの歴史は、過去を競合する部分的な諸解釈がちりばめられた場として配置する。

自分が生きた時代の特定の出来事に関わるときの歴史家の先入観と感情は、それ自体として重要で意味ある出来事であると同時に、その特定の時期の歴史の一部でもある……。このようにあらかじめ注意をうながしたので、読者は敏感となり、その結果、上記の点を加味した上で筆者を評価することであろう……。三年間の日本占領期の間に私が目にし、深く心動かされた出来事の語り手と解釈者として、私はこの本がようやく完成に漕ぎ着けたという気持ちと想いを表さずにはいられない……。私は極力……各章の文章の背後に隠れるように努めたが、しかし、私の声があまりに明瞭に響き渡っているので、鋭い洞察力をもつ読者はそれを容易に識別されるであろう……。一人称単数形の「私」という言葉を用いた所以である。(25)

このアゴンシリョの序文からの抜粋では、過去について書くことに対して彼自身個人的な関わりがあるという鋭い感覚を表している。自らの生活史が自国の形成におけるトラウマ的な時期と重なる第二世代の民族主義者として、彼は自身の声を、自分が描く出来事の一要素とせずにおれなかった。立ち現れる「私」は、語り手と語られる対象に分けられるほどに「容易に識別できる」。この「私」の境界線は、「私」が帰属する占領された諸島国家の境界線と、決定的なかたちで同じ広がりをもっている。それは歴史化された「私」として、われわれが民族主義的エリートの場合についてすでに見てきたのと同様に、とある場所と人びとのために、そしてとある場所と人びとから語るよう装わねばならないのである。実際に、この「私」が一貫性や権威をもっているとしたら、それが何であれ、この「私」が国民性の想像上の状態を代弁する役割を担い、同時に、そのための場となる能力を働かせていることを示すものである。アゴンシリョの序文は、植民地的な文脈における民族主義者のアイデンティティの構造につきものの、ある種扱いにくい分裂を描き出している。語り手であり、かつ書き手である「私」は、立ち現れようとしている「私たち」をあらかじめ想定しながら、不断の先取り状態で語り、かつ書かなければならない。

したがって、この「私」は、他者性を生み出すための要因と他者性を生み出す場の双方として作用する。それは、いわば、植民地社会からただちに識別されつつも、なおそれと結びついている想像上の他者によって、「占領された」自己なのである。

しかし、国民性の構造を予見する力学は、ほかにもさまざまなかたちをとりうる。私たちがすでに見たとおり、フィリピンの寡頭的支配層にとって、国民をあらかじめ想定することは、階級利益を守ることを意味していた。そのため、個人のものにできないばかりでなく、さらに責任を負う必要もないような言語で語る必然性が生じた。公定ナショナリズムの緊急事態のため、エリートは、対日協力というかたちで、二枚舌を国家政策として正当化することが許されたのである。これと対照的に、アゴンシリョの記述は、占領下における国民の出現が、国家の象徴的資源に接近する回路をもたない人びとの間で、どう予見されたかを明らかにしている。そのようなフィリピン人のために国民性を想像する別のスタイルが生まれ、強いられるままに、ある程度うわさが出回るという状況をもたらした。

もちろん、戦時やその他の状況において政府が深刻な危機下にあるとき、うわさは蔓延する。うわさは、物事のありさまについての合意済み公認版としての「真実」に取って代わってしまい、それらを押しのけてしまう。うわさは押さえがたい力をもち、広まっていくなかで、聞き手と語り手を、うわさを超えたところにあるものとの新たな思いがけない関係のなかにおくことができるようにしてしまう。うわさを聞き、輪のなかに加わることは、すでに起こった、あるいはこれから起こる可能性を語り継いで広めていくことであり、それによって、うわさの広まる範囲のなかに自分自身の位置を確保していくことである。潜在的実現可能事象（つまり、起こったかもしれない出来事や起こるかもしれない出来事）を思い浮かべる場所を自分のためにとっておくことで、ひとは潜在性そのものの流通を共有し始めるのである。言い換えれば、うわさは、現在の出来事が描く軌道と触れ合う場所で、歴史がどのように展開しうるのか、そしてどこかで権力がどのように拡散しているのかを指し示すのである。

しかし、また、うわさは検証を受けつけない。というのもひとたび検証されてしまえば、うわさはうわさではなくなってしまうからである。うわさというものは、認識論上は空白なのである。うわさがある種の隠れた言説と見なされる傾向にあるのは、こうした理由からである。ゴシップと同様、うわさは「わざわざ事象を領得することなしにすべてを了解することができる機会」[26]を提供する。了解と領得を分けてしまうことで、うわさは避けがたくも公的なものとなり、見境なく広まり（というのも、繰り返しになるが、うわさは広まらなければうわさでなくなるのだから）、ある種歴史的合法性を欠いているということで非難される。うわさは、記念されるように定められた出来事の狭間にあって「雑音」をなすのである。[27]

それでも、このもうひとつの歴史こそ、アゴンシリョの著書がとくに熱心に物語っているものである。その占領直前および占領期の日常生活の描写において、うわさは卓越した役割を演じている。

一九四一年の最初の数ヵ月間、コモンウェルス政府が極東の高まる緊張に直面したとき、太平洋における戦争のうわさと予言が、一般の人びとの心に浸透していった……。一九四一年中頃、マニラとその郊外には敵と通ずる集団があって、潜在的な敵に軍事その他の目標に関する重要なデータを提供する準備ができている、といううわさが広まっていた。[28]

うわさは、ここでは、意識的な調停をすり抜けるような、抵抗しがたいある種の力をもっている。それは、個人的打算や公的情報チャンネルの限界を超えてあふれ出るように思われる仕方で「心に浸透していく」。

われわれは、ジョナサン・ウェインライト将軍[訳注16]の降伏に関するよく知られたうわさのなかの、こうした過剰さを振り返ることにしよう。コレヒドール要塞の陥落の際に、

マニラではこんなうわさが広まった。日本軍に降伏したのは実はウェインライト将軍ではなく、彼に似た人だったのだ、というのだ。降伏の写真と、ウェインライトと称されるひとがKZRHラジオ・ステーションのマイクの前で映っている写真を見ると、彼はしわだらけで汚い制服を着ているのだが、一体そんなひとがどうしてウェインライトでありえようか、と人びとは問うたのである。そういうわけで、多くのフィリピン人たちは、ウェインライトは本当に降伏したのか、それとも山に逃れて一〇マイルにも及ぶアメリカの護衛隊が飛行機、戦車、銃、爆弾、そして食糧をもってくるのを待っているのか、と考え続けた。(29)

この場合、うわさは見ることと信じることを分けて機能している。公式メディアにおける敗北したウェインライト将軍の姿は、日本の捕縛の手を逃れたもうひとりのウェインライトについての物語を誘発しただけであった。うわさを通して、彼はどこへであれ飛ばされ、「爆弾と食糧」を期待して待つ人びとの切望の流れのなかの結節点となるのである。フィリピン人にとって、「ウェインライト」はひとであるとともに可能性そのものともなり、「マッカーサー」と同様に、現在の占領のときに対置しうるもうひとつの歴史の提喩となった。

序文のなかで、アゴンシリョは戦時期にうわさを書きとめたときにもっていた渇望の思いを綴っている。彼はもともとひとつの章をそのままそっくりうわさの既述にあてようと思っていたが、「いま一度考え直して……このやり方をあきらめ、そのかわりにいくつかの味わいのあるうわさを選び、数章に渡って分散させることにした」[30]のである。アゴンシリョがうわさに重要性をおいたのは、うわさが「運命の数年間に私が見たり感じたこと」の一部をなし、「生気のない文書類にほとんど全面的に依拠してしまうならば、歴史から色を、いや、生命そのものを奪ってしまう」[31]からである。歴史記述のなかでうわさに注目することで、アゴンシリョは、現実に起こったことと空想上の期待や思い巡らしとを区別する線を、ぼやかしているように思える。「生気のない文書類」に「味わい」を加えることで、うわさは、公共の利益がきわめて強く働く契機として理解される。占領の文脈において、うわさは日常生活が織り成す構造をかたちづくる、たぐい稀な力をもっていた。

たとえば、バタアン戦の長期化は、一九四二年のクリスマス前に日本がすぐに敗北するといううわさを生んだ。そうしたうわさは、マニラのフィリピン人たちの間で、共同で陰謀を企てようとする、ある種の暗黙の了解が生まれる素地となり、強い共同体意識が現れた。

　リサール通りやアスカラガ通りのような混雑した通りでは、人びとが互いにささやきあい、意味ありげに微笑むのが見受けられた。彼らのまなざしには奇妙な輝きがあり、それは彼らの卑しめられた生活にとって大変な価値をもつものであった。つまり、それは、端的に言えば、敵からの解放であった……。暖かい握手とともに別れを告げると、彼らは歩き続け、そしてまた別の男女のグループの前で立ち止まった。そこでは数分の間、彼らは永遠のごときの、言葉にならない幸福に満たさ

れ、新聞の一面からのニュースを交換し、再び日本は……バタアンで敗北しているという事実をもち出すのであった。(32)

それはあたかも、知られていることと知られざる事柄の間の境界が戦争によって混乱させられ、うわさがそれを変更する効果をもつかのようであった。こうして、うわさは、将来について空想をめぐらす言葉を設定しなおした。人びとがそうした想像に喜びを感じたのは、うわさが、支配の感覚とまではいかないが、勇気づけられる感覚を生み出したからである。それは、次のうわさが示すとおりである。

一九四二年二月のある快晴の朝、その水源から水を飲んでしまうような、不注意な喉の渇いた日本人を電気で殺すために、極東アメリカ陸軍が〔バタアンの〕川と池に電線を敷設した、といううわさが広まった。伝えられるところでは、幸運にもそのような苦境を経て生き残った日本兵が、「トゥービック・クルクル *tubig kuru-kuru*」、「ウォーター・ボイリング Water *boiring*」(訳注17)……と言ったという。(33)

ここで、日本人がだまされるとき、うわさはユーモアに変化する。日本人が服従するという見込みから笑いが起こるのではなく、日本人がうまく発音できないので笑うのである。戦争の生か死かという緊張した性質が、発音の間違いによってほんの一瞬打ち消されるとき、支配者と被支配者との間の残酷な権力関係は、人種主義的な報復によるよりも、むしろ駄洒落によって突然破裂されるのである。

もうひとつのうわさでは、聞き手と語り手は覗き見をするひとの立場におかれ、日本人の欲望といやらしさをとっくりと観察している。

一九四四年中頃、こんなうわさがしきりに広まった。フィリピンの日本人司令官が自分のプライベートな特別室で、体型の良いフィリピン人の娘にストリップショーをさせ、ひとり悦にひたっていた。彼の特別室は「ローマの休日」の雰囲気が漂っていたそうで、参謀たちも含め日本人さえもこれにあきれ返り、ついには帝国大本営にこの快楽三昧の将校の行為について抗議した。うわさによれば、このせいでこの将校は更迭されたという。[34]

このような話を通じて、ひとは想像上ではあるが、「新体制」の権力サークルのなかに入り込んでいけたのである。日本人将校のプライベートな特別室のどぎつい詳細描写によって、ひとは多面的な位置をとることができ、代わる代わるストリップを見ている将校、そのようなひどい光景に困惑する日本人上官、そしてストリップショーをすることを強要され、日本人に見られている自分の姿を見ざるをえないフィリピン人の娘の立場になることができる。話が将校の更迭で終わっていくのは、「ウォーター・ボイリング」の場合と同じく、日本人がフィリピン人に服従することがないままの、つかの間の勝利を表す。「快楽三昧の将校」の支配の終わりを想起することで、うわさは植民者と被植民者との間の序列を覆すよりというよりも、むしろ置換されるのである。

しかし、勇気づけられるうわさが広まる一方で、その正反対の性格をもつうわさ、つまり、死と災難のうわさも広まった。「人びとは、日本の憲兵隊による処刑についてささやいていた」し、また斬首や「日本人の残忍さ」について、とくに女性の強姦と関連してうわさしていた。[35]暴力と死についての話は、あまりに取り消しようのないほどのよそ者である日本兵の突然の出現を予期させる。かつてフィリピン人が日本に国民性の翻訳可能性を読みとり、それゆえに主権に関する同一の運命をもつ可能性を読みとったのに対し、占領期のフィリピン人は日本を無作為かつ解読不能の暴力源と見る傾向があった。

この暴力を体現するもので、もっとも平凡でよく言及されるのは、公衆の面前で平手打ちを食らわす日本の習慣であった。フィリピン人は平手打ちをされることに憤慨したが、それは彼らがそのなかに、応答できずにただ恥（hiya）のうちに耐えるしかない不当な「演説」を見てとったからである。したがって、平手打ちの意味についてのうわさがたつのも驚くべきことではなかった。そしてそれ以上に広範に広がったのは、平手打ちに対するいま述べたのとは異なる反応の仕方についてである。たとえば、公式の晩餐の最中にホセ・P・ラウレル大統領が日本の将校に平手打ちをされ、ラウレルはその将校の顔にアイスクリームを一皿投げつけて報復した、といううわさがあった。[36] この話では、うわさが聞き手と語り手を抵抗の場面に連れ出したため、平手打ちはドタバタ喜劇ではねつけられている。

その他もろもろのうわさは、日本の暴力と死の可能性についての不安を、もっともありふれた出来事の崩壊の話に置き換える傾向があった。アゴンシリョは、戦争による物不足のために中華料理店が日常的に犬と猫の肉を出している、というよく知られたうわさを紹介している。もっと怪奇的でおぞましいのは、中華料理店がついに赤ん坊の死体を料理に使い始めた、その証拠に最近赤ん坊の葬儀がなくなっている、といううわさであった。中華料理店の麺のなかに赤ん坊の体の一部、とくに指が混じっていた、という話が人びとの間に蔓延していたのである。[37]

上記のうわさでは、全体的に代替の連鎖が働いている。日本人の代わりに中国人――外国人であっても、フィリピン社会では、日本人よりははるかになじみの深い集団――が不可解な死の原因になっている。赤ん坊の死体は、「新体制」の暴力によって言葉を失ったフィリピン人の犠牲者を暗に示すものである。そして料理は、食事の代わりに死が蔓延していることに気づく文脈を提示する。こうした話は、日本による占領を劇的に不安定にする効果をもつイメージを与え、抑制され分散された仕方で、日常化した征服と通常化した暴虐の衝撃を繰り返すのである。うわさは、占領につきものの不安を代表し、どんなに薄められた仕方にせよ、それを統御する手段を提供した。うわさは戦争の混乱を取り除く方法となったのである。

対日協力者のレトリックとは異なり、うわさは偽装や二重性にもとづいていたのではない。逃げた将軍や赤ん坊の死体の話は、計算づくで言葉の意味を逆転させたり、一組の公的言説のセットをもうひとつの帝国言語を通して機械的に再生産させたりすることで生じたのではない。むしろ、うわさが出回って強い興味を引き起こすことができるのは、その現地語的な性格と関わりをもつものであった。うわさは、単にその地域の言語で語られがちだというのではなく、もっと重要なことは、「新体制」のイデオロギー的な指令とも、公定ナショナリズムの限界ともほとんど無関係な公的言説空間を、うわさがもっていた点にある。

だからといって、うわさが、より急進的な反植民地ナショナリズムの基盤をなしたと言うのではない。ただ、うわさは、いつか別の時間のどこか別の場所での潜在的想起に向けて、別の道筋を示唆したのである。これこそ、アゴンシリョが占領期の歴史を、当時のうわさを用いて「蘇らせ」ようとした理由である。初期の民族主義者たちの間での「日本人になること」の写真や逸話と同じように、日本占領期のうわさは、大きな歴史の語りの残余物にすぎない。だから、うわさは、過去についての解釈の中心を占めるよりも、むしろ歴史的に記念されない事柄を思い起こさせるのである。それは、人びとの間に共有された曖昧さと不確かさの感覚であり、そこでは、植民地支配のもとで、フィリピン人の国民性の偶然的境界線とありうべき将来が反復されたのである。

【注】

（1）Mariano Ponce, *Cartas Sobre la Revolucion, 1897-1900* (Manila: Bureau of Printing, 1932), pp. 121-123. この手紙がフェリペ・アゴンシリョに宛てられたものであることに注目したい。彼は革命政府の大使であるとともに、民族主義的歴史学者テオドロ・アゴンシリョの叔父にあたる。テオドロについてはさらに本章の後段で触れる。ポンセの日本に関するその他の賛辞については、Ibid., pp. 125-126, 148-149, 230, 240をも参照。

（2）Jose Rizal, *One Hundred Letters of Jose Rizal to his Parents, Brother, Sisters, Relatives* (Manila: Philippine National Historical Society, 1959), p. 343. リサールが日本に魅惑された様子の素描については、Leon Maria Guerrero, *The First Filipino* (Manila: National Historical Commission, 1974), pp. 194-196を参照。

（3）Reynaldo Ileto, *Pasyon and Revolution: Popular Movements in the Philippines, 1840-1910* (Quezon City, Philippines: Ateneo de Manila University Press, 1979), pp. 254, 298-299を見よ。またDavid Sturtevant, *Popular Uprisings in the Philippines, 1840-1940* (Ithaca, N.Y.: Cornell University Press, 1976)を参照。

（4）Rizal, *One Hundred Letters*, p. 119. なおpp. 21, 103をも参照。

（5）Benedict Anderson, *Imagined Communities: Reflections on the Origins and Spread of Nationalism*, 2d ed. (London: Verso, 1991)（邦訳、ベネディクト・アンダーソン著、白石さや・白石隆訳『増補　想像の共同体——ナショナリズムの起源と流行』ＮＴＴ出版、一九九七年）を参照。また私自身のアンダーソンに対する広範な説明として、Vicente L. Rafael, "Nationalism, Imagery, and the Filipino Intelligensia in the

Nineteenth Century" in *Discrepant Histories: Translocal Essays on Filipino Cultures*, ed. Vicente L. Rafael (Philadelphia, Pa.: Temple University Press, 1995), pp. 133-156を参照。

(6) Anderson, *Imagined Communities*, p.82ff（邦訳『増補　想像の共同体』一四八頁以下）。

(7) Peter Stanley, *A Nation in the Making: The Philippines and the United States, 1899-1921* (Cambridge, Mass.: Harvard University Press, 1974)を見よ。また、とくにReynaldo Ileto, "Orators and the Crowd: Philippine Independence Politics, 1910-1914," In *Reappraising an Empire: New Perspectives on Philippine-American History*, ed. Peter Stanley (Cambridge, Mass.: Harvard University Press, 1984)を参照。

(8) フィリピン社会史の標準的な手引書として、Alfred McCoy and Ed. J. De Jesus, eds. *Philippine Social History: Global Trade and Local Transformations* (Quezon City, Philippines: Ateneo de Manila University Press, 1982)がある。

(9) このような事態の展開の簡潔な要約として、Benedict Anderson, "Cacique Democracy in the Philippines: Origins and Dreams," in *Discrepant Histories: Translocal Essays on Filipino Cultures*, ed. Vicente L. Rafael (Philadelphia, Pa.: Temple University Press, 1995), pp. 3-47を参照。

(10) Theodore Friend, *Between Two Empires: Philippine Ordeal and Development from the Great Depression through the Pacific War, 1929-1946* (New Haven, Conn.: Yale University Press, 1965)を参照。

(11) Benedict Kerkvliet, *The Huk Rebellion: A Study of Peasant Revolt in the Philippines* (Berkeley: University of California Press, 1977), chap. 3とAnderson, "Cacique Democracy," pp. 13-15を参照。

(12) Jose P. Laurel, *War Memoirs*, Manila: Lyceum Press, 1962, p. 22.「フィリピン人の文化と価値観」という、抽象的対象物を具体化して捉えた概念のとりこになっているものの、対日協力の政治についての標準的な文献として、David Joel Steinberg, *Philippine Collaboration in World War II* (Ann Arbor: University of Michigan Press, 1967)がある。

(13) Nick Joaquin, *The Aquinos of Tarlac: An Essay on History as Three Generations*, Manila: Cacho Hermanos, 1983, p. 169を参照。また Claro M. Recto, *Three Years of Enemy Occupation* (Manila: People's Publishers, 1946), p. 76をも参照。

(14) Laurel, *Memoirs*, p. 48. 同様の考え方について、Recto, *Three Years* および Armando J. Malay, *Occupied Philippines* (Manila: Filipiniana Book Guild Series, 1967) を参照。

(15) Joaquin, Aquinos, pp.158-159より引用。また、Recto, *Three Years*, p. 79およびDavid Joel Steinberg, "Jose Laurel: A 'Collaborator' Misunderstood," *Journal of Asian Studies* 24, no. 4 (1965), pp. 651-665を参照。

(16) Malay, *Occupied Philippines*, p. 193より引用。

(17) Ibid., pp. 163-164, 165-166, 171-175, 184-190. また、Jose P. Laurel, "The Inaugural Address of President Jose P. Laurel, October 14, 1943," appendix of *The Fateful Years: Japan's Adventure in the Philippines, 1941-1945*, by Teodoro Agoncillo (Quezon City, Philippines: R. P. Garcia Publishing Co., 1966), vol. 2, pp. 1000-1011を参照。

(18) Teodoro Agoncillo, *The Fateful Years: Japan's Adventure in the Philippines, 1941-1945* (Quezon City, Philippines: R. P. Garcia Publishing Co., 1966), vol. 2, pp. 350, 443, 454を参照。また、Victor Gosengfiao, "The Japanese Occupation: 'The Cultural Campaign,'" in *Rediscovery: Essays in Philippine Life and Culture*, ed. Cynthia Lumbera and Teresita Maceda (Quezon City, Philippines: National Bookstore, 1977), pp. 170-183を見よ。日本の文化政策とフィリピン人の対応の概観として、Gina Barte, ed., *Panahon ng Hapon: Sining sa Digmaan/Digmaan Sa Sining* (日本占領期――戦争における絵画技法と絵画技法における戦争), Manila: Museo ng Kalinangan Pilipino, 1992を参照。

(19) Andrew Gonzalez, *Language and Nationalism: The Philippine Experience Thus Far* (Quezon City, Philippines: Ateneo de Manila University Press, 1980), pp. 28-33.アメリカ植民地統治下の言語に関する

私の見解は、このゴンサレスの本に依拠している。また、現地語、とくにマニラ地域におけるタガログ語が、アメリカ統治期に抵抗の言語として重要な役割を果たしたことに留意すべきである。ちょうどアメリカによる占領の最初の一〇年間、現地語文芸、とくに小説、詩、劇の開花が見られ、そしてそれらは反植民地的独立派の心情に彩られていた。現地語とスペイン語のバイリンガルな新聞もいくつか定期的に発行された。しかし、アメリカが民族主義感情を抑圧していったことと、フィリピン人知識人が徐々に植民地国家に協力するにいたったことが相俟いて、現地諸語は公式の言説の周辺に追いやられてしまったのである。

(20)ホルヘ・バルガスの言葉を引くならば、「私は、日本軍政に対して協力したが、それが非難に値するものだという自責の念に駆られたことは、いかなるかたちであれ、ひとときたりともない」(Malay, *Occupied Philippines*, p. 6からの引用)。

(21)Recto, *Three Years*, pp. 15-16. Renato Constantino and Letizia Constantino, *The Philippines: The Continuing Past* (Manila: Foundation for Nationalist Studies, 1978), p. 117も参照のこと。

(22)日本人の人種および帝国の観念については、John Dower, *War without Mercy: Race and Power in the Pacific War* (New York: Pantheon Books, 1986)（邦訳、ジョン・ダワー著、猿谷要監修、斎藤元一訳、『容赦なき戦争』平凡社、二〇〇一年）。

(23)Laurel, *Memoirs*, p. 57.

(24)テオドロ・アゴンシリョ（一九一二～一九八五）はミラグロス・C・ゲレロとの共著で *History of the Filipino People* (Quezon City, Philippines: R. P. Garcia Publishing Co., 1960) を著したが、これはフィリピン史の標準的な大学の教科書となり、戦後の民族主義的歴史記述をかたちづくった最も影響力のある本のひとつとなった。アゴンシリョはバタンガス州で、革命と密接な関わりをもった家族に生まれ、アメリカが創立した国立フィリピン大学で教育を受けた。彼は歴史学者になる前に著述業や文学批評の仕事をしていた――当時歴史学研究はおおよそ素人と一般の知識人が携わる分野であった。戦後フィリピン大学歴史学科に奉職し、長年学科長を務めた。アゴンシリョとの一連の印象的なインタビューとして、Ambeth Ocampo, *Talking History: Conversations*

with Teodoro A. Agoncillo, (Manila: De La Salle University Press, 1995)を参照。
(25) Agoncillo, *Fateful Years*, pp. vi-vii.
(26) Martin, Heidegger, *Being and Time*, trans. John Macquarrie and Edward Robinson (New York: Harper and Row), 1962, p. 213（邦訳、マルティン・ハイデッガー著、細谷貞雄訳、『存在と時間』上、筑摩書房〔ちくま学芸文庫〕、一九九四年、三六〇頁）。この文献やうわさがもたらす作業に関するその他多くの考え方を教示してくれたジム・シーゲルに感謝したい。
(27)「うわさ rumor」は、ラテン語の「雑音」という言葉からきている。また、このこととの関連で、うわさのもつ潜在的な反逆性を示唆する意味で、「新体制」によって流言を犯罪と規定した法が制定されたことに注目するのは興味深い（Agoncillo, *Fateful Years*, pp. 311-312を見よ）。
(28) Agoncillo, *Fateful Years*, pp. 51, 54.
(29) Ibid., pp. 297-298.
(30) Ibid., p. viii.
(31) Ibid., p. vii.
(32) Ibid., p. 161.
(33) Ibid., p. 160.
(34) Ibid., pp. 588-589.
(35) Ibid., p. 310. Constantino, *The Philippines*, p. 57をも参照。
(36) Agoncillo, *Fateful Years*, p. 400.
(37) Ibid., pp. 584-585.

（宮脇聡史訳）

【訳注】

(1)一八六三年生、一九一八年没。フィリピンのサントトマス大学で医学を修めたのち、一八八七年にスペインに渡り「プロパガンダ（啓蒙宣伝）運動」に参加する。ホセ・リサール、マルセロ・デル・ピラールとともにプロパガンダ運動の「輝ける三人」と称された。一八九六年にフィリピン革命が勃発すると、その支援活動に参加した。一八九八年には革命政府指導者エミリオ・アギナルドの特使として日本に派遣された。日本亡命中の孫文などの協力を得て武器調達には成功するが、輸送にあたった布引丸の沈没で挫折。その間、横浜で孫文と親しく交流し、一九一二年にはマニラで『孫文伝』を出版した。

(2)本書第1章訳注19を参照。

(3)一八六八年生、九九年没。科学者かつ随筆家。一九世紀末のフィリピンを代表する画家ファン・ルナの弟としても知られる。フィリピンのサントトマス大学で学んだあと、マドリード中央大学で薬学博士号を取得。プロパガンダ運動に参加して、機関誌『ラ・ソリダリダード』に多くの随筆を執筆した。フィリピン革命期の勇将として知られるが、一八九九年六月に革命政府指導者アギナルドの部下により暗殺された。

(4)本書第1章訳注2を参照。

(5)一九三五年一一月に発足した独立準備政府。大統領にマヌエル・ケソン、副大統領にセルヒオ・オスメーニャが就任。アメリカ大統領が任命する高等弁務官がおかれ、国防、外交、通商、財政の分野の権限はアメリカに残ったものの、内政面では同自治政府がほぼ担当した。日本占領期（一九四二〜四五）には、アメリカの首都ワシントンで亡命政府を組閣した。一九四六年七月のフィリピン独立により、コモンウェルス政府はその役割を終えた。

(6)日本がフィリピンで軍政を発令した一九四二年一月から四三年一〇月まで日本軍政監部（初期は日本軍政部）が設置したフィリピン人による中央行政組織。ホルヘ・バルガスを委員長とし、ベニグノ・アキノ・シニア（内務）、ホセ・P・ラウレル（司法）、クラロ・M・レクト（教育厚生）などを長官として発足した。その後、日本政府はフィリピンの対日協力体制が整い、独立を許容することが戦争遂行上得策と見なして、日本軍政のもとでのフィリピン独立の準備を進めた。こうしてフィリピンは一九四三年一〇月に日本軍政下のフィリピン共和国として

「独立」したが、実質的な軍政はその後も続いた。

(7)ユサフェ。太平洋戦争勃発直前の一九四一年七月にアメリカの極東防衛軍として組織される。フィリピン軍を中心とした軍隊で、在比アメリカ軍が指揮をとり、一九三五年からフィリピン軍顧問を務めていたダグラス・マッカーサーが司令官に就任。本部はマニラにおかれ、発足と同時にフィリピン人一〇万人を召集した。一九四二年五月の在比アメリカ軍の日本軍への降伏前後から、正規軍とは別にユサフェ・ゲリラが組織され、フィリピン全土で日本軍に対抗した。

(8)一八九一年生、一九五九年没。日本軍政下のフィリピン共和国大統領。イェール大学法学博士、東京帝国大学名誉博士号をもつ。一九二三年にレナード・ウッド総督の内務長官に抜擢され、辞任後、上院議員、憲法制定議会代議員、最高裁陪審判事、司法長官などを歴任、日本軍政期には共和国大統領（一九四三年一〇月〜四五年八月）に就任した。フィリピン独立後には一九四八年に大統領恩赦で対日協力の罪を免れ、五一年には上院にトップ当選し政界に復帰した。

(9)一八九〇年生、一九六〇年没。非妥協的対米自立路線を貫いた政党政治家。一九一九年に下院議員として政界入り、三一年に上院に選出され、三四年に憲法制定議会議長を務める。フィリピン独立後の一九四九年に上院議員となり、五三年に再選、五七年には大統領選に出馬したが落選した。

(10)太平洋戦争中の「バタアン死の行進」で有名。一九四一年四月、マニラ湾に突き出たバタアン半島で極東アメリカ陸軍が日本軍に降伏。その後、捕虜となったフィリピン軍人・民間人やアメリカ軍人合計一〇万人以上が、ルソン島中部タルラック州まで一〇〇キロ以上の道のりを歩かされた。この「死の行進」による犠牲者はフィリピン人一万六〇〇〇人、アメリカ人一二〇〇人といわれている。

(11)本書第1章訳注4を参照。

(12)本書第1章訳注8を参照。

(13)一八九〇年生、一九八〇年没。フィリピン・コモンウェルス政府の内閣官房長官を務める。日本軍政下の一九四二年一月から四三年一〇月にはフィリピン行政委員会委員長に就任。以後一九四五年八月まで日本軍政下フィリピン共和国の初代駐日大使となる。日本軍のタガログ語国語化政策やフィリピン精神高揚運動を強く支持した。

(14)本書第1章訳注26を参照。

(15)Teodoro Agoncillo, *The Fateful Years: Japan's Adventure in the Philippines, 1941-1945*, Quezon City, Philippines: R.P.Garcia Publishing Co., 1966, 2 vols. なお、第一巻前半部についてのみ日本語訳がある。邦訳、二村健訳『運命の歳月――フィリピンにおける日本の冒険、一九四一――一九四五』第一巻、井村文化事業社、一九九一年。なお、アゴンシリョについては、本書第1章訳注28をも参照。

(16)一八八三年生、一九五三年没。一九〇六年にウエストポイント・アメリカ陸軍士官学校を卒業後、〇九年にはじめてフィリピンに派遣される。一九三八年に准将に昇格、四〇年にフィリピンに再度派遣され、マッカーサー将軍指揮下におかれる。一九四一年一二月に日本軍がフィリピンを攻撃、ただちに北部ルソンの空港を制圧し、リンガエン湾に上陸した。この日本軍の速攻に対して、マッカーサー将軍はすべての軍隊をバタアン半島に撤退するよう命令した。一九四二年二月にマッカーサーがオーストラリアに脱出後、極東アメリカ陸軍の指揮をとったのが、ウェインライト将軍である。彼は一九四二年五月に日本軍に降伏、自ら「バタアン死の行進」に加わり、第二次世界大戦終了まで日本軍の捕虜となった。

(17)"L"の発音ができない日本人を茶化して、「沸騰している水」を意味するタガログ語の"tubig kulu-kulu"と英語の"water boiling"を、このように綴ったものである。

第3部　変わるホセ・リサール像

フロロ・C・キブイェン

第7章　リサールとフィリピン革命

深い断絶が、現代の歴史家たちの生きる世界と一九世紀の民族主義者《ナショナリスト》たちの生きた世界とを隔てている。過去の革命の時代を生きた農民たちと有産知識階層《イルストラード》(訳注1)の双方にとって、今日当然視されている説——リサール(訳注2)が、スペインに在住していたほかの改革主義者たちと同様に同化を支持し、彼自身のブルジョワ的地位に従って革命を拒絶した——ほど、ばかばかしく聞こえるものはないだろう。この説は、同時代の人びとによるリサールの理解とは確実に異なるものである。たとえば、リサールのいとこで、海外留学時代にリサールの同僚であったガリカーノ・アパシブレは次のように記している。

> 私は、晩年のリサールと親交をもたなかった幾人かの著述家たちによって、誤ってリサールの意見とされてきたものについて触れたいと思う。そのなかには、悪名高いレターナ(訳注3)が、われわれの国民的英雄に関するその著書『ホセ・リサール博士の生涯とその著作』(一九〇七)のなかで述べたものが含まれている。こうした著述家たちは、リサールが分離主義者ではなく、スペインを愛していた人物であると断言してきた。彼がスペインに行く前、つまり、彼の国を覆う真の状況を見出す前にはおそらくそうだったのだろう。彼はとりたてて分離主義者というわけではなかった。もっとも、私はこの点についても疑問を抱いている。なぜなら、彼がまだここ〔フィリピン——訳者〕に

いるときですら、その行動や意見において、彼は真に民族主義的なフィリピン人だったからである。しかし、私はスペインで彼と合流したとき、彼が徹底した、揺らぐことのない分離主義者であることに気づいた。われわれが最初に交わした会話だけをとってみても、彼が真っ先に私に語ったことのうちのひとつは、当時、われわれの母国と呼ばれていた国に彼がひどく幻滅していたということだったのを、私は覚えている。彼によれば、その当時のスペインの状況とスペイン人の意見の大勢とは、フィリピン、すなわちわれわれの国は、スペイン支配のもとでは良いことは何も期待できないし、また期待すべきでなく、スペインからの分離を達成したあとにのみ、われわれはわれわれの社会的、市民的、そして政治的望みを達成できるというものであった（Alzona, 1971: pp. 233-234; 傍点筆者）。

ホセ・アレハンドリーノ――ドイツ時代のリサールのルームメイトで、のちにフィリピン革命において将軍のひとりとして傑出した存在となった――は、アパシブレと同じ見解を示し、「幾人かのリサールの伝記作家たちが、リサールは一八九六年革命に全面的に反対していたと叙述していること」を奇妙だとしている（Alejandrino, 1949: p. 4）。

秘密結社カティプーナン[訳注4]の会員《カティプネーロ》たちは、リサールの同輩である有産知識階層よりさらに一層先を歩んでいた。彼らは、リサールを、フィリピン革命[訳注5]のシンボルおよび精神的支えとして崇敬してきた。たとえば、結社幹部の間ではリサールの名前が合言葉として使われた。リサールの写真は、カティプーナンのどの会議場にも掲げられた。そして、カティプーナンの指導者たちの演説は常に、フィリピン、自由、そしてリサール博士のために、という万歳三唱で締めくくられたのである。[1]

こうしたリサール崇拝は一八九六年以降も続いた。一八九八年には、リサール没後二周年を追悼記念して、アギナルド(訳注6)率いるフィリピン共和国が、殉難者リサールの名前を次のように呼び起こす冊子を発行した。

ホセ・リサールという名前となったこの言葉は、天からフィリピナスの地に遣わされたものである。子ども時代からその人生のすべてを捧げて、正義とは全身全霊をかけて闘いとるべきものであるという意識を、この広大な諸島において広める努力をするために（Ileto, 1982: pp. 319-320）。

革命指導部はこのようにリサールを崇拝していたので、リカルテ(訳注7)――革命がアメリカ軍に敗北したことを認めるのを拒んだ有産知識階層出身の革命家――は、国の名前の変更を提案することさえ思いついた。リカルテが作成した革命憲法草案では、フィリピン諸島は「リサール共和国」となり、その市民は、フィリピン人ではなく、「リサール人」と呼ばれることになっていた（Ricarte, 1963: p. 139）。アギナルド麾下フィリピン共和国の軍隊が降伏したあとも、農民たちはしばらく、リサールの名のもとにアメリカ人たちと闘い続けた。イレートは次のように述べている。

アメリカ統治の最初の一〇年間に書かれた「騒乱」の報告のほとんどすべてにおいて、社会不安の背後にある事実上の「精神」として、おしなべて……リサールが「狂信的な」指導者たちのなかに生まれ変わった姿を描いた記述がある。一九二〇年代にはランタユグが自分自身をリサールの生まれ変わりであると宣言し、東ビサヤと北ミンダナオで広範な支持者を獲得した……。一九二〇年代と三〇年代に植民地支配に抵抗したほかの農民指導者たちも、リサールと連絡をとっていると主張したのである（Ileto, 1982: p. 323)。

これらの事実は、リサールを解釈する上で最も重要なことである。実際に、リサールの時代には、リサールを反革命主義者とするコンスタンティーノ(訳注8)の見方は、不条理とは言わないまでも奇異なものと思われたことであろう。リサールは驚異的に才能に恵まれた改革主義者であり、彼の政治的目標はフィリピンのスペインへの同化と現地住民《インディオ》の「スペイン化」であったという、現在一般的となっている見方は、実のところ、大量殺戮を伴ったフィリピン・アメリカ戦争(訳注9)のあとに、アメリカの植民地主義者たちが広めたものであった。

アメリカ人の植民者たちは、当初、ともに反革命論者であった二つの情報源からリサールに関する知識を得ていたようである。親米的なトリニダード・H・パルド・デ・タベラ博士(訳注10)と、「悪評高い」ウェンセスラオ・E・レターナである。医師であり、サンスクリット学者、そして民族史研究家でもあったタベラは、スペイン体制崩壊後、ただちにアメリカ人に協力を申し出た最初の有産知識階層のひとりであった。レターナは、反リサール派で親修道士的なジャーナリストであったが、スペインの敗北後に心変わりし、一九〇七年に多くの資料を渉猟した最初のリサールの長編伝記『リサール博士の生涯とその著作』を著わした。タベラとレターナの二人は、リサールがさまざまな才能をもつ自由主義者かつ改革論者の知識人で、ボニファシオ(訳注11)の蜂起に反対したにもかかわらず、あらゆるフィリピン人愛国者たちのなかで最も敬愛された人物であったという見方を共有していた。この説の明らかな矛盾にもかかわらず、アメリカ人たちは、それが彼らの植民地支配の政策課題に最も適していると判断したのである。

アメリカ当局とのインタビューのなかで、タベラが明らかにした見解によれば、結社カティプーナンが革命の計画についてリサールに助言を求めたとき、「リサールは計画に反対し、革命は適切ではないと言い」、この国にふさわしいのは「人びとの進歩と教育」であると助言した。ところが、そのとき、「ボニファシオは、真実を知らせる代わりに、リサールが和平ではなく革命を勧告したとフィリピンの人びとに伝えた」という。

しかし、リサールが反革命主義的改革論者であり、つまるところ、彼はスペインに心から忠実な臣民であったという、今日一般的に受け入れられている解釈を全面的に展開したのはレターナであった。また、リサールが同化主義的改革主義者であったと想定する証拠となる一次資料を提供したのも、レターナであった。リサールの政治的意見に関するレターナの解釈には、リサールの小説の最初のアメリカ人訳者チャールズ・ダービシャー（これまでのところ、最良の英訳である）も同調した。ダービシャーは、『ノリ・メ・タンヘレ（われに触れるな）』（一九一二）の訳者前書きで、レターナの同化主義者説をあらためて繰り返している（Rizal, 1912: pp. xi-xii）。この説は、二人目のリサールの伝記作者となったアメリカ人歴史家オースティン・クレイグによって取り上げられ、一般に広められた。クレイグによる伝記『リサールの家系、生涯、仕事』（一九一三）と『リサールの生涯と短編』（一九二七）は多くの読者を獲得し、アメリカ版公定リサール像を創り出した。しかし、これらの読み物はどんな文書資料にもとづいているのだろうか。これらの資料はどれほど妥当なのだろうか。これは重大な歴史学研究上の問いである。

リサールをイバルラ[訳注12]と同定したレターナの誤った認識は、容易に退けることができる。なぜなら、リサール自身が二度にわたってこの解釈が間違っているとはっきりと述べているからである。一度目は、

『ラ・ソリダリダード』誌上でのバランテスとの論争で（一八九〇年一月一五日）、リサールはイバルラの見解を共有しないときっぱりと表明している。

二度目は、ホセ・アレハンドリーノとの会話で、リサールは、彼にとって英雄はイバルラではなくてエリアスであると打ち明けている。(訳注13)アレハンドリーノの引用によると、リサールは次のように断言したのである。

　クリソストモ・イバルラの代わりにエリアスを殺してしまったことを、私は後悔している。しかし、『ノリ・メ・タンヘレ』を書いたとき、私はひどく健康を損ねていて、『ノリ』の続編を書き、革命について語ることができるようになるとは思ってもみなかったのだ。さもなければ、私は、気高く愛国的で無私で私心がないという性格——革命を導く人間には必要な資質である——をもつエリアスの命を永らえさせただろう。これに対して、クリソストモ・イバルラは、自らの利益、人格、愛するもの、そして彼が神聖であると思っているあらゆる物が傷つけられたときにはじめて、反乱を煽動しようと決意した利己主義者であった。彼のような人間がいては、彼らの計画の成功を望むことはできないのである（Alejandrino, 1949: pp. 3-4）。

ここでわれわれは、レターナが提示した一次資料を検討することにしたい。マヌエルに始まり、アゴンシリョ、そしてコンスタンティーノにいたる歴史家たちはみな、革命に対するリサールの立場を示す最も信頼すべき確たる論拠として、レターナによる一次資料に依拠してきたのである。まず、マヌエルによるサイデ批判から検討を始めよう。

サイデ対マヌエル――リサール論争の始まり

初期のリサール研究者たちと歴史家たちのなかで、アメリカ版公定リサール像に対抗する見解をもつにいたった人物は、グレゴリオ・サイデ博士[訳注14]であった。彼は、小論「リサールは革命に反対したのか」（一九三二）において、リサールが革命を支持していたと主張した。サイデが論拠として示したものは、結社カティプーナンの事務局長という要職にあり、その創設メンバーでもあったピオ・バレンスエラ博士自らが、一九一四年五月二七日に執筆した回想録である。バレンスエラは、一八九六年六月後半に、リサールと面談した上で革命の計画について助言を求めるため、アンドレス・ボニファシオを議長とするカティプーナン最高幹部会議によってダピタン[訳注15]へ派遣された。バレンスエラはまた、カティプーナンの蜂起の直後にスペイン軍が最初に逮捕したカティプーナン会員たちのひとりでもあった。回想録のなかで、バレンスエラは、カティプーナンの計画の概要を聞いたのち、リサールが答えたことを次のように記している。

> したがって、種は育つ。結社の決断はきわめて正しく、愛国的で、何より時宜に適っている。なぜなら、スペインはいま、キューバの革命で弱っているからだ。結社の決断を支持し、この好機をいかすためには、計画ができる限り早く実行に移されることが望ましいと思う（Valenzuela, 1978: p. 92)[2]。

サイデは、リサールの姪の曾孫にあたるアスンシオン・ロペスと結婚したリサール研究者Ｊ・Ｐ・バントゥグ博士からこの文書を入手したのち、バレンスエラにインタビューを行ない、「リサールは革命を支持していた」、そして「独立は乞うものではなく勝ち取るものであると、リサールは信じていた……。リサールの信条は、真の革命――フィリピンの自由のために最後まで戦うこと――であった」という明白な証言を得たのである（Zaide, 1931; Manuel, 1934: p. 542より重引）。

残念ながら、これは、この問題に関する最終的な見解とはならなかった。なぜなら、サイデの小論が発表された三年後、新進気鋭の歴史家であり人類学者のE・アルセニオ・マヌエル(訳注16)がサイデに対する批判を発表し（一九三四）、レターナのコレクションから得たより信頼度の高いほかの一次資料にもとづいて、サイデの論拠に異議を唱えたからである。こうした資料は、すべてバレンスエラの証言を否定するものであった。それは次の四点である。

①リサール自身が書いた文書。スペイン軍法会議の反逆罪裁判における被告答弁のための一八九六年一二月一二日付のリサールの覚書、「ホセ・リサール博士の被告答弁」と一八九六年一二月一五日付の「フィリピン人たちへの声明書」。

②一八九六年一二月二五日に、軍法会議でリサールの弁護士D・ルイス・タビエル・デ・アンドラーデが読み上げた最終弁論、「リサール弁護録原本」。

③一八九六年九月六日付のスペイン当局に対する捕虜ピオ・バレンスエラ博士の供述とその後の補遺、「ピオ・バレンスエラによる供述補遺」。

④バレンスエラの九月六日証言を裏づける、捕虜ホセ・ディソン・イ・マタンサのスペイン当局に対する証言(3)。

上記の一次資料のうち、リサールが同化主義者であり反革命的政治意見をもっていたことを示す、最も信頼にたる論拠と一般に考えられている文書は、リサールが反逆罪に対する軍事裁判を待つ間に監獄で書いた、一二月一五日付の声明書であった。以下は、その第二段落である。

親愛なる同胞諸君。私は、ほかの誰にも負けないほどわが国の自由を望んでいるということを、何度も証明してきた。私は、今も自由を望み続けている。しかし、私は、自由を獲得する前提条件として国民の教育が必要であり、そのような教育と勤勉さによって、国民が独自の個性を獲得し、望むような自由に値することになるだろうと主張した。私は、自らの著作のなかで、学習と市民道徳の必要性を提言してきた。というのも、それがなければ、いかなる救済も不可能だからである。私はまた、下からなされる改革は暴力的で一時的な動乱であり、改革はそれが実を結ぶためには上からなされなければならないと記してきた（そして、私の言葉はほかの人びとによっても繰り返されてきた）。このような考えを心底信じているため、私は、私の背後で画策されたこのばかばかしく野蛮な反乱を非難せざるをえないし、事実非難する。このような反乱は、われわれフィリピン人の名誉を汚し、スペイン人自由主義者など、われわれの味方をしたかもしれない人びとの面目を潰す。私は、この反乱が犯した罪を憎悪するし、反乱には一切関わらないだろう。心の底から、私は、軽率な思い違いをしてしまった人びとを哀れに思う。彼らを家に帰したまえ。そして、誤った信仰のもとに行動してしまった人びとを神がお許しくださいますように。王立サンチャゴ要塞にて、一八九六年一二月一五日（オースティン・コーツの英訳より。Coates, 1968: pp.

299-300)。

リサールの声明書は、バレンスエラのダピタン訪問について触れた一二月一二日付のリサールの覚書の内容と首尾一貫している。その覚書は次のように始まっている。

私は、一八九六年七月の一日か二日にピオ・バレンスエラが訪ねてきて反乱について知らせてくれるまでは、何が計画されているのかまったく知らなかった。私は、彼に、反乱はばかげているというようなことを言った。すると、彼は、彼らがもうこれ以上苦しみに耐えられないと答えたので、私は忍耐が必要なことなどを助言した……。さらに、私のことを考える必要はないが、反乱によって苦しむことになるこの国のことを考える必要があるとつけ加えた……。

私は、反乱のばかばかしさと時期の悪さだけでなく、スペインが近いうちにわれわれに自由を与えると期待しているため、常に反乱には反対してきたのである（テオドロ・M・カラウの英訳より。Manuel, 1934: p. 565 より重引)。

D・ルイス・タビエル・デ・アンドラーデは、一八九六年一二月二五日に、軍法会議におけるリサールに対する最終弁論を締めくくる陳述で、リサール証言を次のように繰り返した。

最後に、本年六月のピオ・バレンスエラとの会談に関しては、彼〔リサール〕が無罪を証明したということと以外に、彼に対するいかなる容疑も成立しない。なぜなら、もし彼が反乱を承認せず、彼らに計画を断念させようとしたのなら、このことは、彼が反乱に一切参加せず、共感もしなかったことを決定的かつ絶対的に証明しているからである。これとは逆に、リサールがこれらすべてのことに関する指導者であり主唱者であるとすれば、彼の命令なしには誰も行動を決定できないだろう（カラウの英訳。Manuel, 1934: p. 565 より重引）。

これらの文書は、これに先立つバレンスエラの獄中証言を裏づけるものである。マヌエルによれば、バレンスエラは、収監中の九月六日と一〇月六日に、二つの首尾一貫した供述を行なった。以下は、一八九六年九月六日のバレンスエラの供述である。

去る五月頃、彼〔バレンスエラ〕は、ダピタンへ行きスペインに対する武装蜂起を決行することの適否についてリサールと協議するよう、ボニファシオから委任された。リサールは蜂起に対してはじめから頑強に反対し、その話が出たときには激しく怒ったため、ダピタンに一ヵ月間滞在するつもりだった証人は、次の日に再び乗船してマニラに帰ることを決めた。マニラに到着するとただちに、彼は会談の結果をボニファシオに報告した。ボニファシオは知らせを聞くやいなや激昂し、リサールを臆病者と呼び、証人には会談の不本意な結果についていっさい他言しないよう命令した（国立歴史研究所によるスペイン語原文の英訳より。Valenzuela, 1978b: pp. 158-159）。

マヌエルはまた、この供述を裏づけるカティプーナン会員ホセ・ディソンの証言も取り上げている。マヌエルは、一八九六年九月二三日付のディソンの獄中証言を引用はしていないが、それについて触れている。以下、ディソン自身の証言を引用しよう。

ピオ・バレンスエラは、リサールとの協議のためにダピタンへ行く旅費をまかなう目的で、ボニファシオの説明によれば、一〇〇〇ペソ以上を裕福なフィリピン人たちの会合から集めた。偽装のために、彼は盲目の男と召使を同道し、リサールに彼らの治療を依頼した。この会談の目的は、武装蜂起の開始に関する助言を求めることであった。バレンスエラは、帰京すると、リサールはいかなる武装蜂起にも絶対的に反対していると述べた。リサールの回答を受けて、カティプーナンの秘密会議が招集され、別の計画が提案された。ボニファシオが私に説明してくれた計画とは次のようなものであった。すなわち、兵士を多数ダピタンへ向かう蒸気船に乗せる。この兵士たちは、船が外洋に出たらただちに乗員を制圧し、船を強奪するよう指示される。そして彼らはダピタンへ向かい、リサールを連れ出し、どこでもよいので可能なところへリサールを連れて行く、というものである（国立歴史研究所によるスペイン語原文の英訳より。Dizon, 1978: p. 202）。

マヌエルによれば、投獄中のカティプーナン会員バレンスエラ・イ・ディソンのこうした一八九六年証言は、一九一四年のバレンスエラの回想録と明らかに矛盾する。ここで研究者は、どの文書に依拠すべきかという問題に直面するが、マヌエルは、次のような理由で先に書かれた文書を選択するのである。

使者が会話を紙に記すまでに時間が経過してしまったために、この回想録は、この種の文書につきものである不正確さをはらんでいる。バレンスエラ博士自身もこのことに気づいていた〔一九三四年五月二七日付のバントゥグ博士への手紙のなかで」。ラングロアとセーニョボス両教授がある共著のなかで次のように述べている。「回想録は事実が発生した数年後、とくに著者の職業上の経歴の終わり間近に書かれることが多いため、数え切れないほどの間違いを歴史に持ち込んでしまう。回想録を扱う際には、それが同時代の証言のように見えようとも、二次的文書として、とくに疑いの念をもって取り扱わねばならない」(Manuel, 1934: p. 566)。

しかし、マヌエルは、一九三一年にサイデがバレンスエラにインタビューを行なったとき、バレンスエラが新たな証言——獄中での自らの供述より回想録の方を肯定し、リサールがフィリピン革命を支持していたことを繰り返し述べた——を行なったことを思い起こす必要がある。当時、バレンスエラは六〇歳代のはじめで、きびきびとして健康的な人物であった。さらに、バレンスエラひとりが後世になって改めて証言を行なったわけではなかった。ここまで見てきたように、リサールの幾人かの仲間たちもまた、彼が分離主義者で、親革命的な立場をとっていたことを、それぞれの回想録のなかで証言している。しかし、より重要なことは、バレンスエラが、自分の獄中での証言がリサールや当時投獄されていたほかのカティプーナン会員たちの不利に働くことを恐れて、彼らを巻き込むことを慎重に避けたということを、時が経ってから認めたことにある(Quirino, 1978: p. iii)。

それにもかかわらず、見たところ疑う余地のない一八九六年の証拠文書をマヌエルが提示したことにより、サイデ博士の反論は早々に歴史解釈のごみ箱へと退けられ、忘れ去られた。そして、「リサールはフィリピン革命を好まなかったし、好んだはずがない」(Manuel, 1934: p. 566) という説を強力に唱えたマヌエルの痛烈な小論によって力を得て、タベラ＝レターナ＝ダービシャー＝クレイグによる解釈が、今日にいたるまで異論のない定説とされてきたのである。

この「公定リサール像」はまた、コンスタンティーノの批評によって最も能弁に表現されたように、一九六〇年代に左翼民族主義者たちがリサールを非難する根拠となった。この反リサール派には、二つの異なる立場がある。ひとつはテオドロ・アゴンシリョ(訳注17)が信奉するような、より穏健な、あるいはより脆弱な見方である。もうひとつは、コンスタンティーノが提唱した、より過激な見解である。アゴンシリョは、ボニファシオ・H・ギリェゴが刊行間近のリサールに関する自著の原稿についてコメントを求めた際、その返事のなかで、リサールを「消極的な革命家」、「革命的改革論者」、あるいは「改革主義的革命家」と呼ぶべきかどうかについては、態度を保留している（Gillego, 1990: p. 5)。にもかかわらず、アゴンシリョは、リサールを、スペイン支配のもとでフィリピン人を教育するという「不可能な計画を主張した理想主義的な夢想家であると性格づけている。アゴンシリョによれば、「リサールは、いわば、フィリピン人に、小麦を与えずにパンを焼けと要求していた」(Gillego, 1990: p. 6)。さらにアゴンシリョは主張する。「リサールの影響が大衆に届くことは決してなかった。なぜなら、第一に、リサールは人びとが理解できない支配者の言語を用いて書いたからであり、第二に、彼の考えは、人びとがスペイン語を知っていることを仮定していたので、むずかしすぎて理解できなかったからである」(Gillego, 1990: p. 7)、と。ギリェゴはアゴンシリョの手紙の抜粋だけを再出版したので、アゴンシリョが、ギリェゴへの返事のなかで、何らかの証拠文書に言及したのかどうかははっきりしない。しかし、アゴンシリョは、自らが執筆し、広く出回っているフィリピン史の教科書のなかで、マヌエル（一九三四）が依拠していたのと同じ一八九六年のバレンスエラ証言を引用しているのである。

コンスタンティーノの解釈は、リサールの全面否定である。皮肉なことに、この解釈は、レタ一ナやクレイグといった聖人伝的伝記作家の基本的な前提、すなわち、リサールはフィリピン人のスペイン化を目標とする改革論者であり同化主義者であった、という解釈を共有している。コンスタンティーノの場合は、その結論だけが異なっている。確かに、このような前提が与えられれば、それが唯一の論理的な帰結となる。聖人伝的なリサールの伝記と比べると、コンスタンティーノの説が、これほどの説得力をもつ所以である。一九六九年のリサール追悼記念日にコンスタンティーノがサンチャゴ要塞で行なった有名な講義「理解なき崇拝」のなかで提起され、左翼民族主義者たちの「公式見解」となったコンスタンティーノの主張は、以下のようにまとめられよう。

リサールは、ブルジョワ的改革論者、同化主義者（つまり、彼は「現地住民をスペイン人と同程度の水準にまで引き上げ、スペイン化すること」を切望したという意味において）、そして反革命派であった。それゆえ、彼はわれわれの国民的英雄にはなりえない。しかし、彼がわれわれの国民的英雄であるという事実——このことは、自由主義諸国の歴史において、われわれを独自な存在たらしめている——は、われわれの物乞い的植民地精神と、リサールの後ろ盾となっているアメリカ人植民者たちへの従属を露呈するものである。われわれの精神を脱植民地化する第一歩として、リサールのような有産知識階層の呪縛からわれわれ自身を解放しなければならない。われわれは、国民的英雄の称号によりふさわしい人物を探すべきである。そして、そのような人物とは、スペインに対する革命を開始した革命集団カティプーナンの創設者アンドレス・ボニファシオである（Constantino, 1969）。

コンスタンティーノ陣営の年若い仲間のひとりのビベンシオ・ホセも、(訳注18)有産知識階層対大衆という命題を繰り返した。けれども、ホセは、アントニオ・ルナとリサールを対置し、斬新な解釈も取り入れている。ホセは、両者の主たる違いは、ルナが有産知識階層出身という壁を越え、その結果民衆の闘いに全力を注いだのに対して、リサールはその壁を乗り越えず、それゆえ同胞から疎外されたまま、その同胞の革命を「激しく」否定した点にあると論じている（Jose, 1979: p. 154）。ホセによれば、ルナは、「反帝国主義者であり続け、国家の独立と共和国の革命的な民主的理念を強く支持し、そして衝突が長引いてもなお、人びとが帝国主義的圧政者の力に立ち向かう能力を信頼していた」のに対し、リサールは、「徹底した同化主義的理想」を自身のうちに培い、「［スペイン植民地制度の］根本的な想定と構造に決して挑戦しなかった」。このため、フィリピン革命においてルナは積極的役割を、リサールは消極的役割を、それぞれ「意識的に演じる」ことになったのである（Jose, 1979: pp. 154-155）。

ホセがコンスタンティーノの説を繰り返しているとするなら、ギリェゴはアゴンシリョの説を受け売りしている。ギリェゴはその著『改革主義へのレクイエム——改革と革命をめぐるリサールの思想』（一九九〇）の「著者前書き」のなかで、次のように述べている。

> リサールは、その熱烈な言葉と思想を通して、虐げられた大衆にスペインの束縛から自らを救うよう鼓吹したが、リサール自身はその階級的出自に従順であり続けた。彼は、自らのブルジョワ的遺産を否定した上で、抑圧された農民たちとの間の高まる境界を超えることができなかった（Gillego, 1990: p. 10）。

このように、アゴンシリョ、コンスタンティーノ、マヌエル、ホセ、そしてギリェゴにとって、リサールの書簡、彼が書き残したこと、彼の小説や小論、フィリピン同盟[訳注19]の活動、彼と同時代の人びとが言ったこと、そしてカティプーナン会員と大衆がどのようにリサールを理解していたかということは、いずれも決定的な証拠ではない。彼らにとって決定的証拠とは、むしろリサールが一八九六年の最後の数ヵ月に言ったと伝えられていること、すなわち、バレンスエラの獄中証言や一二月五日のリサールの声明書なのである。リサールが書き、言い、行なった、あらゆることについて遡及的解釈を行なうための土台となったのは、この二つの文書であった。したがって、リサールの最後の数ヵ月と、この時期のあらゆる入手可能な文献証拠を検討することが決定的に重要である。

ここでは、以下の二つの根本的な問題に取り組みながら、この論争を解決することにしたい。その第一は歴史学研究上の問い、すなわち、マヌエル、アゴンシリョ、そしてコンスタンティーノが、革命に対するリサールの政治的立場を解釈する上で依拠する歴史的資料はどれほど有効なのだろうか、である。そして、第二の問いはリサールの殉難の意味、すなわち、リサールの「自発的な犠牲」が革命闘争に与えた影響はどのようなものだったのだろうか、である。この二つの問いに答えるために、いままで検討されてこなかった文書資料と口頭資料の双方に批判的な論理的解釈を施すことにしよう。

まずはじめに、証拠文書から検討する。コンスタンティーノの議論に従うと、リサールは革命を二度にわたって裏切ったようである。はじめは、キューバ革命のとき、スペイン軍の従軍医として仕官することを自発的に志願して、スペインへの忠誠を示すことによって。次いで、フィリピンで革命がついに勃発したとき、それを非難することによって。そのとき、彼は、蜂起が「犯罪的であり」、「野蛮であり」、そして「ばかげている」と非難し、同胞たちに武器をおいて蜂起を中断するよう熱心に説いたという。革命に対するリサールの二度の裏切りに関するこの問いを解決するために、マヌエル、アゴンシリョ、コンスタンティーノが、彼らの有名な評論のなかですでに引用している文書資料に目を向けることにしよう。

バレンスエラの回想録は、最初の問い、すなわち、リサールが自発的にキューバに行ったことについて明瞭な答えを与えてくれる。一八九六年にダピタンでリサールの計画について彼と交わした会話を、バレンスエラは次のように記憶している。

〔リサールは〕、フィリピン総督〔ラモン・ブランコ〕を通して彼がスペインの国防大臣〔マルセロ・デ・アスカラガ〕に宛てた、キューバでの軍医職に志願する手紙について話してくれた。まだ返事がないと彼は言っていた。私は、キューバ駐留スペイン軍最高司令官ウェイレルが、カランバ農園にまつわるもめごとではリサールの敵であり、彼を撃つかもしれないと言って、彼の志願に反対した。私の反対に対して、リサールは、彼の方が先にウェイレルを撃つかもしれないと答えた。彼は、自分が軍医に志願した目的は、実践的に戦争を学ぶことであり、もしフィリピンの窮境を改善する方法を見つけようと思うなら、キューバの軍隊を経験することだと言った。彼は、たとえ軍医としてキューバに向かうことが認められたとしても、必要が生じたときにフィリピンに帰れるだろうと説明したのである（Valenzuela, 1978a: p. 97; 傍点筆者）。

しかし、上述のようにマヌエルは、バレンスエラの一九一四年の回想録が、彼自身の二つの獄中での供述（一八九六年九月六日付と一〇月六日付）によって否定されており、信頼できるものではないとの疑問を差し挟んでいる。マヌエルによれば、獄中での二つの供述は、もうひとりのカティプーナン会員ホセ・ディソン・イ・マタンサの獄中証言（一八九六年九月二二日）によって裏づけられたものであり、このことから、この二つの供述がより信頼できるものと判断されるのである。

そこで次に、われわれは、コンスタンティーノらがリサールの同化主義と反革命的思想を証明する論拠として用いた二組の、彼らの議論にとって実は不利と思われる証拠文書、すなわち、①バレンスエラの証言と②一二月一五日のリサールの声明書とを検討しよう。

＜ピオ・バレンスエラの証言＞

マヌエルらは、相互に矛盾していると彼らが主張する、バレンスエラの二つの獄中証言と一九一四年の回想録には詳しいが、一九一四年の回想録を裏づけるバレンスエラの一九一七年の民事法廷での、最後となった三番目の宣誓供述を意識していないようである。

フィリピン革命発生時スペイン政権下の捕虜であったバレンスエラは、一八九六年九月二日から一三日にかけて一連の五つの供述を行なった。さらに、一八九六年一〇月六日と七日に、もう二つの補足証言を行なった。マヌエル、アゴンシリョ、コンスタンティーノが証拠を引き出しているのは、一〇月六日の証言である。「彼がホセ・リサールと協議するためにダピタンへ行ったとすると、その協議の目的とは何だったのか」という問いに対する、バレンスエラの回答の一部抜粋は次のとおりである。

証人〔ピオ・バレンスエラ博士〕はリサールに訪問の目的を説明したが、証人が言っていることを理解するやいなや、リサール博士は、証人が思い出すことができないような哲学の原理を引用して、「だめだ、だめだ、だめだ、何度でも言う。だめだ」と叫んだ。そして、その計画がフィリピンの人びとの利益を損なうような愚かなものであると断言し、そのことを彼に証明すると同時に、それに対する反論を提示したのである。

ここ〔マニラ〕に戻ると、彼は任務の結果を報告した。当初、ボニファシオは報告を信じなかったが、それが事実であると確信すると、リサール博士を臆病者と呼び、悪口を言って侮辱し始めた。ボニファシオはまた、証人〔バレンスエラ〕に、リサールの返答を口外することを禁じた。しかし証人は、パンダカンのラモン隊長とエミリオ・ハシント、そして覚えてはいないがその他数人にこのことを話した。このニュースが漏れ伝わると、多くの人びと、とりわけ〔革命実行の決断がなされた一八九六年五月某日の〕パシグでの会議で、革命の目的のために献金を約束していた人びとは落胆した〔一八九六年一〇月六日、捕虜ピオ・バレンスエラ博士が、マニラのビリビッド監獄におけるスペイン軍事法廷で行なった供述Ⅶより抜粋〕(Valenzuela, 1978b: Appendix L, p. 163)。

リサールをボニファシオに対置するという、まったくもって誤った非生産的な学術論争の起源がここにある。なぜなら、この議論はたったひとつの証言にもとづいており、リサールが革命を支持していたことを一貫してはっきりと肯定する、バレンスエラの出獄後の二つの証言を無視、あるいは隠しているからである。その証言のひとつは、上述のリサールの姪の曾孫にあたるアスンシオンの夫となったバントゥグ博士の要求に応じて書かれ、スペイン語でタイプ筆写された一九一四年五月二七日の回想録であり、もうひとつは、「合衆国対ビセンテ・ソットーの名誉毀損罪裁判」におけるソットー側の証人としての一九一七年九月一二日の宣誓供述である。

ホセ・トゥリアーノ・サンチャゴは、彼自身が裏切り者としてカティプーナンから追われたという記事をめぐって、隔週発行の『インディペンデント』誌編集者ビセンテ・ソットーを訴えた。ソットーは弁護士だったため、自分で弁護を行なったが、その際にバレンスエラを証人のひとりとして喚問した。バレンスエラは、リサールについて、先の彼の獄中証言（上述）を明白に否定する宣誓供述を行なった。「リサールに会いましたか」というソットーの質問に対して、バレンスエラは次のように答えた。

はい、ダピタンで一八九六年六月に。そして彼は、私に、短い言葉で、もし可能ならば彼ら〔カティプーナン〕が武器を装備するまでは蜂起するべきではないと言いました……。そして私が、カティプーナンの計画は武器が届く前にかぎつけられるかもしれないと言って反論すると、彼は、その場合には、武器を待たずに反乱に立ち上がる必要があると言いました……。リサールは「あなたたちは何の資産ももっていない。しかし、その場合は〔もしスペイン当局に発見された場合は〕、あなたたちには、武器を待たずに戦場に向かう以外の選択肢はない」と言ったのです。彼は、私に、影響力と資金と知性をもつフィリピン人からの支援を考慮に入れているのかどうかと尋ねました。私は、残念ながら入れていないと答えなければなりませんでした。われわれのほとんどは貧しい労働者で、下層階級の民衆に属しており、中産階級に属している者はほんの少数なのです。

それからリサールは、裕福で知識のある人びとから運動への支持を得る必要性を指摘し、アントニオ・ルナを引き入れるべきだと提案しました。ルナはヨーロッパ留学を経験し、マニラでも大きな影響力をもっているため、われわれが資金と能力をもつ人びとの支援を確保するための糸口となるからです。この会話のあとで、われわれが何をすべきか彼に尋ねたところ、彼はこう答えました。「ルナを、この計画に加わるよう説得しなさい。というのも、有力なフィリピン人たちをあなたたちの側に引き入れなければ、あなたたちの努力はすべて無駄になるからです」。そこで、私は、カティプーナンは活発に活動しているので、発見される危険性が非常に高いと、彼に言いました。「その場合は」と、彼が私に言ったのをよく覚えています。「あなたたちは武器を確保し、著名なフィリピン人たちをあなたたちに協力させるべきです。なぜなら、そうしなければ、彼らは革命の第一の敵になってしまうでしょう。あなたたちが戦場に立ったとき、彼らはあなたたちの最大の敵となるでしょう。彼らは、あなたたちが武器をもたないことを知ったなら、あなたたちの側ではなく、スペイン人たちの側に身をおくでしょう。彼らの影響力、資金、そして知性を駆使して、彼らはあなたたちに大きな損害を与えるし、さらにフィリピンの人びとは分裂へと導かれ、あなたたちは制圧されることになるでしょう。」

この場合、われわれはどのようにして問題を解決すればよいのでしょうか。私は彼に尋ねました。「もしそれらの有力なフィリピン人たちがあなたたちに協力しなかったなら、少なくとも非常に裕福な人びとを必ず中立にしなければなりません。つまり、彼らがどちらの側にもつかないということです」と、彼は答えました。さらに、私は、もし彼らを無力化させることができなかったら、どうすれば彼らを中立化させられるのかと、彼に尋ねました。「その質問には私は答えられません。それは、状況そして時期と場合によります」と、彼は答えました。

帰ってくると、私はアンドレス・ボニファシオに、この協議のすべてを報告しなければなりませんでした。私は、彼に、リサールは、もしわれわれが迫害を受けたなら、時がくる前に戦場に出てもよいと言ったと伝えました。さらに、われわれ自身が殺される前に殺すべきだということ、しかし、著名なフィリピン人を中立化させ、ルナをわれわれの側に引き入れて、軍事行動を指揮させるよう手を打つべきであるということも伝えました。もし私がすべてを語ったなら、私の証言はとても長いものになるでしょう（Valenzuela, 1978c: pp. 231-233; 傍点筆者）。

続いて、検事がバレンスエラに質問した。検事は、リサールの助言をめぐって、カティプーナンの会員たちの間で意見の相違があったのかどうか尋ねた。すると、バレンスエラは次のようにきっぱりと答えた。

そのような意見の相違はまったくありませんでした。全員が一致して、謀議が暴かれ、会員が迫害を受けたなら、ただちに反乱を開始するべきだと思っていました……。リサールはこう言いました。「もしカティプーナンが発覚したなら、当然あなたたちは戦場に出るだろう。殺されてはならない。もし彼らがあなたたちを殺そうとしていたなら、なぜみすみす殺されなければならないのだろうか。この意味で革命は正しい」（Valenzuela, 1978c: p. 234; 傍点筆者）。

バレンスエラの宣誓供述は、次の二つの論点を明らかにし、一九一四年の彼の回想録における基本的な論点を裏づけている。

①リサールがカティプーナンへ与えた革命に関する三つの助言とは、第一に、蜂起する前に必要な武器・弾薬、そして裕福なフィリピン人たちの協力を確保しなければならないこと。第二に、もしカティ

プーナンが発覚したなら、逃げるより戦う方がよいこと。そして第三に、もし裕福なフィリピン人たちがカティプーナンを支援することを拒んだら、彼らを中立化させるべきであること、である。

②彼の助言に対するカティプーナンの反応とは、すなわち、ボニファシオを含む大多数がリサールに賛同したことである。

実は、バレンスエラの宣誓証言には直接には語られていない三つの意味がある。第一は、サンチャゴが裏切り者であるかどうかという問題。第二は、サンチャゴがソットーを訴えた名誉毀損罪訴訟とリサールの革命への支持（そしてボニファシオの主導するカティプーナンとリサールとの連帯）との関連について。そして第三は、厳密には別の問題と思えるもの、つまり革命についてのリサールの見解と、これがカティプーナン会員に共有されていたのかどうかを追求することに対する検事の関心である。紛れもなく、アメリカのフィリピン統治開始当初、革命に関するリサールの問題は決定的に重要な課題であった。

ここで問わねばならないのは次の点である。ソットーに対する名誉毀損罪訴訟が証明するように、リサールの革命への支持とカティプーナンが彼に寄せていた崇敬の念に関する情報を入手していたのなら、なぜアメリカ政府は、リサールが本当は同化主義的改革を支持し、革命は支持していなかったという、彼の政治的課題に関する定説となっている（そして皮肉にも左翼と右翼の双方に共有された）考え方を吹聴したのだろうか。これに対する答えは、しごく明らかである。不可解なのは、この植民地的な筋書きが、バレンスエラの宣誓証言と回想録が明白に立証しているように、リサールに対する同時代の民衆の認識とはまったく異なっているにもかかわらず、なぜコンスタンティーノやアゴンシリョのような民族主義的歴史家たちが、この筋書きを繰り返し、その正当性を立証し、再生産しなければならなかったのかということである。

ここまで見てきたように、出獄後におけるバレンスエラの二つの証言は、リサールの革命への積極的支持を肯定するものであった。そして前述のように、これらの書き記された証言に加えて、バレンスエラは、歴史家グレゴリオ・サイデに対して、リサールが革命を支持していたことを知っていると確信をもって語っていた。確実な証拠として扱うのではなく、説明を要する唯一の例外は、リサールがいかなる暴力的な計画からも断固として距離をおいていた様子を描写した、一八九六年一〇月六日のバレンスエラの獄中証言である。これについて、歴史家カルロス・キリーノは次のように述べている。

これらの供述は強迫のもとで行なわれたものなので、そのまま信頼することはできない。とくに、リサール博士とカティプーナン会員たちに関する部分はあてにならない。バレンスエラ博士は、自らの供述が彼らに不利に働くかもしれないという当然の恐れから、それによって罪を負わせたくなかったと、のちに認めたのである（Quirino, 1978: p. iii)。

そのため、ディソンとバレンスエラの双方が、故意にスペイン当局に誤った説明をしたということは、それほど不自然な話ではない。リサールに罪を負わせたくなかったとバレンスエラ自らが認めたこと、そして強迫のもとで行なわれた供述は信用できないというキリーノの主張は、革命の勃発直後に逮捕され、サンチャゴ要塞で拷問を受けた有産知識階層のひとりであるアントニオ・ルナのヒステリックな獄中証言に照らして考えてみれば、より説得力をもつのである。たとえばルナは、証言のなかで、次のようにヒステリックに叫んだ。

私は反逆者でも、メーソン〔訳注21〕でも、革命煽動家《フィリブステロ》でもない。それどころか、私は告発者であり、スペインの忠実なる息子として、義務を果たしてきたと信じている……。カティプーナンはフィリピン同盟である……。その指導者はホセ・リサール博士である……。再び繰り返す。私は反逆者でも、革命煽動家でも、メーソンでもない（*Arch.* Fil, IV, 199(19); Guerrero, 1963: p. 522, n. 24より重引）。

ルナは、のちに革命軍に加わり、アギナルドの軍隊で最も聡明な将軍として活躍したことで名誉を回復した。

〈一二月一五日の声明書〉

リサールが革命を拒絶したことを証明するためにコンスタンティーノが引用した証拠文書は、一八九六年一二月一五日付のリサールの声明書である。これは、フィリピンの人びとに向けた演説であり、反逆罪裁判におけるリサールの被告答弁として提出されたものである。

コンスタンティーノの小論が広く読まれているために、今日、この文書は、リサールが革命に反対であったことの決定的証拠と見なされている。この声明書は一二月一五日付になっているが、実際にはそれより前の一八九六年一二月一〇日に書かれたものである。リサールは、その直後の一八九六年一二月一二日付で、自らの被告答弁の事後釈明を覚書としてまとめている。この覚書で、リサールは、法務総監の前で彼の政治的見解を強く主張したが、総監はそれを好意的に受け取ることはほとんどなかった。ゲレロが言うように、「〔法務総監が〕敏感に感じ取ったその隠された意味に対して、われわれが耳をふさぐ」ことがなければ、その理由を理解することは容易である（Guerrero, 1963: p. 427)。以下、一二月一二日付の覚書から数箇所を引用してみよう。

そこで、いまや、多くの人びとが「民主的権利を享受すること」という私の言葉を、「独立を得ること」という意味に捉えているが、二つはまったく別の事柄である。ある国民は、独立せずに自由になれるし、また自由なくして独立もできる。

私は常に、フィリピンのために民主的権利を求めてきたし、常にこの意味で私自身の考えを表してきた……。

私はまた、自治は徐々に、そして独立がいつかは達成されると信じてきたことも事実である。

スペインは自国の未来がモロッコにあり、それが〔ここに留まることが〕何にもまして犠牲を伴うことを納得したら、これ〔この国〕を手放すだろう。そうなれば、フィリピン人が、過去数世紀のさまざまな時代に試みてきたようにスペインをとどめたいと願っても、スペインはこれ〔この国〕を手放すだろう。

私はまた、スペインが民主的権利をフィリピンに与えることを頑なに拒んだとしたら、反乱が起きるだろうとも信じてきた。したがって、すでに折に触れて記してきたように、私は、万が一の事態が起きることを嘆きつつも、実際にそれが起きることを期待してはいない。

これが私の言ったことの意味である。すなわち、〔このような〕事態が起きたときに、われわれが、日本、イギリス、あるいはドイツの手に落ちないためには、自尊心をもち、団結することが必要だということ……。ずいぶん前、すなわち一八八七年七月に、ある著名な日本人が私に、なぜわれわれは反乱を起こさないのかと尋ねた。そして、彼らがわれわれに援助の手を差し伸べるなどと語った。私は彼らに、われわれはスペインのもとで満足に暮らしており、他人の手から手へと受け渡されたくないと答えた……。彼らは、日本はフィリピンにはまったく興味を抱いておらず、ただ人種的な理由のためにだけ手助けするだろうと答えた。私は微笑み、歴史的経験から、彼らの祖先が同じようには考えていなかったことを彼らに説明したのである……。

私は、フィリピン人が、〔世界を前にして〕自尊心をもち、高貴で誠実な国民として存在してほしかった。というのも、臆病や不道徳で自らを貶める国民は、自らを虐待や謀略にさらすことになるからである。概して、人間は、自分が軽蔑する人間を抑圧するものである（Guerrero, 1963: p. 424-426）。

ゲレロによれば、法務総監は「リサールの声明書の含意に気づかないほど鈍感ではなかった」（Guerrero, 1963: p. 426）。総監は次のように批判し、声明書の承認とその公表を拒んだのである。

〔リサールは〕、反乱が時期尚早であり、現段階ではまだその成功は不可能だと考えているとして、現在の反乱の動きを非難するにとどまっている。しかし、人びとの文化〔のレベル〕が闘争の最も価値ある要素として、そして反乱の成功を保証するものとして機能したとき、現在、反乱者たちが用いている方法よりも尊敬すべきでない手段によって夢見る独立が達成されるのを、その行間が示唆している。リサールにとって、それは時期の問題であり、原則や目的の問題ではない。彼の声明書は、次の言葉に集約される。すなわち、「敗北が確実になったなら、わが同胞よ、武器をおきなさい。私が、いつの日にか、あなたたちを約束の地へと導くであろう」(Guerrero, 1963: pp. 426-427より重引)。

スペイン当局は、リサールの声明書を、コンスタンティーノが読んだようには読まなかった。彼らは、実のところ、リサールがスペインへの忠誠を公言しなかったことに失望した。リサールもまた、原則として望ましくないとして、独立を拒否したのではなかった。リサールは、向こう見ずにも、革命の必然性を主張しさえしたのである。そのため、リサールの声明書が公表されることはなかった。もし声明書が公表されたなら、革命の熱に水を差すどころか、本来とは異なるかたちで一層破壊的な意味合いをもって読まれることを、当局は、とりわけ声明書が書かれた状況を考えて、恐れたのであろう。

レオン・マリア・ゲレロは、リサールの獄中供述について、より形式ばらない読み方をしている。ゲレロによれば、われわれは、一二月一二日付の覚書と一二月一五日付の声明書の双方とも、部分的には、それらが書かれた目的に照らして考えなければならない。「リサールは被告答弁のために申立書を用意した。そして、有能な弁護士のように、彼は、自分自身と反乱の直接的な関係を示す証拠が不十分であることを、検察の最大の弱点であるとして攻撃したのである」(Guerrero, 1963: p. 426)。しかし、ゲレロは、リサールとボニファシオの間の方法論的(あるいは戦術的)相違として彼が捉えているものに照らして、一二月一五日付の声明書を解釈する際に、コンスタンティーノの二元論(たとえば、リサール対ボニファシオ、そして改革対革命)を無意識に再生産している。それは次のとおりである。

リサールがボニファシオの革命を非難したということに異論はないだろう。同様に、両者が同じ目的、つまり、フィリピンの独立を追求したことにも論争の余地はない。両者の違いは、手段と時期の選択にある。ボニファシオは武力を頼みにし、そしてカティプーナンの発覚によって予定より早く武器を取ることを余儀なくされた。他方、リサールは、時を経てフィリピン国民が徐々に自然に進化することを信じ、最終的な独立が、本国と植民地との間で平和的に同意されることが必然的な結論となるような、国際社会の発展を予見したのである(Guerrero, 1963: p. 427)。

ゲレロは、リサールの一二月一五日付の声明書を彼の遺言と解釈しているように思われるが、この点ではコンスタンティーノに一致する。

「最後の別れ」の意味

しかし、一二月一五日の声明書は、リサールの辞世の言葉ではなかった。リサールの心理状態をより正確に計ることができるのは、彼のこの最後の詩である。これはもともと無題であり、のちに研究者によって、「最後の別れ」という、いささか余計な題名を与えられたものである。驚くことに、リサールのこの最後の詩、つまり事実上の彼の遺言は、リサールの胸に秘められた革命についての考えと民衆の想像力に与えた影響とを解き明かす手がかりとなるにもかかわらず、こうした点からは検討されてこなかった。というのも、声明書とは違って、この詩はボニファシオのお蔭で大衆に広められたからである。

詩の第二連は、リサールが彼の殉難と革命とを密接に結びつけていることを表現している。大衆はその結びつきを認識し理解しており、このことは、革命に参加した大衆にとってのリサールの意味を、コンスタンティーノが完全に読み違えていたことを率直に明示している。スペイン語の原文は次のとおりである。

戦場で、狂乱のうちに戦い
ためらいも煩悶もなく、おまえに命を与える人びともいる
場所は問題ではない、糸杉のもと、月桂樹のもと、白百合のもと
処刑台、大平原、戦闘、そして残虐な殉難であれ
それらはすべて同じこと、もしそれを祖国と家族が求めるのであれば

オースティン・コーツの英訳は次のとおりである。

戦場でおまえに命を与える人びともいる
喜びに満ちて戦い、ためらいも、結末を気にかけることもなく

どのように命を与えるのかが重要ではない、糸杉のもと、月桂樹のもと、百合のもと
処刑台、戦場、戦闘、そして残酷な殉難であれ
それは同じことである、あなたに求められているものがあなたの祖国と家族のためならば（傍点筆者）

翻訳に何かが起こっていたことに注意してほしい。二行目のリサールの一節、「ためらいも煩悶もなく」を、コーツは、〔訳注22〕「ためらいも、結末を気にかけることもなく」と訳している。これと対照的なのがニック・ホアキンの訳である。

戦場で、狂乱のうちに戦い
疑いもなく、憂いも見せずに、おまえに命を与える人びともいる
場所は問題ではない、糸杉のもと、月桂樹のもと、百合のもと
絞首台、あるいは戦場、闘争、あるいは残酷な殉難
これらはすべて等しい、祖国と家族が求めるのならば（傍点筆者）(4)

ニック・ホアキンの訳の方がリサールのスペイン語に近く正確なだけでなく、彼の一節、「疑いもなく、憂いも見せずに」の方が、コーツの「ためらいも、結末を気にかけることもなく」という誤解を招くような訳よりも、詩の精神（少なくとも革命家たちに読まれ、理解された意味）をよく捉えている。コーツが行なった文体上の転換にまったく他意がなかったというわけではない。なぜなら、そのひとひねり

によって、コーツは、リサールの最後の詩についての講義のなかで、革命に対するリサールのあいまいな態度について、彼のリベラルで体裁の良い意見をさり気なく持ち出すことができたからである。すなわち、

いまや、これ〔この連〕から、ある種の戦いが起きていることがわかる。彼は何らかのかたちでそれと関わっている。彼は戦っている人びとを賞賛する。しかし、彼は彼らが行なっていることに全面的に賛成しているわけではない。「……結末を気にかけることもなく」という一節に注意してほしい（Coates, 1977: p. 18; 傍点筆者）。

しかし、注意すべきは、原詩の「ためらいも煩悶もなく」のニック・ホアキンの訳、すなわち、「疑いもなく、憂いも見せずに」によるならば、革命家たちが行なっていることに「リサールは全面的に賛成してはいなかった」と、コーツが主張することはできなかっただろう、ということである。

リサールの最後の詩は、ボニファシオによる母語訳、すなわち最初のタガログ語版によって革命家たちに広められたものであり、それは次のとおりである。

塗炭の苦しみのなかで戦いながらも
腕に抱いている命を差し出す者もいる
恐れもなく、心は晴れやかに
甘美な心に苦悶はなく（傍点筆者）

どこで命が果てようと重要ではない
糸杉、月桂樹、百合であろうとすべて無上である
戦闘と処刑台
それはすべて同じことである、祖国が求めるのならば⑤

イレートとメアリー・ジェーン・ポが指摘しているように、「ボニファシオは詩を訳しただけでなく、原詩の一連がタガログ語版では二連になるように組み立てなおした。それにより、タガログ語が与える意味合いだけでなく、原詩では副次的なものであった思想が独自の実体を与えられたのである」(Ileto, 1982: p. 337, n. 100)。

さらに踏み込んで述べると、副次的であった思想が独自な存在になっただけでなく、同時に、そしておそらくより重要なことには、潜在的な思想、あるいは隠されていた想定が、より大きな力をもって現れ出たのである。事実、ボニファシオは、原詩にも、そしてニック・ホアキンの訳やコーツの訳にも見られない、新しい一節を巧妙につけ加えた。「ためらいも煩悶もなく」の訳である「恐れもなく、心は晴れやかに」のあとに、彼は「甘美な心に苦悶はなく」とつけ加えたのである。

ボニファシオのタガログ語版は、ニック・ホアキンの英語版よりさらに喜びに溢れ、前向きである。「恐れもなく」はホアキンの「疑いもなく」に相当するが、「心は晴れやかに」は懸念もためらいもなく心から受け入れることを示しており、英語の「憂いも見せず」よりも一段と踏み込んだ表現になっている。さらに興味深いのは、ボニファシオがつけ加えた「痛みを知らぬ喜びの心」を意味する一節、「甘

美な心に苦悶はなく」である。このように、革命期の流行版となったボニファシオの訳は、リサールの最後の詩についてのコーツの誤読を明白に示すものである。

しかし、最も重要な詩句は、この連の後半部分（あるいは、ボニファシオの二連にした訳では第二連目）である。

ホアキン訳

場所が問題ではない、糸杉のもと、月桂樹のもと、百合のもと
絞首台、あるいは戦場、戦闘、あるいは残酷な殉難
これらはすべて等しい、祖国と家族が求めるものならば

コーツ訳

どのように命を与えるのかが重要なのではない、糸杉のもと、月桂樹のもと、百合のもと
処刑台、戦場、戦闘、そして残酷な殉難であれ
それは同じことである、あなたに求められているものがあなたの祖国と家族のためならば（傍点筆者）

これらの決定的に重要な詩句は、二つの謎を明らかにしている。

第一に、もしリサールが進んで革命を支持していたとするなら、なぜ彼は革命がついに勃発したときに、それに加わらなかったのだろうか。彼は、モロ[訳注23]の助けがあろうとなかろうと、ダピタンから逃げる

ことができたであろう。スペイン軍の従軍医として仕官するためにキューバへ赴く途中で革命が起きたとき、リサールは、彼と同様に逮捕の可能性を警告されていたロハスらと同じく、シンガポールで船を飛び降りることだってできたであろう。

第二に、リサールがタガログ人のキリストであるという民衆の認識の根拠は何だったのだろうか。スペイン人哲学者ミゲル・デ・ウナムノでさえ、リサールを「ゲッセマネの庭で苦しむタガログ人のキリスト」と呼んで、リサールとキリストを結びつけた（Coates, 1968: p. 358より重引）。リサールは、意識的にこのイメージを心に抱き、意図的に人類学者ヴィクター・ターナーが「十字架の道行き」パラダイムと呼ぶ生き方をしたのだろうか。(6)

最後の日々と処刑の瞬間にいたるまでのリサールの行動を考えてみてほしい。彼は家族に「園での苦悩」のスケッチを手渡し、ジョセフィン(訳注24)にはケンピス著『キリストにならいて』を残し、さらに処刑のときには、発射の合図がなされると、大声でイエスの最後の言葉「事は成せり」と叫んだ。リサールは、指揮官によって銃殺隊に背を向けるかたちで立たされたが、八つのレミントン銃が火を噴くと、振り向いて銃殺隊に面と向かい、顔を空に向けて倒れたのである。

この詩の上述の連の後半部分を踏まえて、これらの事実を考察すると、われわれの謎への答えが明らかとなる。すなわち、革命か殉難かの選択に直面して、リサールは後者を選んだことになる。アギナルド内閣の中心的な知識人であるマビニ(訳注25)（革命の敗北後、アメリカへの忠誠を誓うことを拒んだため、のちにグアムへ流刑された）は、リサールの殉難のうちに意志と決意を感じ取り、その重要性を理解した。マビニは、グアムでの孤独な流刑のもとで書かれた回想録のなかで、リサールをこう振り返っている。

無実のまま死ぬことに泣いたブルゴス(訳注26)とは対照的に、リサールは、静かに、楽しそうな様子さえ見せて処刑場へ赴いた。喜んで自らの彼の命を差し出したということを示すために。フィリピン人が愛と感謝のうちに常に彼を思い起こし、彼を見習い、その教えに従うだろうと確信して、彼はその命をすべてのフィリピン人の幸せのために捧げたのである。実のところ、リサールの犠牲の真価は、まさにそれが自発的で意識的なものであったことにある。彼は、もし自分がフィリピンでスペイン人の犯している悪行を告発したら、スペイン人は彼を破滅させるまで眠ることはないだろうということを、百も承知していた。それでも彼は告発した。なぜなら、悪行は暴かれなければ、決して是正されないからである。リサールが故国の不幸を理解し、それを救うための努力を決意した日から、彼の生き生きとした想像力は、彼の人生のいついかなるときでも、彼を待ち受ける死の恐怖を彼に描いて見せることを決してやめなかった。こうして、彼は死を恐れないことを学び、死が彼を連れにきたときも恐れを抱かなかったのである。リサールの生涯とは、彼がそれを祖国への奉仕に捧げたときから、死へいたる道のりとなり、同胞への愛のために最後まで勇敢にそれに耐えたのである。神は、彼の思い出をたたえるにふさわしい、たったひとつの方法をわれらに知らしめ給う。それは、彼の美徳にならって生きることである(Mabini, 1969: p. 45; 傍点筆者)。

リサールは、たちまちにして革命の精神的よりどころとなり、イレートの著書(一九七九)が論証しているように、彼の生涯と活動はいまや、大衆が革命を理解するための枠組みであったキリスト受難詩《パション》(キリストの受難、死、そして復活)の再現と見なされたのである。革命に参加した大衆がリサールの最後の詩を理解したのは、キリスト受難詩の観点からであった。革命をめぐる口述歴史のなかで、ボニファシオが解釈したように、リサールの詩がどのようにして革命のスローガンとなったのかについての物語は、真剣に検討されてこなかった。事実、アゴンシリョとコンスタンティーノは、このことについて言及すらしていないのである。アントニオ・ルナ主宰の革命機関誌『ラ・インディペンデンシア』の編集スタッフであったエピファニオ・デ・ロス・サントス(訳注27)が述べたように、ボニファシオの訳による「最後の別れ」は、「塹壕に潜むわれわれの戦士たちが歌ったものである」(de los Santos, 1973: p. 92)。この詩のもつ千年王国的意味、とりわけキリスト受難詩の喚起作用に照らして考えると、これは驚くに値しない。イレートは、リサールの最後の詩は「民衆が抱く尊敬の念において、彼の書いた小説を超えないにしても、それに比肩するものである。それは素晴らしい詩であるだけでなく、キリスト受難詩における長時間の別れの情景を繰り返すことによって、彼の死にいたる道のりのシナリオをより鮮明に表現することに寄与している」(Ileto, 1982: p. 319) と述べている。こうしてフィリピン版キリストの死は、すべてのフィリピン人に、革命に参加することによってキリスト受難詩に国民として参加することを求める。この運動においては、戦場でリサールの最後の詩を霊感に導かれて歌うことが、まさに千年王国的連帯のひとつの表現なのである。

　キリスト受難詩の文脈では、犠牲行為、殉難、そして武力闘争は、抵抗のかたちとして相互に相容れないものではない。フィリピンの千年王国的想像力においては、エルマノ・プーレ（一八四〇）(訳注28)、フェリペ・サルバドール（一九一〇）(訳注29)、タタン・デ・ロス・サントス（一九六七）(訳注30)、そしてニノイ・アキノ（一九八三）(訳注31)にいたるまで、殉難は究極の犠牲であり、それゆえ最も優れた闘いなのである。この理由により、一八七二年に処刑され、リサールの先陣となり、リサールがその小説『エル・フィリブステリスモ（反逆）』を捧げた三人の在俗司祭ゴメス(訳注32)、ブルゴス、サモラ(訳注33)もまた、英雄として崇敬され、彼らの殉難が民間伝承でほめたたえられている。革命の時代に人気を博した歌のひとつは、ブルゴスを長男、リサールを末子として、民族主義者の大義に殉じた殉難者たちを兄弟と呼んでいる（Ronquillo, 1910; Ileto, 1979: p. 132より重引）。

そうだとすれば、ボニファシオがその母語訳を反乱軍の間に広めた直後に、リサールの最後の詩がカティプーナンの革命家たちのスローガンになったことにまったく不思議はない。(7) 革命に参加した民衆にとって、リサールの殉難はタガログ人のキリストとしての彼の神格化の証となった。リサールは、バナハウ山の人びとの間の今日における千年王国信仰でも、同様の存在として捉えられている。このように、革命で戦うことは、国民の物語としてのキリスト受難詩に参加することと見なされた。このキリスト受難詩の枠組みから、われわれは、ボニファシオからアギナルド、リカルテ、さらにもう少しあとの時期にはアメリカ植民地支配の時代におけるいわゆる救世主的な無放者《バンディト》たちにいたるまで、革命の指導者たちが、勝利のときも敗北のときも、なぜ戦いのときにリサールの名前を呼び続けたのかを理解することができる。相次ぐ敗北に苦しんでいたカティプーナンの反乱軍を鼓舞するために、ボニファシオが戦場に送ったあるメッセージは、「われわれの最愛の同胞である、偉大なホセ・リサール」の崇高な犠牲を思い出すよう、彼らに命じていたのである（Agoncillo, 1963: p. 71）。

リサールが、あらゆる革命活動の前提条件として美徳と犠牲を主張し続けたとき、彼は、コンスタンティーノが誤って想定しているように、ブルジョワ的出自に忠実なわけではなかった。カティプーナンに対するリサールの慎重な助言は、実のところ、キリスト受難詩の千年王国的想像力の主題と首尾一貫していたのである。ところが、コンスタンティーノにとって、リサールとフィリピン革命に関するこのような民衆の認識は問題とはならなかった。彼にとって問題なのは、スペイン当局でさえ信じなかった一二月一五日の声明書である。このため、軍事法廷は、リサールは本心を言っておらず、また、いずれにせよ、その声明書を信じるフィリピン人はいないだろうと判断して、声明書を公表しないことを決定した。しかし、彼らは、声明書が逆の影響を及ぼすかも知れず、それがフィリピン人をより一層刺激することを何よりも恐れた。リサールの最後の詩とは違って、何の影響力ももたなかったこの声明書が、いやはや、コンスタンティーノの滑稽な議論の要なのである。そして、この議論は、世紀の変わり目に生きたフィリピン人の心に、リサールの最後の詩と死へといいたる様相が残した消すことのできない痕跡を完璧に無視し、隠してさえいる。

ジョセフィンの意味

リサールの最後の詩と殉難のほかにも、民衆の想像力を喚起した三つ目のモチーフがある。残念ながら、今日これは忘れられているが、にもかかわらず、そのモチーフはリサールが革命を支持したことを雄弁に物語っている。それは、リサールの最後の数時間と、彼の処刑直後のジョセフィン・ブラッケンの注目すべき行動である。

リサールの処刑前夜、ジョセフィンはリサールに最後の面会をした。二人が何について話したのかは推測するしかないが、マニラの日刊紙『エル・インパルティアル』は数人の目撃者による談話を記事として掲載している。目撃者のひとりによれば、ジョセフィンはどうするのだろうかというリサールの質問に対して、反乱軍に参加すると、彼女が答えたという。涙を浮かべるリサールから無理やり引き離されたとき、彼女が「なさけない人たちだわ。残酷な人たちだわ」と叫びながら、激しく足を踏み鳴らすのが聞こえたと、記事は続けている。

ジョセフィンが、マニラに留まってリサールの処刑を目撃し、悲しみにふけらなかったことは注目に値する。彼女は、当時マニラから五〇マイルほど離れたカビテ州イムス町に集まっていた革命軍に合流するために、パシアノとともにすぐにマニラを発ったのである。回想録のなかで、サンチャゴ・アルバレス将軍は次のように記している。

同日〔一八九六年一二月三〇日〕の午後一時すぎ、リサール博士の未亡人ホセフィーナ〔ジョセフィン――訳者〕と妹のトリニンは、パシアノ・リサール氏に付き添われてサンフランシスコ・デ・マラボンに到着した。最高指導者〔ボニファシオ〕は、彼らを、エステファニア・ポテンテ夫人の家で迎えた。リサール家の人びとは、最後に彼らがリサール博士を訪ねたとき、博士の独居房からもってきたランプの底部から発見した、二枚の折りたたまれた紙片をもっていた。このうちの一枚に、スペイン語の大変美しい自体で「最後の別れ」の詩が書かれていたのである。最高指導者は、詩をタガログ語に訳すため、少しの間それを預かることができるかどうか頼み込んだ。彼の訳が、最後の別れの詩の最初の訳であった（Alvarez, 1992: p. 71）。

アルバレスは、反乱地域へのジョセフィンの登場がもたらした劇的な影響については描写していない。これについては、ジョン・フォアマンがより鮮明な報告を行なっている。

道中、彼女は何度も「あなたは誰ですか」と聞かれたが、「ご覧なさい。私はあなたの妹です。

リサールの未亡人です」という彼女の答えは、彼女のために道を開けさせただけでなく、すべての人びとの頭を無言の崇敬のうちに下げさせた。哀悼と歓喜の只中で、彼女は反乱軍の最高司令官であるエミリオ・アギナルドの前に案内された。彼は、すでに世を去った彼らの英雄の悲しい形見である彼女を、尊敬をもって迎えた。しかし、あらたまって哀悼の意が捧げられたあとには、大きな歓喜がキャンプに訪れた。反乱軍のなかで、彼女は唯一の自由な白人女性であった。彼らは、彼女をまるで空から落ちてきた天使であるかのように賛美した。まるで、スペインに対する勝利を導くために、天から遣わされた現代のジャンヌ・ダルクであるかのように、彼らは彼女をほめたたえたのである（Foreman, 1899: p. 536）。

一九〇四～一〇年にビリビッド監獄の独房に監禁されていたときに書かれたリカルテ将軍の記録は、リサールの異邦人の恋人の英雄的で悲劇的な姿を、おそらく最も鋭く描くものであろう。

香港生まれのリサール博士の未亡人は、反乱に多くの貢献をし、さまざまな困窮と逆境に苦しむことによって、彼女の夫が活力と希望に満ちた生涯を喜んで捧げた国の大義を、彼女も心から支持することを証明した。彼女の要望によって、サンフランシスコ・デ・マラボンのテヘロスにある農園小屋に、野戦病院が設立された。そして昼も夜も、彼女は負傷者を看護し、念入りに手当てをした。彼女はまた、病院に横たわる仲間を訪ねてきた兵士たち全員に希望を与えた。スペイン人たちがサンフランシスコ・デ・マラボンを攻略したとき、彼女はナイクへ逃げ、そこからマラゴンドンの山々へ逃げた。さらにそこから、ほかの女性たちと義兄であるパシアノに付き添われて、ラグナへと発った。彼女は山々や丘を横切る際、しばしば裸足で進んだために足の裏が血に染まったが、彼女はとどまらなかった。またあるとき、彼女はパシアノが手綱を引くカラバオに乗った。このようにして、彼女はバイの町にたどり着き、そこでカティプーナンの指導者であるベナンシオ・クエトに迎えられたのち、クエトによってマニラ行きの船に乗せられた。彼女はそこからマニラ、さらに香港へと向かい、一九〇二年にその地で亡くなった（Ricarte, 1963: p. 27）。

革命へのジョセフィンの模範的なまでの関与は、いくつかの疑問を提起する。彼女はなぜ革命に参加したのだろうか。リサールは、ジョセフィンの決断に何らかの関係をもっていたのだろうか。こうした問いは、とりわけ現在一般的に受け入れられている、リサールは革命を非難していたというレナト・コンスタンティーノの主張と対峙する上で、きわめて重要である。

これらの問いに対し、広く知られる歴史家でありコラムニストでもあるアンベス・オカンポが答えを寄せている。オカンポは、コンスタンティーノの例にならって、「リサールと同様に、ジョセフィンは望まぬままヒロインになり、彼女が求めも欲しもしなかった位置を与えられてしまった」（Ocampo, 1997）と論じている。最初の問いに対するオカンポの答えは、次のとおりである。

ジョセフィンがマニラを離れたのは、処刑のためにリサールがルネタへ連れて行かれる直前に、彼女が彼と結婚したと新聞が報じたとき、彼女とリサールの家族との間の摩擦が限界に達したからだと、私は思う。彼女はマグディーワン地域に避難したが、ボニファシオが彼女をカビテに招いたのかどうかはわからない（Ocampo, 1997; 傍点筆者）。

オカンポの歴史的な想像力は、常識に反するのみならず、広く知られる彼の著書（Ocampo, 1990）のなかで実際に彼が引用したいくつかの文献を含む、入手可能な証拠文書にも反している。もしジョセフィンとリサールがダピタンで夫婦のように暮らしていたのなら、彼らの結婚がリサールの処刑の直前だったという裏づけのない新聞記事が、なぜジョセフィンに対するそれほどの激怒をリサールの家族に呼び起こしたのだろうか。事実、一八九六年八月一三日付のジョセフィンがリサールに宛てた当惑したような手紙から判断すると、いくつかの問題が起きていたのは、明らかに彼らが結婚していなかったことによる。二段落目で、ジョセフィンは次のように嘆いている。

親愛なるあなたへ。私はトローソで彼らに大変困っています。彼らが、私とナルシサ、そして彼女の子どもたちの前で言ったように、私はあなたと結婚していないので、私のことを彼らが恥じるのはしごく当然なのです（Guerrero, 1963: p. 388 より重引、傍点筆者）(8)。

しかし、仮にオカンポのありそうもないシナリオを認めるとしても、なぜそれがジョセフィン、パシアノ、そしてトリニダードを革命の混乱の渦中へと急がせたのだろうか。実際、なぜカビテなのか。なぜ、リサール家の親類（アパシブレ家）と友人たち（マルバール家）のいるバタンガスではなかったのか(9)。なぜ彼らはボニファシオにはじめて会ったとき、彼自身カビテには縁もゆかりもないのに、リサールの最後の別れの詩を託したのだろうか。

リサールの姉妹がカティプーナンに関与したことが、最後の問いに手がかりを与えてくれる。リサールの姉妹であるホセファとトリニダード、そして彼の姪であるアンヘリカ・リサール・ロペス（ナルシサの娘）は、カティプーナンの女性支部を創設した指導者たちであった。ホセファは支部長を務め（グレゴリア・デ・ヘススが副支部長）、アンヘリカは会計係を務めた（Santiago, 1997）。実際、彼女たちは、カティプーナンにおいてボニファシオの伴侶であるグレゴリア・デ・ヘススよりも高い地位にあった。グレゴリアが彼女の自叙伝『わが人生の記録』で述べているように、彼女とボニファシオはビノンド教会でカトリック様式で式を挙げたのち、カティプーナンの儀式に則って結婚したが、リサールの姉妹たちは、彼らを祝福する幹部たちのなかにいたのである。[10] 実のところ、ジョセフィンのカビテ滞在には、リサール家の怒りから逃げたというオカンポによる噂話以上の意味がある。

それでも、オカンポが提起した問題のひとつ、つまり、ジョセフィンをジャンヌ・ダルクと重ねるジョン・フォアマンのイメージは、真剣に検討するに値する。フォアマンの情報源は、ジョセフィンが一八九七年に香港に到着した直後に『チャイナ・メール』紙の記者が彼女に行なったインタビューであった可能性が高い（Ocampo, 1990: p. 132 より重引）。そのなかで、ジョセフィンは、ある戦いで、「もうひとりの女性とともに、モーゼル小銃を装備して馬に乗って行き」、「運良くスペイン人士官をひとり殺した」と主張している。それに対するオカンポの見解は次のとおりである。

これはおかしい。なぜなら、この時期のあらゆる文書は、銃と弾薬が不足していることを指摘しているからだ。したがって、彼らが女性にライフルと馬を預けることはほとんどなかっただろう。まして、ジョセフィンのような人物に預けることはなかっただろう（Ocampo, 1997）。

それにしても、なぜ「ジョセフィンのような人物」といった軽蔑的な表現をするのだろうか。これとは逆に、ジョセフィンに共感したフォアマンとリカルテの記録が浮き彫りにしているように、革命家たちの間でジョセフィンに特別な地位が与えられたのは、明らかにリサールの未亡人というジョセフィンの存在のためであった。どちらの記録も、ジョセフィンがカビテにいたことが軍隊を戦いへと鼓舞した点を強調しており、これはオカンポも認めるところである。反乱軍の兵士たちからこのような畏敬の念を集めたジョセフィンが、馬とライフルを貸与されるということはあり得ないことだったのだろうか――もしそれがとりわけ反乱軍の士気を高めるとしたら。いずれにせよ、ライフルを携行して馬に乗っている女性兵士は、革命中にはさほど珍しいものではなかった。ボニファシオの伴侶であるグレゴリア・デ・ヘススは、自叙伝のなかで、これを超えることを行なったと主張している。

私は兵士たちに同行して戦場へ行ったとき、いつも危険に直面することを恐れなかったし、さらに死さえも恐れることはなかった……。私は兵士だと見なされたし、真の兵士となるために馬に乗りライフルを撃ち、その他の武器の操作を覚えて、実際にそれを時折使用したのである（de Jesus, 1930: p. 18）。

しかし、王立地理学会研究員であるG・J・ヤングハズバンド少佐が、自らの記録のなかでジョセフィンについて述べたことは、さらに驚くべきものである。

一軍を率いて攻撃をしかけてきたスペイン人士官を、この女性は、はじめての戦闘で、正確に狙いを定めて撃ったと伝えられている。さらに、この戦闘の間に、彼女は四〇回も発砲し、その素晴らしい射撃の腕前で、周りの人びとの感嘆を得たとも言われている。何週間にもわたり、この勇敢な女性は反乱軍のなかで戦った……。リサール夫人は、遠距離での戦いには飽き足らず、接近戦という厳しい試練に立ち向かい、唖然としているスペイン人たちに向かって、鞘つき猟刀《ボウィ・ナイフ》を武器にして突撃したと伝えられている（Younghusband, 1899: pp. 133-134）。

もちろん、実証主義的な歴史家は、裏づけとなる文書が存在しないとして、これをすべて退けるだろう。しかし、ヤングハズバンド少佐は、彼が聞いたことだけをただ報告しているにすぎない。重要なのは、このような物語が革命中に広まったという事実である。ジョセフィンは、オカンポが言うように、「軍隊を戦いへと鼓舞するために」（Ocampo, 1997）利用されたのだろうか。もちろん、リサールの殉難と最後の別れの詩が大衆を結集するために利用されたのと同じように、彼女も利用された。しかしこのことは、ジョセフィンが（あるいは、リサールも含めて）、単に「彼女が〔あるいは彼が〕求めも望みもしなかった位置を与えられた」のかどうかという問題とは、まったく別の話である。革命に参加した大衆にとって、この二番目の点はまったく疑いがない。それゆえ、リサールとジョセフィンはこれほど力をもつ象徴となったのである。私は、この民衆の認識は基本的に正しいと思う。リサールの犠牲は、マビニの言うように、「自発的で意識的」であったことはいまや明らかである。

ジョセフィンの場合も同様に、証拠ははっきりしている。マリアノ・ポンセ[訳注34]は、一八九七年七月三日付のブルメントリットへの手紙のなかで、ジョセフィンが「分離主義者」であったことを肯定し、彼女がスペイン政権に積極的に反対していたことを示唆している（Ponce, 1932: p. 15; Guerrero, 1963: pp.

532-533, fn 23)。もうひとつの証拠は、オカンポ自身が、『フィリピン・デイリー・インクワイアラー』紙の彼のコラムの結論のすぐそばで引用したものである。『チャイナ・メール』紙とのインタビューのなかで、ジョセフィンは、「息のある限り、自由のために戦うフィリピンを助けて努力し続ける」と言ったと報じられている。オカンポは、どうやらこの発言が注目に値するものとは思っていないらしい。しかし、スペイン当局は注目したのである。一八九七年五月三〇日に、香港駐在のスペイン公使ホセ・デ・ナバロがマドリッドに送った電報について検討してみよう。ナバロは、一八九七年五月二三日にジョセフィンが香港に到着したことを報告したのち、以下のように述べている。すなわち、彼女は、

ホセ・マリア・バサの家に投宿した。そこに革命政府構成員全員が彼女を訪ねてきた。未亡人は、フィリピンをめぐってスペインとスペイン人を攻撃するために、新聞を利用した……。彼女は世論を喚起しようとしたのである（Ocampo, 1990: p. 131）。

確かに、ジョセフィンを取り巻く物語、彼女のインタビュー、そしてスペイン人長官の電報にもとづくと、ジョセフィンは彼女に与えられた地位を自ら求め欲していた、との結論を導くことができる。しかし、ジョセフィンは本当に革命のヒロインだったのだろうか。もしわれわれがその答えを、カビテで彼女が何をしたのかを厳密に知ることに頼るのならば、つまり、もし実証可能な事実のみが主張されるような実証主義的歴史学の立場からその答えを求めるのならば、この問いを解くことはできないであろう。しかし、批判的解釈学的観点からは、この問いに対して、より意味のある枠組みを設定することができる。すなわち、革命に参加した大衆は、彼らの軍隊にジョセフィンが加わることをどう捉えたのだ

ろうか。彼女はリサールと関わりがあるため、この問いは、大衆がリサールの殉難をどう捉えたのかという問いと不可分である。とりわけ、反乱地域へのジョセフィンの登場も、リサールの殉難も、どちらも同じ日に起きたという事実を考えれば、二つを切り離して考えることはできない。このように、ジョセフィンの悲劇的な一生を取り巻く未解決の問いがあるなかで、疑いようのないことがひとつだけある。それは、革命家たちの目に映ったジョセフィンに対する深い尊敬と崇敬である。革命家たちは、彼女が軍隊に参加することを、彼女がフィリピンの人びとと連帯するという意志表示であり、またリサールの革命への祝福の現れでもあると理解したのである。

理解なき誹謗中傷

したがって、私たちは厄介な問題に直面することになる。コンスタンティーノがその典型を示すように、ほかの点では進歩的な民族主義者たちが、あらゆる関連証拠が反対の結論を示しているにもかかわらず、なぜリサールを同化主義的改革主義者として、過度の激しさをもって攻撃するのだろうか。一九世紀の急進的な民族主義の伝統からリサールを切り離すことによって、何が得られるというのだろうか。一二月一五日の声明書や、ほかの一、二の文書は、実際にはほかの多くの入手可能な証拠から見れば例外であり、歴史学研究的に、すなわち、それらが発生した文脈にもとづいて、これらの文書の奇異さをより効果的に説明することができるのに、なぜそれらを中核的な証拠であると主張するのだろうか。端的に言えば、左翼民族主義者たちは、リサールの価値を否定せねばならないという強迫観念に、なぜ取りつかれているのだろうか。

これは深刻で急を要する問題である。なぜなら、誤解され捻じ曲げられたイメージにもとづいてリサールを否定することは、反リサール派の民族主義者たちが達成しようとしていることとは正反対の効果をもつからである。このような根拠のないリサールの誹謗中傷は、確固たる民族主義的想像力を切実に必要としている現在の世代が、一九世紀の民族主義運動についての「正しい理解」を獲得することを妨げることになるだろう。

この謎に対する答えは、反リサール派の民族主義者たち自身から得ることができる。ホセによれば、「第一次共和国を容赦なく破壊したのち」、アメリカ帝国主義者たちは、有産知識階層の協力を利用してフィリピンの植民地化に乗り出した。そして「有産知識階層の集団から、やがてアメリカの政策の最も効果的な代弁者が選ばれたのである」。覇権《ヘゲモニー》を確立するための任務のひとつとして、「新しい支配者たちは、世論に向かってアメリカの支配に反対しない人物を祭り上げる一方、アメリカの支配に反対する人びとをけなしさえした」。ホセの見解によると、リサールの「きわめて重要な文学的、芸術的、科学的業績」、そしてリサールが植民地主義そのものを問うたことは一度もないような、「終始一貫した同化主義者」であったことを念頭におきつつ、彼の劇的な死が彼を愛すべき存在にしたことを考えると、新たな植民地秩序の目標を強固なものとするにあたって、リサールは完璧な英雄であった。それゆえ、「大衆宣伝を巧みに操作することによって」、アメリカ人たちは彼ら自身の帝国主義的目的を推し進めるために、リサール崇拝を後押ししたのである（Jose 1979: pp. 154-155）。したがって、真の民族主義者の課題とは、この大衆に対する欺瞞を暴き出し対抗することである。リサールの反動的な政治的意見を暴いて彼をけなすことは、アメリカの帝国主義に抵抗する民族主義的試みにとって不可欠なのである。

これは素晴らしいことだ。ただし、この論理が間違った前提、つまり、リサールが革命を「強く拒否した」同化主義的改革主義者であるという前提にもとづいているという点を除いては。根本的な問題は、リサールが反革命的なブルジョワ知識人であったとのアメリカが提示した像を、われわれの進歩的な民族主義者たちが、正しいものとして無批判に受け入れている点にある。植民地時代におけるスペイン人（レターナ）とアメリカ人（クレイグら）の双方の著述家たちによる、この狡猾なオリエンタリスト的視点(訳注35)にもとづくリサール像の構築は、かつて左翼民族主義者たちによって一度も疑問視されたことがなく、また真剣に批判されたこともなかった。唯一、E・サン・フアン・ジュニアだけが例外であるが、意見を同じくする者たちに対して彼が発した批判的な警告は無視されたままである。しかし、それはなぜだろうか。

私は、ここであえて二つの可能性について述べてみたい。第一は、われわれの急進的民族主義者たち自身が、一九世紀の民衆の想像力から切り離されているということ、そして第二は、彼らのマルクス主義者としての素養や自負にもかかわらず、彼ら自身もアメリカのプロパガンダの無意識の犠牲者であるということである。もし第一と第二の可能性が正しいのならば、われわれは、アメリカの覇権はフィリピンで見事に確立され、われわれの敬愛する民族主義的著述家たちが、この現代における帝国主義の誘惑に無意識に加担してきたという、必然的な関係と対峙しなければならなくなる。覇権の確立において、このようにアメリカが完全な成功をおさめたことは、リサールとボニファシオが具現化した民族主義者的計画の失敗を、究極的に説明するものである。

コンスタンティーノの小論の出版は、リサールを民族主義的象徴としての中心的位置からひきずり下ろす兆しとなった。アメリカ政府による植民地的盗用《アプロプリエーション》の結果として、リサールが世俗化した象徴となっており、コンスタンティーノの攻撃があろうとなかろうと、そのような脱中心化はおそらく起きていたはずである。しかし、コンスタンティーノのリサール批判は、すでに周縁化されていた千年王国的意識を、さらに社会の片隅へと追いやることになった。マルクス主義思想家たちは、このような農民の意識を理解することができずに、近代の言説——池端雪浦が「近代主義者の誤信」と称したもの(Ikehata, 1989: pp. 79-80)——から考え詰めた挙句、不均等なイデオロギー的発展の一例としてあっさりとそれを斥けるのである。つまり彼らにとって、農民の意識は、彼らのより進歩した「プロレタリア的」で「科学的」な意識と比べると、単に遅れた意識なのである。それゆえ、共通の覇権対抗的視座へといたるような、さまざまな階層／階級におけるイデオロギー的観点——第三世界の反帝国主義ナショナリズムの原動力であり、また一九世紀における民族主義運動が達成したもの——が、再び実現されることはありえなくなった。その結果、民族主義運動は断片化され、以前よりも強固になった反動勢力に対抗する共同戦線を形成できないでいる。

リサールを脱中心化したコンスタンティーノの活動は、ナショナリズムの神話の領域に空白を残した。結局のところ、問題はリサールではなかった。問題は、はじめから無意識にリサールと一九世紀の民族主義運動についてのアメリカの植民地的言説を再生産し、民衆の想像力と時代の精神を読み取れなかった、われわれの歴史家たちの側にあったのである。

【注】

(1)マニラでのカティプーナンの会議（一八九三年七月二三日）におけるこうした演説のうち、二つはレタ一ナの *Archivo del Bibliofilo Filipino* (1897)に収録されている。演説の締めくくりは、エミリオ・ハシントの場合、

「フィリピン万歳！自由万歳！リサール博士万歳！団結せよ！」、ホセ・トゥリアーノ・サンチャゴの場合は、「フィリピン万歳！自由万歳！高名なるリサール博士万歳！抑圧者たちの国に死を！」であった（Epifanio de los Santos, 1973: p. 901 より重引）。

（2）革命の計画に対するリサールの態度についてのバレンスエラの証言は、以下のとおりであり、すべて英語版の *Minutes of the Katipunan*（1978）に収められている。（1）Appendix A, "The Memoirs of Dr. Pio Valenzuela" (trans. by Luis Serrano);（2）Appendix L（Appendix No. 77 in the Watson Collection), "Testimony of Dr. Pio Valenzuela y Alejandrino";（3）Appendix W（Appendix No. 212 in the Watson Collection), "Testimony of Dr. Pio Valenzuela in the Case of Vicente Sotto."

（3）これは、Appendix O (Appendix No. 77 in the Watson Collection), "Declaration of Jose Dizon y Matanza" として *Minutes of the Katipunan*（1978）に収められている。

（4）リサールのスペイン語版とニック・ホアキンの翻訳版は、ともに、*Philippine Literature*, Ed. by Bienvenido Lumbera（1982）に、そしてオースティン・コーツ版は *Rizal, Philippine Nationalist and Martyr*（1968）および *Rizal Lecture*（1977）に収録されている。

（5）ボニファシオのタガログ語訳は、*The Writings and Trial of Andres Bonifacio*, Ed. by Teodoro Agoncillo（1963）に収録されている。

グレン・アンソニー・メイは、彼の近著 *Inventing a Hero: The Posthumous Re-Creation of Andres Bonifacio*（1997）のなかで、現存の文書には、ボニファシオがリサールの最後の詩を訳したことを示すものは何もない、と主張する。メイによれば、数ある記述のなかでも、ボニファシオが訳者であったと「断定的に」は示しうるホセ・P・サントスの主張は立証できない。サントスは、ボニファシオがリサールの最後の詩を訳したという「[それが]別の人物によって書かれたという可能性を捨てきれない」ておらず（May, 1997: p. 42）それゆえ、「[それが]別の人物によって書かれたという可能性を捨てきれない」（May, 1997: p. 43）のである。

この種の不合理な推論にもとづく論理が、メイの著書には飛び交っている。サントスの主張についてのメイの議論の仕方には、ほかにもどこか不穏なところがある。メイは、サンチャゴ・アルバレスの回想録を用いて、一八九七年三月の運命のテヘロス会議に関するアルテミオ・リカルテの記述を信頼できないとしている。その一方で、ボニファシオによるリサールの最後の別れの詩の翻訳に関するアルバレスの証言を、都合良く無視するのである(Alvarez, 1992: p. 71)。

(6)「十字架の道行き」のルート・パラダイムは、ヴィクター・ターナーの*Dramas, Fields and Metaphors*（1974）（邦訳、ヴィクター・ターナー著、梶原景昭訳『象徴と社会』紀伊國屋書店、一九八一年）の第二、三章で論じられている。ターナーの言うパラダイムとは、社会的主体の頭のなかにある「文化モデル」を意味する。「ルート・パラダイム」とは、「個人の基本的な人生観」に関係するものであり、「人々が自明の価値とみなす、生死に関わる問題」として感知される（Turner, 1974: p. 64; 邦訳、七三頁）。ひとつの例が、キリスト教の伝統から引き出された「殉教に至る十字架の道行きというパラダイム」である（Turner, 1974: p. 84; 邦訳、一〇二頁）。ターナーは、多くのメキシコ人革命家たちが、市民的文化においても、民衆の想像力においても、「十字架の道行きをたどった――キリストのように。……彼らは神の言葉を説き、はじめに成功をおさめ、やがて汚名を負わされたり挫折したり、あるいは肉体的に苦しみ、裏切られ、……処刑されるか、あるいは暗殺され……そして、そのあとで不思議な復活を経験している」と述べている（Turner, 1974: p. 122;〔訳注＝原著第三章は邦訳では割愛されているため、この部分の訳文は内山による〕)。ターナーがリサールを知っていたなら、彼はリサールもまた十字架の道行きをたどったと述べただろう。

(7)この詩のスペイン語の原詩は、香港在住の有産知識階層の間に似たような影響を及ぼした。一八九七年二月一七日付の在香港公使ホセ・デ・ナバロの電報によれば、リサールの詩は、リサールのためのフリーメーソンの儀式に引き続いて読まれ、それから印刷された詩がリサールの写真とともに配布された(Ocampo, 1990: p. 131)。

(8)トローソ（マニラ市トンド）のリサール一家には、父フランシスコと母テオドラ、姉ナルシサとその家族、そして未婚の妹たちがいた(Guerrero, 1963: p. 388)。

(9)マルバール将軍の姉妹のひとりは、パシアノのビジネス・パートナーであった（マルバールの孫であるエドベルト・ビリェガス博士との私信による)。

(10)グレゴリアの記述によると、「小さな祝宴があり、とくにピオ・バレンスエラ、サンチャゴ・トゥリアーノ、ローマン・バサ、マリアノ・ディソン、ホセファ・リサール、そしてトリニン・リサールが出席したのを覚えている。彼らはほぼみな、カティプーナンの高級幹部であった」。"Autobiography of Gregoria de Jesus," Trans. by Leandro H. Fernandes, *Philippine Magazine*, June 1930, p. 17.

【参考文献】

Agoncillo, Teodoro A, ed. 1963. *The Writings and Trial of Andres Bonifacio*. Manila: Andres Bonifacio Centennial Commission.

Alejandrino, Jose. 1949. *The Price of Freedom* (*La Senda del Sacrificio*). Trans. by Jose M. Alejandrino. Manila (スペイン語原典は一九三三年出版)。

Alvarez, Santiago. 1992. *Recalling the Revolution: Memoirs of a Filipino General*. Trans. by Paula Carolina S. Malay, with an introduction by Ruby R. Paredes. University of Wisconsin Center for Southeast Asian Studies (原典はタガログ語週刊誌 *Sampaguita*〔一九二七年七月〜二八年四月〕に表題 *Ang Katipunan at Poghihimagsik*〔カティプーナンと革命〕のもとで出版)。

Alzona, Encarnacion. 1971. *Galicano Apacible: Profile of a Filipino Patriot*. Manila.

Coates, Austin. 1968. *Rizal, Philippine Nationalist and Martyr*. NY: Oxford University Press.

Coates, Austin. 1977. "Rizal's *Mi Ultimo Adios*." Rizal Day Lectures. Manila: National Historical Institute.

Constantino, Renato. 1969. "Veneration without Understanding." Third National Rizal Lecture, 30 December 1969; In *Dissent and Counter Consciousness*. Manila: Erewhon, 1970 (加地永都子訳「無理解

による崇敬――リサール論」レナト・コンスタンティーノ著、鶴見良行監訳『フィリピン・ナショナリズム論』井村文化事業社、一九七七年、一一〇～一四四頁)。

Craig, Austin. 1913. *Lineage, Life and Labors of Rizal*. Manila: Philippine Education Company.

Craig, Austin. 1927. *Rizal's Life and Minor Writings*. Manila: Philippine Education Co.

de Jesus, Gregoria. 1930. "Autobiography of Gregoria de Jesus." Trans. by Leandro H. Fernandes, *Philippine Magazine*, June, pp. 17-19;（タガログ語の原典 "Mga Tala ng Aking Buhay"〔わたしくの人生記録〕は *Julio Nakpil and the Philippine Revolution*. Ed. by Encarnacion Alzona. Manila, 1964. に再録）。

de los Santos, Epifanio. 1973. *The Revolutionists: Aguinaldo, Bonifacio, and Jacinto*. Ed. by Teodoro A. Agoncillo. Manila: National Historical Commission.

Dizon, Jose y Matanza. 1896. "Declaration of Jose Dizon y Matanza. Appendix O"（"Appendix no. 77 in the Watson Collection." In *Minutes of the Katipunan*. Manila: National Historical Institute, 1978）.

Foreman, John. 1906. *The Philippine Islands*. 3d ed. London: Kelly and Walsh (1st ed., 1899).

Gillego, Bonifacio H. 1990. *Requiem for Reformism: The Ideas of Rizal on Reform and Revolution*. Manila: Wall Street Communications and Marketing.

Guerrero, Leon Ma. 1963. *The First Filipino: A Biography of Rizal*. Manila: National Heroes Commission.

Ikehata, Setsuho. 1989. "The Propaganda Movement Reconsidered." *Solidarity*, no. 122 (April-June).

Ileto, Reynaldo. 1979. *Pasyon and Revolution: Popular Movements in the Philippines, 1840-1940*. Quezon City: Ateneo de Manila University Press.

Ileto, Reynaldo. 1982. "Rizal and the Underside of Philippine History." In *Moral Order and the Question of Change: Essays on Southeast Asian Thought*. Ed. by David. K. Wyatt and Alexander Woodside. Yale University Southeast Asia Studies.

Joaquin, Nick. 1952. "A Portrait of the Artist as a Filipino." In *Prose and Poems*. Manila: Graphic House.

Jose, Vivencio. 1979. "Jose Rizal and Antonio Luna: Their Roles in the Philippine Revolution." *Philippine Social Sciences and Humanities Review* 43, nos. 1-4 (January-December).

Lumbera, Bienvenido, ed. 1982. *Philippine Literature*. Manila: National Bookstore.

Mabini, Apolinario. 1969. *The Philippine Revolution* (*Memoir*). Trans. by Leon Ma. Guerrero. Manila: National Historical Institute.

Manuel, E. Arsenio. 1934. "Did Rizal Favor the Revolution? A Criticism of the Valenzuela Memoirs?" *Philippine Magazine*, December.

May, Glenn. 1997. *Inventing a Hero: The Posthumous Re-Creation of Andres Bonifacio*. Quezon City: New Day Publishers.

Ocampo, Ambeth R. 1997. "Josephine, the Reluctant Heroine." *Philippine Daily Inquirer*, March.

Ocampo, Ambeth R. 1990. *Rizal without the Overcoat*. Pasig City: Anvil Publishing, Inc.

Ponce, Mariano. 1932. *Cartas sobre la Revolucion*. Manila.

Quirino, Carlos. 1978. Preface. *Minutes of the Katipunan*. Manila: National Historical Institute.

Retana, Wenceslao E. 1897. *Archivo del Bibliofilo Filipino*. Madrid.

Retana, Wenceslao E. 1907. *Vidas y Escritos del Dr. Jose Rizal*. Madrid: Libreria General de Victoriano Suarez.

Ricarte, Artemio. 1963. *Memoirs of General Artemio Ricarte*. Manila: National Historical Institute.

Rizal, Jose. 1912/1926. *The Social Cancer* (*Noli Me Tangere*). Trans. by Charles Derbyshire, Manila: Philippine Education Company (1st ed. 1912: 2nd ed. 1926).

Turner, Victor. 1974. *Dramas, Fields, and Metaphors: Symbolic Action in Human Society*. NY: Cornell University Press (邦訳、ヴィクター・ターナー著、梶原景昭訳『象徴と社会』紀伊國屋書店、一九八一年)。

Younghusband, G. J. 1899. *The Philippines and Round About*. New York: MacMillan.

Valenzuela, Pio. 1978a. "The Memoirs of Pio Valenzuela (1914). Trans. by Luis Serano. Appendix A." In *Minutes of the Katipunan*. Manila: National Historical Institute.

Valenzuela, Pio. 1978b. "Testimony of Pio Valenzuela (1896). Appendix L." In *Minutes of the Katipunan*. Manila: National Historical Institute.

Valenzuela, Pio. 1978c. "Testimony of Dr. Pio Valenzuela in the Case of Vicente Sotto (1917). Appendix W." In *Minutes of the Katipunan*. Manila: National Historical Institute.

Zaide, Gregorio. 1931. "Was Rizal against the Revolution?" *Graphic*, 30 December.

（内山史子訳）

【訳注】

（1）本書第1章訳注17を参照。

（2）ホセ・リサール。本書第1章訳注2を参照。

（3）ウェンセスラオ・エミリオ・レターナ。一八六二年生、一九二四年没。スペイン植民地時代のフィリピンに関する高名な書誌学者。マドリッド生まれのスペイン人。スペイン本国で政府高官を務めたあと、一八八四年にフィリピンに渡りバタンガス州の会計官の職に就き、健康上の理由で九〇年にマドリッドに戻った。マドリッドに戻ったのちも、レターナはフィリピンについての研究を続け、多くの書物を編纂した。

（4）本書第1章訳注15を参照。

（5）本書第1章訳注1を参照。

（6）エミリオ・アギナルド。本書第1章訳注19を参照。

(7)アルテミオ・リカルテ。一八六三年生、一九四五年没。フィリピン革命軍の指導者。マニラのサントトマス大学卒業後、秘密結社カティプーナンの会員となった。一八九六年にフィリピン革命が勃発すると、革命軍将軍として活躍した。フィリピン・アメリカ戦争中にアメリカ軍に逮捕されたが、アメリカへの忠誠を拒否、グアム島流刑、香港追放を経て、一九一五年に日本に亡命、横浜に居住した。太平洋戦争勃発直後フィリピンに戻り、日本軍の宣撫工作に従事し、一九四五年にルソン島北部山中で病死した。なお、リカルテ信奉者の運動については、本書第1章訳注7を参照。

(8)本書第1章訳注32を参照。

(9)本書第1章訳注1を参照。

(10)一八五七年生、一九二五年没。スペイン人の弁護士を父とする。フィリピン革命期からアメリカ植民地統治期初期に政界で活躍したマニラ生まれの有産知識階層。一八八五年にサントトマス大学を卒業後、パリに留学、医学と言語学を学んだ。留学中にはプロパガンダ（啓蒙宣伝）運動で活躍したホセ・リサールやファン・ルナなどとも接触した。フィリピン革命期にはマロロス共和国の憲法起草にも加わったが、アメリカ軍との戦いを不毛なものと見なし、いち早く革命政府を去って親米的立場をとった。一九〇〇年にはアメリカへの併合を究極の目標としてフェデラル党を結成。一九〇一年にフィリピン人としてはじめてフィリピン委員会委員に任命された三人のひとりであった。

(11)アンドレス・ボニファシオ。本書第1章訳注16を参照。

(12)クリソストモ・イバルラ。リサールの小説『ノリ・メ・タンヘレ』の主人公。父はフィリピン生まれのスペイン人で大地主、母は現地住民。父はイバルラがヨーロッパ留学中に非業の死を遂げる。イバルラは帰国後、祖国の改善のために働き始めるが、修道会の陰謀により謀反人と見なされ逃亡中、バイ湖で行方不明となる。

(13)イバルラの祖先の中傷で、永遠の不幸に陥った家族の生き残り。船頭。一度イバルラに命を助けられて以降、過去の恨みを水に流し、イバルラのために誠意をもって味方する。捕らえられたイバルラを脱獄させ、彼とともにバイ湖で生死不明となる。

(14)一九〇七年生、八六年没。独立後フィリピンの代表的歴史家のひとり。マニラのファーイースタン大学名誉教授を務めた。一九三一年に国立フィリピン大学で修士号、一九三四年にサントトマス大学で博士号取得。大学や高校の教科書として多くのフィリピン通史を執筆したほか、フィリピン史関係一次資料を編纂した *Documentary Sources of Philippine History*, 12 vols. (Manila: National Book Store, 1990) が没後刊行された。邦訳に、グレゴリオ・F・サイデ著、松橋達良訳『フィリピンの歴史』(時事通信社、一九七三年) がある。

(15)ミンダナオ島サンボアンガ州 (現在サンボアンガ・デル・ノルテ州) に位置し、一八九二～九六年にリサールが流刑された地として知られる。

(16)一九〇九年生、二〇〇三年没。フィリピンの代表的文化人類学者。シカゴ大学で博士号を取得。国立フィリピン大学名誉教授。ミンダナオ中央部における民族史研究で先駆的な業績がある。また、ライフワークとして、*Dictionary of Philippine Biography*, 4 vols. (Quezon City: Filipiniana Publications), vol. 1 (1955), vol. 2 (1970), vol. 3 (1986), vol. 4 (1995) を出版し、フィリピンの政治史や文化史において活躍した人物についての解説および関連事項についての専門的議論を展開している。

(17)本書第1章訳注28を参照。

(18)本書第6章訳注3を参照。

(19)一八九二年七月にホセ・リサールによって設立された団体。設立目的は強固な団結と相互扶助、暴力や不正からの共同防衛、知識の向上などであった。スペイン当局はこれを政治団体として危険視し、設立数日後にリサールを逮捕して、ミンダナオ島のダピタンに流刑した。このため、この同盟は数ヵ月しか続かなかった。

(20)ルソン島南西部に位置するフィリピン最大の湖バイ湖からマニラ湾に流れるパシグ川にちなんでつけられた地名。マニラの南東地域。

(21)フリーメーソン。「自由、平等、博愛」をスローガンに掲げた国際的秘密結社。カトリック教会は信徒がこの結社に参加することを禁止しているが、スペインでプロパガンダ運動に参加したホセ・リサールらのスペイン留学生たちが加盟した。

(22)本書第3章訳注30を参照。

(23)「モロ」とは、もともと八世紀にイベリア半島に侵入してきた北アフリカのムスリム（イスラム教徒）、ムーア人を指してスペイン人が呼んだ蔑称。フィリピンでは、ミンダナオのムスリムに対してスペイン人が用いた蔑称である。しかし、近年では、民族独立運動の高まりのなかで、ムスリムの結束を呼びかける言葉として積極的に用いられる場合が多い。

(24)ジョセフィン・ブラッケン。一八七六年生、一九〇二年没。ミンダナオ島ダピタン流刑時代のリサールの恋人。アイルランド人を両親として、香港で生まれた。一八九五年二月に彼女のアメリカ人の里親ジョージ・タウファーが、リサールの眼科医としての名声を聞きつけて白内障の手術を受けるため、ミンダナオ島のダピタンを訪れたとき、その付き添いとしてリサールに出会った。一八九六年一二月の処刑される直前にリサールはジョセフィンと正式に結婚したといわれている。リサールの処刑後、リサールの兄パシアノらとともに革命軍の活動に参加したが、まもなく香港に戻った。一八九八年一二月に香港で出会ったフィリピン人実業家ビセンテ・アバドと再婚したが、一九〇二年に病死した。

(25)アポリナリオ・マビニ。一八六四年生、一九〇三年没。フィリピン革命の政治思想的指導者。一八九四年に苦学してサントトマス大学を卒業。学生時代からリサールが創設したフィリピン同盟に参加し、フィリピン革命が勃発した直後には投獄されたこともある。一八九八年にはアギナルドの政治顧問となり、「フィリピン革命の頭脳」と称され、一八九九年一月のマロロス共和国成立後、初代内閣の首相兼外相に就任した。しかし同年一二月にはアメリカ軍に逮捕されグアム島に流刑された。

(26)ホセ・ゴルゴス。一八三七年生、七二年没。一八七二年のゴンブルサ事件（本書第8章訳注13参照）で処刑されたカトリック神父のひとり。父はスペイン人陸軍中尉、母はスペイン系メスティーサ（混血）。一八五九年にサンフアン・デ・レトラン学院で神学を修めたのち、マニラのイントラムロス教区で主任司祭となったものの、持ち前の自由思想のゆえに、早くも教会の上司と対立した。一八六〇年にはサントトマス大学に入学、その非凡な才能をいかして、七一年までに七つの学位を最優秀の成績で取得した。その後マニラ大聖堂やサントトマス大学で要職に就いたが、カトリック教会におけるフィリピン人在俗司祭（非修道会士）の地位向上運動に積極的に関与。一八七二年にマニラ南方に位置するカビテ州で暴動が起きたとき、スペイン植民地政府によってその首謀者のひとりと見なされ処刑された。

(27)本書第1章訳注22を参照。

(28)アポリナリオ・デ・ラ・クルスの通称。一八一五年生、四一年没。ルソン島タヤバス州（現在のケソン州）ルクバン町の貧困層出身。町の学校で初等教育を受けたあと、神学の勉強を志しマニラに出かけたものの、彼を受け入れてくれる修道院はなく、サンフアン・デ・ディオス病院の召使として働いた。この間、独学で神学を勉強し、修道士が支配するカトリック教会の教条主義の改革をめざすようになった。アポリナリオが二五歳になった一八四〇年に故郷のルクバンに戻り、サンホセ兄弟会を創設し、多くの信者を集めた。彼の名声はタヤバス州のみならず、ラグナ州、バタンガス州やマニラにまで届き、その影響力を恐れたスペイン植民地政府は、一八四一年一〇月に約一五〇〇人の軍隊を派遣し同兄弟会の拠点を攻撃したが、信者たちはこれに首尾良く応戦しバナハウ山麓に陣地を構えた。スペイン軍は翌月に彼らの陣地を再度攻撃し、エルマノ・プーレは逃亡したものの逮捕され、信者とともに処刑された。

(29)一八七〇年生、一九一二年没。ルソン島ブラカン州出身。一八九四年にサンタ・イグレシア兄弟会の指導者となる。一八九六年にフィリピン革命が勃発すると、サルバドールは信者を引き連れて革命に積極的に参加し、パンパンガ州で活躍した。しかし、一八九八年後半にはアギナルドを指導者とする革命政府との間に亀裂が生じ、サルバドールらはパンパンガ州で独自の活動を開始した。とくに一九〇二〜〇六年にその千年王国的活動は中部・南部ルソン地方の農民の間で熱狂的に信奉されたが、植民地政府の弾圧を受け、サルバドールは一二年に処刑された。

(30)バレンティン・デ・ロス・サントスの通称。一八八一年生、一九六七年没。宗教的結社ラピアン・マラヤの指導者。ルソン島南部ビコール地方出身。デ・ロス・サントス指揮する結社ラピアン・マラヤは一九四〇年代後半にその活動が知られるようになったが、そのフィリピン政府当局がその千年王国的活動に注目するようになったのは、フィリピン社会の改革をめざしてデ・ロス・サントスが大統領候補として名乗りをあげた一九五七年のことであった。一九六六年には、主要先進国によるベトナム会議の中止を要求して、マニラに一〇〇〇人の信者が集まった。当時、信者は総数四万人を数えたという。さらにその六ヵ月後にデ・ロス・サントスは、マルコス大統領の辞任を要求したが、同大統領がこれを拒否すると、一九六七年五月にマニラ首都圏のパサイ市で五〇〇人の信者が集結し、一週間もの間、政府軍と対峙した。乱闘の末、結社の信者三〇数人が死亡、四〇人弱が負傷した。「血の日曜日」と呼ばれたこの事件のあと、デ・ロス・サントスは精神病院に送られ、意識不明となり死亡した。

(31)ベニグノ・アキノ・ジュニア。本書第1章訳注12を参照。

(32)マリアノ・ゴメス。一七九九年生、一八七二年没。一八七二年のゴンブルサ事件（本書第8章訳注13参照）で処刑されたカトリック神父のひとり。父母ともに中国系メスティーソ。サントトマス大学で神学を学び、カビテ州バコオールの教区で助任司祭の職を得たのち、一八二四年に主任司祭に昇格し、教区内の人びとの社会経済生活の向上に努めた。さらにブルゴス、サモラとともにフィリピン人在俗司祭の地位向上運動に積極的に関与し、スペイン植民地政府によって弾圧・処刑された。

(33)ハシント・サモラ。一八三五年生、七二年没。マニラのパンダカンの町長の息子。サントトマス大学卒業後、マニラやバタンガス州の教区で在俗司祭として職に就く。一八六四年にマニラ大聖堂で職を得たあと、ブルゴスやゴメスたちとともにフィリピン人在俗司祭のカトリック教会における地位向上運動を推進し、一八七二年にゴンブルサ事件で処刑された。

(34)本書第6章訳注1を参照。

(35)オリエンタリズムを定式化した著作として、エドワード・W・サイード著、板垣雄三・杉田英明監修、今沢紀子訳『オリエンタリズム』（上下、平凡社、一九九三年）はあまりにも有名である。アメリカにおけるフィリピン研究学界主流派をオリエンタリズム批判の視角から検討した論文として、本書第3章イレート論文を見よ。

第8章　フィリピン史をつくり直す

アメリカ統治期初期、とりわけその最初の一〇年間に植民地政府は覇権的《ヘゲモニック》な「公定文化」を「捏造する」作業に直面させられた。即時完全独立に向けた容赦ない煽動を前にして、アメリカ人が植民地政策を計画どおり遂行しようと躍起になっていたのは、ちょうどこの時期であった。フィリピン独立の否認とフィリピンに対する合衆国主権の主張は、アメリカ軍がスペイン軍からマニラを奪取したその日から、アメリカ植民地政策の基礎をなしていた。こうして、マッキンリー大統領麾下フィリピン委員会(訳注1)は、一八九九年三月四日、すなわち、フィリピン・アメリカ戦争(訳注2)勃発のちょうど一ヵ月後にマニラに到着するやいなや、次のように宣言したのである。「合衆国の主権は諸島のあらゆる地域に対して施行されねばならず、施行されることになるであろう。そしてこれに抵抗するものは、自滅以外の結末をたどることはありえない(1)」、と。アギナルド(訳注3)の密使が和平交渉のためにフィリピン委員会と会談したとき、委員会はあからさまに、フィリピン独立は議題にはなりえず、議論できることはフィリピン軍側の降伏条件のみである、と伝えた。フィリピン・アメリカ戦争終結後一〇年以上のちに、当時のフィリピン内務長官(と同時に、往時のフィリピン委員会委員)ディーン・C・ウースター(訳注4)は、より強調的に次のように宣言した。

フィリピンの独立は現在はありえないし、少なくともあと二世代はありえない。もし世紀末までに、われわれが、今日、この諸島に居住する複合的で混成の人間の集団の子孫をひとつの民族にまとめあげれば、われわれは自分たちの成功を恥じるいわれもあるまい（Worcester, 1914: vol. 2, p. 960）。

一九一四年にウースターがこれを書いたことを考慮すると、「世紀末までに」とはなんと「二〇〇〇年までに」を意味したのである。ウースターは植民地政府職員の出身で、フィリピンにおいて財をなした（ミンダナオで富裕な牧場経営者となった）人物である。彼の見解は、フィリピンの民族主義者《ナショナリスト》たちにとってきわめて攻撃的に聞こえたかもしれないが、それは当時の植民地政府の基本的な立場を反映するものであった。タフト(訳注5)も、一九〇五年にアメリカ陸軍長官としてフィリピンに帰還したとき、基本的には同じことを言っていた(2)。

私は諸君に独立を付与するためにきたのではなく、諸君の福祉を調査するためにやってきた。諸君の準備が整ったとき、独立できることになるが、それはいまの世代ではあるまい――いや、次世代でもなく、今後一〇〇年はないかもしれない（Dauncey, 1906: p. 326 より重引）。

したがって、少なくとも最初の一〇年間における植民地政府の主要な任務は、人びとの独立要求を覆し、これを鼓舞する民族主義の底流となるものを破壊することであった。そうするために、政府は、フィリピン人エリートと大衆に対して、いずれ独立は与えられるものの、それは、フィリピン人たちが自由と民主主義の諸原則（もちろんアメリカ人の理解においての）を理解し自国の課題を切り盛りできることを示せるようになってはじめて与えられる、という考え方をもたせる必要があった。したがって、植民地政府の任務は、フィリピン人たちに、彼らの福祉と進歩は、アメリカ政府との積極的な協働いかんによることを納得させることであった。結局のところ軍事作戦は勝利に終わっていたのであり、いまや覇権上の闘争、すなわち、人びとの心と精神を勝ち取る闘争のときであった。

植民地統治の覇権的側面は、おもに民族主義運動（アメリカ人たちは最も過酷な軍事的暴力に訴えたとしても、その撲滅は不可能であるとすぐに気づいた）の吸収をめざし、二つの関連する側面、すなわち、文化的な側面と政治的な側面をもっていた。政治的な側面は、地元エリートを、文民政府の創出によって植民地経営における効果的な協力者として取り込んでいくということを含むものであった。こうした取り込みの驚くべき産物、すなわち、アメリカ植民地政府にとっての成功物語とは、ナショナリスタ党[訳注6]、マヌエル・ケソン[訳注7]、セルヒオ・オスメーニャ[訳注8]、マヌエル・ロハス[訳注9]といった、いわゆる民族主義的指導者で堅く「親独立派」と言われた立場に立った人びとであった。

文化的な側面には、独立志向の民族主義運動を取り込み、一八九六年の革命的伝統から切り離された「公定ナショナリズム」に変容させることが含まれていた。この目的のために、リサール[訳注10]というシンボルが割り当てられたのである。それにしても、どうしてリサールだったのだろうか。また、どのようにしてそれがなされたのだろうか。この二つの問いがこの章の焦点である。

リサールというシンボルの系譜——抵抗から覇権へ

リサールが最初の小説『ノリ・メ・タンヘレ（われに触れるな）』の出版で衝撃を巻き起こし、自国民の賞賛を勝ち取ったことは広く知られている。一八九二年にフィリピン同盟（訳注11）を結成するために二度目にして最後の帰国を果たしたときには、リサールはスペイン植民地支配に対する民族主義闘争において中心的存在となっており、高名な道徳的指導者かつ知識人指導者となっていた。それ以降、とくにリサールが処刑されたのち、彼の神話的な人物像が抵抗のシンボルとなったのである。

リサールの追悼記念日は、実のところ、アメリカ人によってではなく、フィリピン人によって始められた。最初の追悼記念は一八九八年一二月三〇日にとり行なわれたが、それはアギナルド将軍がブラカン州マロロス町の革命政府の名において、この日を、リサール処刑二周年を厳かに追悼する民族哀悼の日であると、公に宣言したものである。その日、革命軍傘下のすべての町でリサール追悼記念日の式典がとり行なわれた。たとえば、タヤバス州（現在のケソン州）ルクバン町に派遣された革命軍将校アントニオ・ゲバラは、一八九八年一二月三〇日にこの町に入ったときの模様を、次のように日記に記している。

私がルクバン町に到着したのは午前一〇時頃であった。町は喪に服しており、各々の家に半旗が翻っていた。あとで知ったことであるが、あの有名なホセ・リサール博士がバグンバヤン（現在のルネタ）（訳注12）の処刑地にて、スペイン人の手によって不当にそして悲劇的に殺害された追悼記念日を守っていたのであった（Guevarra,1988: p. 34）。

一八九八～九九年に発行された革命勢力の新聞『ラ・インデペンデンシア』と『エル・ヘラルド・デ・ラ・レボルシオン』には、さまざまな町におけるリサールの追悼記念に関する描写が豊富に見られる。たとえば、リサールの肖像は、「われわれの町のキリストが通り過ぎた悲しみの荒野」を人びとに想起させるものであったが、バタンガスの町の全住民が涙を流しつつうめきながらその前に集まった、と伝えられている。(3)

したがって、アメリカ政府が彼らの植民地政策を促進するためにリサールというシンボルを捉えたのは、天才的な行動であった。しかし、新しい政権発足当時、アメリカ人によるリサールの盗用《アプロプリエーション》に対しては、抵抗が存在した。アメリカがリサールを後援することに対する人びとの反応については、二人の女性著述家のそれぞれの記述からうかがえる。この二人とは、イギリス人女性のキャンベル・ドーンシー（Dauncey, 1906）とアメリカ人ジャーナリストのキャサリーン・マヨ（Mayo, 1925）である。

『フィリピンのイギリス婦人』の著者ドーンシー夫人は、一九〇四年一一月二七日にフィリピンに到着した。九ヵ月間滞在し、その間にイギリスの家族と友人に宛てた手紙のかたちで「フィリピンのありのままの……公平な印象」を記し、帰国直後にそれを出版した。アメリカ植民地統治の重要な最初の四年間のフィリピンにおける政治状況に関する彼女の観察は、彼女がアメリカ人もフィリピン人も弁護しないということを根拠として、「忠実かつ公平に」書いたと主張するもので、アメリカによる植民地化の「方法」を理解する上できわめて有益である。それは、ドーンシー夫人の際立った非アメリカ的見解に風味をそえた、彼女の無意識な人種的偏見とイギリス人的優越感から生じる生まれながらの感情にもかかわらず、あるいは、おそらくむしろそれゆえにこそ、まさにそうなのである。

たとえば、ドーンシー夫人の第七の手紙（イロイロにて、一九〇四年一二月三一日）は、マニラから五〇〇マイル以上離れたイロイロ町におけるリサール追悼記念日の模様についての興味深い記述で始まり、アメリカ政府が直面していた政治的問題の核心を衝くことになる。最初の段落はこのように始まっている。

昨日とり行なわれたリサール追悼記念日——リサール博士というフィリピン人の国民的英雄を追悼する日——と呼ばれるフィリピンのフィエスタ〔祭り——訳者〕についてお聞きになりたいと思われるかもしれません。リサールはいわばフィリピンのウィリアム・テルですが、違うところと言えば、彼が神話ではなく実在の人物だったことで、ほんの八年前に物故したばかりなのです（Mayo, 1925: p. 50）。

リサールの簡潔な伝記的記述（リサールを「一八七二年の」ブルゴス運動[訳注13]の指導者とする大変な歴史上の間違いも書かれているが）のあとに、彼女は次のように記している。

私は、リサールの処刑に立ち会った人たちに会いました。彼らは、私に群集の数が多かったと語り、リサールが勇敢に兵士たちの隊列と向き合って撃たれた様子を説明してくれました。コナント紙幣[訳注14]のなかの彼の肖像画が信用できるものなら、リサールは、洗練されたフィリピン人によくある立派で賢明な顔つきをしていました。そしてフィリピン人たちは、彼についての思い出を心から崇敬しているのです（Mayo, 1925: p. 51）。

リサールの追悼記念がフィリピン人のフィエスタになっていただけでなく、いまやフィリピンの銀行券にリサールの肖像画があったことは、きわめて重要である。――革命が公式に終結したと宣言され、アメリカ文民政府が発足してまだ二年足らずの時期にである。

これに続く二つの段落はより一層啓発的である。

リサールの反逆の結果、アギナルドとカティプーナン(訳注15)が蜂起し、彼らは、英雄リサールの記憶に報いながら生き、スペイン人とその恐るべき司祭たちを諸島から追放しようとしたリサールの仕事を完成させたのです。ご存知のとおり、そのためにはアメリカの助力を仰がねばなりませんでした。そしてアメリカは確かに援助したのですが、そのまま居残ってしまいました。その考え方は、彼らがフィリピン人に自治を教えるというもので、しかもどうやらアメリカ式のやり方ですべての民族と人種がそうすべきだというものなのです。フィリピン人はこうした考え方に好感を示していると言われていますが、それにしては不可解な逸脱があるのです。フィリピン人たちは自分たちの自由、自分たちの道を獲得するためにアメリカ人たちと戦ってきたし、いまもなお激しく戦っているのに、彼ら自身が何を考えているのか尋ねられることすらまったくなく、それどころか、彼らが少しでもこのアメリカの桎梏を除こうと望み、自分たちの仕方で統治する兆候を見せようとするものなら、反逆者《インサージェント》と呼ばれてなぐり殺されたり、たちの悪い盗賊と呼ばれて木につるされるのです。

このような成り行きのために、現地住民たちはこの追悼記念の機会を捉えて、自分たちの愛国的感情をいくらかでも落ち着かせようとするのです。この日は公共の祝日であり、彼らは旗とともしびをもち、フィリピン人は誰でもみな、もともとわずかしかやらない仕事さえも休みにして、通りを練り歩いてはつばを吐き、楽器をもっていない人たちはみな、鶏を闘鶏に連れて行ったり、闘鶏から出てきたりしています。その間、女たちは数え切れないほどの子どもたちと一緒に群れをなして前かがみに歩くか、あるいは、借りた馬車のなかで揺れながら行き来します——まあ、これがフィエスタなのです（Mayo, 1925: p. 51-52）。

最後の段落は、アメリカ人とイギリス人とにかかわりなく、植民地帝国市民に典型的な人種差別と優越感をはしなくも明らかにしており、単にフィエスタの楽しみに加わるために、「もともとわずかしかやらない仕事さえも休みにして」しまう娯楽好きの怠け者としてフィリピン人を特徴づけるのみならず、通りに「つばを吐く」不衛生な奴としている。それでもなお、フィリピン人、とくにパナイ島イロイロの「地方住民」との会話にもとづくドーンシー夫人の報告は、リサールが当時のフィリピン人の意識に及ぼしていた影響力を明らかにしている。さらに、彼女の観察は、国が平定されフィリピン人がアメリカの統治を受け入れたという、一九〇四年のアメリカの宣伝を覆している。彼女はこう記している。「フィリピン人たちは自分たちの自由、自分たちの道を獲得するために、アメリカ人たちといまもなお激しく戦っている」。したがって、リサール追悼記念日を捉えて愛国感情を表現することは、アメリカ人と同様に、ドーンシー夫人にとって「不可解な逸脱」と映る現象なのである。

さらに進んで、第三九の手紙（イロイロにて、一九〇五年八月一一日）のなかで、ドーンシー夫人は、ウィリアム・ハワード・タフトのイロイロへの帰還訪問を取り巻く興奮を描写している。タフトはアメリカ政権下の初代フィリピン民政長官（一九〇一～〇三）で、当時フィリピンを再訪問している合衆国「陸軍長官」であった。その手紙の最後には、次のように、『マニラ・タイムズ』の「一九〇六年」一月一七日のニュース記事が論評抜きで加えてあった。

市と教会の高官などがタフト長官の到着を待っている間、政府の船舶がサマール島から死傷者を満載させてパシグ川をゆっくりと上っていた。一行がマニラに滞在する間、隣のカビテ州から現地の人びと四人が、その親米の姿勢ゆえにひどく痛めつけられて運び込まれてきた（Mayo, 1925: p. 309)。

つまり、タフトがアメリカ統治の五年間の成功を祝うべく帰還したときにさえ、抵抗は続いていたのである。第四〇の手紙は、タフトのイロイロ到着にあたっての準備の詳細を描いたものであり、ドーンシー夫人のフィリピン滞在の、東洋に対する偏見を含んではいるものの古雅にして教唆的な記述のなかで、おそらく最も意味深長と思われる文章が見られる。

通りにはアーチがかけられている。すべての人びとが家を飾りたてるよう求められているのに従い、私たちは英国国旗を長い柱に掲げている。朝中、召使たちは大雨のなかでとても幸せで、どこかのプランテーションで盗んできた椰子の枝を掲げています。彼らは、この自分たちの英雄〔ドーンシー夫人は皮肉たっぷりにタフトのことをフィリピン人の「守護聖人」だと言っている〕の到着に大変興奮していて、とくに召使のひとり――リサールの肖像画のついた自分の時計を台所に釘づけにしていて、一種の小さな祭壇のようになっているので、私たちが彼を「独立派《インディペンディエンテ》(4)」だと非難すると混乱するのですが——は、喜びでひたすら輝いており、どれだけ椰子の枝をもってきても足りないほどなのです（Mayo, 1925: p. 310-311）。

この愛嬌はあるが、たわいのない文章のなかに、私たちは、二つの明らかに矛盾する兆候を見てとるのだが、それはやがて、アメリカの植民地的な錬金術によって接合され、現地住民《ネイティブ》のポスト植民地的意識を構成することになる。ひとつは、現地住民が自分たちの英雄、すなわち、フィリピン人の「守護聖人」であるアメリカ人が自分たちの町を訪問するということに興奮するさまであり、もうひとつは、リサールの肖像画が「一種の小さな祭壇」として現地住民の台所にかけられているさまである。

同様に、フィリピンの状況について教唆的な文章がもうひとつある。これはアメリカによる占領から二五年後のもので、アメリカ人ジャーナリストのキャサリーン・マヨによって書かれたものである。『恐れの島』というミステリー・スリラーのような題がつけられた本であり、その副題は『フィリピンの真相』というぞっとするものである。このことからもわかるように、この一九二五年の記録には、ドーンシー夫人の魅惑的な著書に見られるような、醒めた口をきわめたシニシズムや皮肉に満ちたしゃれた言葉は見当たらない。その一方で、マヨは、思考が単純で怠け者の下層民と見なしている輩への優越感と庇護者的な態度、他方において、彼女が「カシケ」と呼ぶ土地財産をもつマニラの政治屋どもの貪欲と腐敗に対する軽蔑、そしてアメリカの植民地政策とその施行に対する無条件の称賛を、隠そうにも隠し切れないでいる。そういうわけで、さまざまな欠点はあるものの、マヨは、新しい国民国家におけるリサールの位置について鋭い観察を行なっている。

一九二三年一二月三一《ママ》日――リサール追悼記念日――に、サンボアンガ市にて、マニラの命令に従ってパレードが行なわれた。横断幕を掲げての示威行動で、アメリカに反対し、ウッド総督[5][訳注16]に反対し、とりわけ、[訳注17]モロ地方を合衆国領土として分離することに反対した。しかし、モロの人びとは、そのような分離の考えに賛同していた（Mayo, 1925: p. 313）。

脚注のなかで、マヨは、リサール追悼記念日の根拠づけについて、アメリカ人によって公表されたものとしては、おそらく最初にして唯一のきわめてすぐれた説明を提供している。

> キリスト教徒フィリピン人の間に公共の精神を創出する努力の一環として、タフト氏が総督在任期間中に創り出した祝日。タフト氏の意図は、もし国民的英雄が彼らに与えられるとするならば、大いに必要とされる理想が、そのうちその名を中心として育ってくるであろう、というものであった。これほど人びとに知られているフィリピン人はほかにはいなかったのである。そういうわけで、タフト氏は、手に入れられる限り最善の忠告を吟味した上で、煽動罪により一八九六年に処刑されたホセ・リサールを取り上げ、意図的な公共キャンペーンによって、彼を人工的にフィリピン人の英雄に仕立て上げることに決定した。これは、そのとおり実行されたのである（Mayo, 1925: p. 313）。

しかし、マヨは、英雄の「人工的な」創造についていくつかの点を明らかにしていない。①リサールを取り上げるために「手に入れられる限り最善の忠告」を提供したと思われるのは、どのような人たちであったのか。②どうしてリサールなのか。③タフトが自分の配下のフィリピン人に教え込もうとした「大いに必要とされる理想」とはどのようなものであったのか。

リサールの名前の周辺で「大いに必要とされる理想」を奨励すること。(訳注18)これはアメリカ側について言えることであって、それは事の半面にすぎない（そしてコンスタンティーノはこちらの側面しか見ていなかったのである）。もうひとつの半面は、ドーンシー夫人とマヨ（イギリス人ドーンシー夫人の場合は当惑を、アメリカ人のマヨの場合は困惑を伴いつつ）が暗示していること、すなわち、この公共の祝日が、かつてはフィリピン人によって、ドーンシー夫人の表現で言えば、「自分たちの愛国的感情をいくらかでも落ち着かせようとする」機会として、あるいは、マヨがより特定して言うように、「アメリカに反対し」、そして「ウッド総督に反対して」、示威行動を起こす機会として用いられていたことである。

リサールがアメリカ植民地政府によって帝国の目的を促進するために用いられ、フィリピン人によって自分たちの愛国心を表現し、植民地政府に反対して示威行動を起こすために用いられていたことは、ひとつのパラドックスである。ドーンシー夫人の記述が一九〇四〜〇五年、そしてマヨの記述が一九二〇年代初頭であることを考えると、この二つの相対立しながら並存する過程は、少なくともアメリカ植民地支配の最初の、そしてきわめて重大な二〇年間に進行していたに違いない。これがどのような解決を見たのかについては、これまで本格的な研究の主題とされてこなかった。今日のフィリピンにおける歴史学者のなかでは、これまでのところイレート（Ileto, 1984）とシューマッハー（Schumacher, 1991）だけが、リサールというシンボルをめぐる抗争について言及しているが、マヨやドーンシーと同様に、覇権《ヘゲモニー》とナショナリズムの作用を理解するためにその意味を深く追求しようとはしていない。

シューマッハーがリサールのアメリカ版を「盗用」として（つまりリサールの「本当の」意味としてでなく）詳説するところに一番近づいているが、国家形成の政治を解明するような洞察を展開するところまではいたっていないのである。

イレートによれば、アメリカ植民地時代には少なくとも、主として三つのリサールの読み方があった（Ileto, 1984: pp. 92-93)。ひとつは、アメリカ的な読み方であり、キャサリーン・マヨがはじめて言及し（Mayo 1925)、ウシャ・マハジャニが指摘し（Mahajani, 1971)、レナト・コンスタンティーノが糾弾したように（Constantino, 1969)、「フィリピン人の称賛を革命的英雄から遠ざけ、平和主義と立憲的国民主義に向けるために……、リサールに対する全国規模の英雄崇拝」(Ileto, 1984: p. 92) を促進したのである。マハジャニによれば、ローズベルト大統領は、リサールを「独立否定」のリストに上げさえしたのである。(6)

次の、それほどは狡猾ではない読み方は、保守的な有産知識階層《イルストラード》（訳注19）の見方で、リサールを、スペイン植民地支配における修道会の至上的権力に対する反対勢力のシンボルとしながら、同時に、「〔革命的と反対の意味で〕進化的な変化、すなわち、独立の前に、教育を、〔剣よりも〕ペンの効果を、法の支配を、そして国民への奉仕を求めることのシンボルとする見方であった」(Ileto, 1984: p. 92)。これはアメリカ的な見方を補完するものであった。

第三の読み方は、アメリカ的な見方と競合するものであり、イレートの表現では「リサールの破壊的解釈」である。これは、アギナルド指導下のマロロス共和国（訳注20）やコロルム（訳注21）などの千年王国的な農民組織によって共有され、アメリカ植民地支配を通じて存続し、一般に広く流布したイメージである。革命軍の支配下にあったすべての町々でリサール殉難二周年が厳粛に守られたときに追悼されていたのは、まさにタガログ人のキリストとしてのリサールの「破壊的な」意味づけであった。

アメリカ植民地支配の時代には、千年王国的な農民組織もしくはコロルムの指導者たちは、リサールの生まれ変わりに自らをなぞらえることによって、あるいは少なくともリサールの霊と結ばれていると見なすことによってカリスマ的存在となり、支持者を獲得したのである。(7) キャサリーン・マヨは、人種差別とまでは言えないにせよ基本的に同情に欠けた報告のなかで、スリガオのコロルムが説教し、ウッド総督統治下の一九二三～二四年に危機を引き起こした、終末的破滅の物語について詳述している。この物語は、スリガオに始まり諸島全体に広がる差し迫った戦争を予告していた。政府への総攻撃のために、全員がスリガオのコロルムに結集し、コロルムに加わることを拒んだ政府職員は皆殺しにされるだろう。そして四ヵ月の戦いののちに、ホセ・リサール博士が大きな船に乗って到着し、勝利にあふれてすべての忠実な人びとをセブ島に運び、「幼きイエス《サントニーニョ》」とともに勝利を祝うだろう、というものである。

これらの祝祭の間に疫病が発生し、戦争を生き延びたもののコロルムの武装勢力に加わることを拒んだ者たちをすべて地上から一掃するであろう。死者たちの財産は忠実な人びとの間で分配され、ホセ・リサール博士は戴冠され王位に就くであろう。税を払うこともなく、仕事をする必要もなく、すべての人びとが永遠に幸せに過ごすであろう(Mayo, 1925: pp. 188-189)。

このようなことは、自分の利益のために農民たちの「教育を受けていない子どもの知能」(マヨの表現)を活用したペテン師どもによってでっち上げられたたぐいのお話として、あっさりと退けてしまうこともできたであろう。しかし、コロルムという集団が実際に非常に多くの農民たちの支持を集めたという事実、しかも彼らが手持ちのなけなしの財産を処分するなり売るなりして、ブカス・グランデ島(訳注22)にあるコロルムのコミューンに加わったという事実に、官憲とフィリピン治安警察隊(訳注23)は警戒した。官憲は、コロルムが政府職員を殺害するという脅迫を実行に移すのではないかと恐れた。そこで、コミューンを破壊し指導者たちを逮捕するためにフィリピン治安警察隊が派遣されたが、支持者たちは抵抗した。包囲攻撃が一ヵ月続き、通常どおりこの集団の大虐殺に終わった。マヨはこれについて、支持者たちの狂信と指導者たちの犯罪的な逸脱を非難している。

しかし、マヨがまったく見落としていることがある。それは、なぜリサールという人物がアメリカ植民地時代の農民運動においてこれほどまでに中心的な役割を果たしていたのかという問いであり、またどうして反乱の指導者たちが、ボニファシオなど対スペイン革命やフィリピン・アメリカ戦争の間に死んだ英雄たちよりも、むしろ「ホセ・リサール博士」に自分たちを似せようとしたのか、さらに、どうして農民の支持者たちが、リサールの名を語った指導者たちに信頼をおいたのか、という問いである。この問いを探求していくことで、われわれは、いわゆるフィリピン人のアメリカ化を理解することができる、というのが私の主張である。

覇権を確立するためにリサールというシンボルを有効に利用するという、稀に見る成功を収めた植民地事業は、連続する二つの段階によって構成され、マッキンリーが任命したフィリピン委員会の文化的・政治的な予備作業を通じて可能となったのである。

シャーマン委員会

当時のコーネル大学学長ジェイコブ・シャーマン博士を委員長とした第一次フィリピン委員会は、基本的には実情調査の使節団であり、その任務はフィリピンの状況を調査し、合衆国大統領に勧告書を提出することであった。シャーマン委員会(訳注24)は、一八九九年三月の到着から一〇ヵ月以内に、フィリピンに関する歴史、民族誌、地理その他科学に関する情報をできる限り集めた。委員会は出版物を収集し、イエズス会を訪ねてその豊富な科学的な資料の蓄積を渉猟し、見識あるフィリピン人専門家や内外の企業家たちと懇談した。委員会はまた公聴会を開き、アギナルドの和平案について彼の使節たちと会談した。(8)

一九〇〇年一月三一日にシャーマン委員会は任務を完了し、報告書をマッキンリー大統領に提出した。そのなかには次のような勧告が含まれていた。①軍政の撤回、およびアメリカとの和平がすでに成立している地域における民政の確立、②市や州の自治政府の組織化、③下院は民選により、上院は半数を民選、残り半数を任命制により選出する二院制議会の設立、④諸島全土における公立の無償の小学校の開設、⑤著名なフィリピン人の政府要職への任命。(9)

政策提言では述べられていないものの、この委員会が発見したことのひとつにリサールがあった。委員会は著名なフィリピン人、とくにトリニダード・H・パルド・デ・タベラ(訳注25)との懇談をとおして、またイギリスの作家ジョン・フォアマンやスペイン人ジャーナリストで歴史家でもあるウェンセスラオ・E・レターナ(訳注26)の著作を通じて、リサールについての知識を得た。フォアマンはフィリピンの長期滞在者であり、一八九〇年に『フィリピン諸島』という題のもとでこの国の歴史を書き記した。この著書は、一八九九年と一九〇六年に改訂され、フィリピン革命とフィリピン・アメリカ戦争の記述が加筆された。タベラはリサールを個人的に知っていた。レターナはフィリピン関連文献の莫大なコレクションをもっていた。この三人の著述家たちはともに、リサールはボニファシオ(訳注27)の蜂起に反対したという見解の持ち主であった。

パルド・デ・タベラは、この委員会に対して最初にリサールのイメージを提供した人物である。それは一九〇〇年出版の『大統領へのフィリピン委員会報告』第二巻（証言および証拠書類）に含まれた、彼の委員会とのインタビューの一五頁からなる速記録から拾い出すことができる。タベラは、「一八九六～九七年の革命の本当の原因」について、また「このリサールという人物が何をしたのか、彼に何が起きたのか、そしてフィリピンにおいてどうしてこれほどの影響を及ぼすにいたったのか」について尋ねられた。タベラは「大変な喜びをもって」これに応じ、概説的な伝記を提示した。こうすることによって、彼は今日の正統的なリサール観を公にしたのである。それはボニファシオに対する微妙なさげすみを含むものであった。

結社カティプーナンの指導者ボニファシオが、リサールに対して、革命を始めるのはよい計画であろうかと訪ねると、リサールは、その計画に反対し、それはふさわしくないと言ったのです。リサールは、この国にとっての最善は、人びとの進歩と教育のために献身すること、そして平和な方法で改革を求めることであろうと言ったのです。それにもかかわらず、ボニファシオは、本当のことを語る代わりに、リサールが平和を忠告したと言わず、むしろ戦争を忠告したと人びとに告げたのです。リサールは革命とも、結社カティプーナンともまったく関係がないのです（*Report of the Philippine Commission*, 1900: vol. 2, p. 388）。

アメリカ人たちはまた、タベラからフィリピン人の政治生活においてルネタがもつ中心的な意味についても知らされた。委員会が挙げた一連の質問は、新政府がのちにルネタを国民的祝祭の中心として、またリサール記念碑を建てる場所として利用することを予示している。

質問――彼はどこで撃たれたのですか。

答え――マニラにきたとき、リサールはサンチャゴ要塞に連行され、そこから徒歩でルネタに隣接する「バガンバヤン」[10]という広場まで連行され、そこで撃たれたのです。リサールは進んでいき、非常な平静さを示し、そして通りを進む間、微笑み、笑いさえしていたのです。笑いたくなったわけではなく、大変な人格と強靭さをもっていたからであり、自制できることを示したかったのです。彼が倒れて息絶えると、立ち会ったスペイン人たちは男も女も「スペイン万歳《ビバ・エスパーニャ》！」と叫んだのです。

質問――そこには大勢の群衆がいたのですか。

答え――大変たくさんの人がいました。それはスペイン人の民族的なフィエスタであり、処刑のあとで、楽隊が「カディスのマーチ《ラ・マルチャ・デ・カディス》」を彼の遺体の前で演奏しました。それが慣習だったのです。

質問――そのとき銃殺されたのは彼だけでしたか。

答え――当日、銃殺されたのは彼だけでした。そして〔スペイン人の〕世論は、四人のインディアン（現地住民《ネイティブ》）兵士が彼を撃つべきだと要求したのです。

質問――そのように実行されたのですか。
答え――そのように実行されました。一般的なこととして、処刑はすべてスペイン人兵士によって執行されましたが、リサールの場合だけが例外だったのです。
質問――処刑は一般にルネタで行なわれたのですか。
答え――常にそうでした。
質問――スペイン人たちは処刑を楽しみの場としたのですか。
答え――はい、そのとおりです。それはいつも喜びの理由であり、娯楽でありました。ただし、これらの〔スペインの〕人びとは処刑が正しい行為であるということ、そして銃殺された人びとは有罪なのだということを信じて現場に赴いたということを、付け加えておかなくてはなりません。処刑は私たちにしてみれば野蛮なことに思えますが、これらの人びとは、自分たちが見たことは正義の執行にすぎないと信じていたのです……。
質問――紳士や淑女がこれらすべての処刑を見に行くことは習慣的なことだったのですか、それとも時折行ったにすぎないのですか。
答え――そうです。政治的な処刑の場合、習慣となっていました。
質問――それでは、処刑は見世物と見なされていたのですか。
答え――そうです。愛国的な性質の見世物でした。
（*Report of the Philippine Commission*, 1900: vol. 2, pp. 388-402）.

興味深いことに、この国に関する集中的な調査と観察は、委員会の委員たちに特異な効果をもたらした。とくにシャーマン博士とディーン・C・ウースター教授の場合が、そうであった。シャーマン博士は合衆国に戻り、考えを改めて反帝国主義連盟の大義に身を投じた。この連盟の会員や賛助者のなかには、ジョン・デューイ、ウィリアム・ジェームズ、マーク・トウェインを含む、アメリカの最良の知性を代表する何人かの人びとがいた。彼らはみな、フィリピンに対する戦争を犯罪と見なしていたのである。(11) リチャード・E・ウェルチ・ジュニアによると、一九〇二年にシャーマンは公にフィリピンの独立を提唱し、三年間の抗争と戦闘によってフィリピン人たちのなかに「ひとつの民族」と即時独立に向かう「共通の情熱」が生み出された、と宣言した（Welch, 1979: p. 118）。しかし、ウェルチが述べているように、フィリピン・アメリカ戦争に対する学者や作家の反対は、多くの場合、雄弁であり、ときには勇敢でもあったが、結局効果をもたなかった（Welch, 1979: p. 117）。少なくとも政策決定者の間の支配的な見方は、かつてミシガン大学における動物学専攻の若手教員であったディーン・ウースターが提唱したもので、上記同盟の人びととの意見とは正反対のものであった。シャーマンと異なり、ウースターはフィリピンに定住することに決め、一四年間植民地政府の傑出した官吏を務め、さまざまな山岳部族の民族誌研究者となり、同時にビジネスマンとしても成功した。ウースターは『フィリピン――過去と現在』（一九一四年出版、一九三〇年改訂）という二巻の歴史書を出版した。彼は、フィリピン人が独立には不向きであり、彼らに自治ができるようになるまで、かなり長期にわたって民主主義とすぐれた統治に関するアメリカの後見が必要である、と強固に主張した。彼は、その著書のなかで次のように述べている。

彼らにとって今日があるのも、ひとえに彼らが一定の軌道の上に乗せられてきたからであり、外

写真8－1　イゴロット族戦士（Dean Worcester, *The Philippines: Past and Present, New York: Macmillan,* 1914）

からの圧力が緩和されれば、彼らは着実かつ即座に退廃するであろうことを、私は確信している（Worcester, 1914: vol. 2, pp. 959, 960）。

　この点を明瞭にするために、ウースターは、切断された頭のように見えるもの（首狩りの犠牲者か？）の傍らに槍を構えて立つ、非キリスト教徒で半裸のイゴロット族戦士の写真（写真8－1）をのせ、次のような説明書きを加えている（Worcester, 1914: vol. 2, p. 973）。

「公務員候補者」

　ジョーンズ法〔当時、アメリカ議会で議論されていたフィリピン独立法〕が制定されると、この槍をもった男が山岳州の上院議員に選ばれることもありうる。彼は、この高い官職に就くにあたって必要と規定される資格をもっているのである。

したがって、タフトが一九〇五年に強調したように、重要なことはフィリピン人の「福祉」であって独立ではなかった。フィリピン人の間にこの見方を普及させるために、ウースターのような東洋に偏見をもつアメリカ人が歴史を書き換え、リサールのイメージをつくり直さなければならなかった。たとえば、ウースターは彼自身による二巻本のフィリピン史の著書のなかで、持論のひとつを主張している。「マゼランが一五二一年にフィリピンを発見したとき、そこには動産奴隷が存在した。そして、それは今日もなお存在するのである」(Worcester, 1914: vol. 2, p. 676)。これは、アメリカ統治は文明化されていないフィリピン人に対するまったくの祝福であって、アメリカが長くとどまるほどフィリピンにとってはそれだけ良いのだ、という彼自身のより大きな主張を補強するために展開された多くの議論のひとつである。

著名なフィリピン人たち、とくにケソンがこうした言明に対して真っ向から反対を表明したとき、ウースターはモルガとリサール(訳注28)の権威に訴え、その過程でリサール像を再構築したのである。ウースターは、モルガの著作とこれに対するリサールの注釈を引用したのち、モルガとリサールの学問的権威にもとづいて、フィリピンに奴隷制が存在し、現在も存在していると結論づけている。もちろん、これはリサールの議論を完璧なまでに誤って伝えるものである。リサールの指摘によれば、ヨーロッパやスペインで慣習化した「奴隷制」の形態はフィリピンには存在しないし、存在したこともなく、スペイン人の記録家たちや宣教師たちがフィリピンにおけるある種の社会的慣習に「奴隷制」というレッテルを張ったものの、彼らは、その慣習についてよく理解していたわけではなく、それは、またヨーロッパの慣習とも異なっていた。たとえば、フィリピンでは、奴隷と呼ばれる人びとが主人と呼ばれる人びとと食卓をともにし、実に、主人やその子どもと結婚することもできたのである。

『ニューヨーク・イブニング・ポスト』に掲載されたウースターに対するケソンの反駁もまた、リサールの主張の核心を理解していなかったようである。

〔フィリピン〕議会の法的支配下にある諸島の一部たるキリスト教徒フィリピン人の居住領域には奴隷制はなく、またかつてそれが存在したこともない。よって、この議会はフィリピン委員会が可決した反奴隷法を拒否することになった（Worcester, 1914: vol. 2, p. 679より重引）。

これに対し、ウースターは言葉巧みにこう問いかけている。「アメリカの公衆は誰を信じるであろうか。歴史家のモルガやフィリピン人愛国者のリサールか、あるいはフィリピン人政治家のケソンであろうか」（Worcester, 1914: vol. 2, p. 679）、と。ウースターの言葉は、アメリカ政府のためのリサールの利用の一例を劇的に示すものであった。すなわち、革命という目標を掲げたり独立を提唱したりするフィリピン人民族主義者の信用を失墜させる、というものである。

政府は、独立と革命を否定するだけでなく、シューマッハーが指摘してきたように、スペインの植民地的な遺産を低く評価し、アメリカの制度と価値を肯定するためにも、リサールを用いた（Schumacher, 1991）。アメリカの策略には、二つの側面があった。まずリサールの天才と知恵を称賛し、ついで、まさしくリサールを、アメリカがフィリピンで打ち立てたり実行したりしつつあるまさにそのことを主張した人物として、登場させたことである。たとえば、アメリカの文芸評論家ウィリアム・ディーン・ハウエルズの言葉を借りれば、彼らは、『ノリ・メ・タンヘレ』とその著者リサールを、「文学的名声轟くいかなる、あるいはすべての作家たちをもはるかに凌ぐ……天賦の才をもって生まれ……この悲劇小説を読んだものは、その計り知れない優越性を否定しえないであろう」(Craig, 1909: p. 24; Forbes, 1928: vol. I, p. 53 より重引) と、評価したのである。

と同時に、アメリカ人たちは、(フィリピン商務・警察長官を経て総督となった) W・キャメロン・フォーブス[訳注29]が、彼自身の二巻本のフィリピン史の著書のなかで宣言しているとおり、「リサールは決して独立を提唱しなかったし、政府への武装抵抗を提唱することもなかった。彼は宣伝、公教育、そして公共の良心に訴えることによって、内側からの改革を促した」(Forbes, 1928: vol. I, p. 53) と主張したのである[12]。

アメリカ人たちは、リサールをボニファシオや一八九六年の革命[訳注30]から完全に切り離そうとした。リサールのフィリピン同盟について、フォーブスは次のように記している。「それはおもに、経済発展と会員の互助的な便益に関するものであって、明らかにスペインからの分離を念頭におくものではなかった」(Forbes, 1928: vol. I, p. 54)、と。アメリカ人たちは、タベラとレターナのリサールの読み方に従い、いまやフィリピン同盟とカティプーナンの間、リサールとボニファシオとの間にあったとされる敵対的関係を誇張したのである。フォーブスは続ける。「〔ボニファシオの〕考えは、多かれ少なかれ社会主義的であったようだ。〔カティプーナンは〕、修道会の追放とその領地の接収のみならず、政府と社会構造の徹底した再組織化を目的としていたという点で、リサールが創設したフィリピン同盟と本質的に異なるものであった」(Forbes, 1928: vol. I, p. 55)、と。

最も明快な議論は、マッキンリーの後継者であるセオドア・ローズベルト大統領の、一九〇三年四月七日のノースダコタ州ファルゴでの演説であった。それはリサールのアメリカ的盗用《アプロプリエーション》の論理を捉えている。

> 常に覚えておいて頂きたい。アメリカ政府は、フィリピン諸島で知られる最も偉大な天才にして最高の尊敬を受けている愛国者、ホセ・リサールが変わることなく提唱していたまさにそのことを、フィリピンで実行しようとしてきたし、現在もそうしている。この人物は、死の直前に、同国人に宛てて、一八九八年一二月一六《ママ》日付で、アギナルドの反乱を手厳しく糾弾していたのである……。
>
> このメッセージは、まさにまったくもって、アメリカ政府がフィリピンにおいて行動する土台となった公認の政策を表していた。私たちがこの諸島にくる前に、愛国者リサールが反乱についてそれほどまでに力強く言ったことは、われわれがこの諸島に設立している穏健で温情に満ちた政府に、愚かにも、あるいは悪辣にも逆らう人びとに対して、一〇倍もの大きな力をもってあてはまるものである。フィリピン人たちがその誕生日を祝い、英雄であり、理想としてあがめている、殉難した公僕リサールの判断は、アメリカが主権を行使する義務を説明するものである。アメリカ人は、この義務から決して身を引くことはないであろう (Craig, 1933/1973 reprint: pp. 351-352. ただし、傍点は筆者による)。

フォーブス総督は、リサールが独立への待望を心に抱いていたかもしれないという認識をもっていた点で、ローズベルトやタフトを超えていた。フォーブスは、フィリピン人たちが、アメリカによって植民地化された幸運を幸せに思い、感謝する十分な理由がある、と強く宣言したのである。

〔彼らは〕、政府組織の自由化と国内政治行政運営において、フィリピン人の参加が段階的に増大することが容認されていることを〔よく思い巡らしてみることもできよう〕。……満足をもって、そして偉大な愛国者リサールの夢がすべて実現し、合衆国からの分離と終局的な独立にまでいたる未来にありうるかもしれないさらなる野心は、リサールがたとえ内心の思いとして好んで胸に抱いていたとしても、文筆においては夢にすらしなかったことだという理解をもって（Forbes, 1928: vol. II, pp. 95-96）。

興味深いことに、アメリカ当局がリサールの名を引き合いに出したのは、フィリピン人に自分たちの植民地政策の公正と恩恵を説くためだけではなく、合衆国議会においてそうした政策の承認を取りつけるためでもあった。たとえば、マッキンリーのいわゆる友愛的同化《ベネボレント・アシミレーション》（訳注31）政策の推進にあたって、合衆国議会は一九〇二年七月一日に一九〇二年フィリピン法〔別称、一九〇二年七月一日法〕を公布した。これは、フィリピン植民地経営にかかわる合衆国大統領の過去の行為を承認し、①選挙制のもとでフィリピン議会を創設すること、②陪審による裁判権を除く権利法典の適用をフィリピン人にも拡大すること、③合衆国議会においてフィリピンを代表する、ワシントン駐在フィリピン代表委員二人の派遣、そして④フィリピンの天然資源をフィリピン人のために保護すること、を規定していた（Zaide, 1957: p. 241）[13]。

この法案は合衆国議会下院において強固な反対に直面し、議員のひとりが激しい議論のなかで、フィリピン人を「文明化の資格をもたない」、「海賊ども」、「野蛮人ども」、「未開人ども」と中傷したとき、ウィスコンシン州出身議員のヘンリー・A・クーパーがフィリピン人の弁護に立ち上がり、リサールの別れの詩を朗読した。それは声高な議員たちに深刻な衝撃をもたらし、彼らは静まり、座席に着き、耳を傾けたのであった。そこで、クーパー議員は次のように激しく糾弾した。

海賊！　野蛮人！　未開人！　文明化の資格をもたない！　文明化された白人たちのなかで、いったい何人の人たちが、次のことを理解できただろうか。すなわち、あの恐るべき夜、死の天使の黒い翼の羽ばたきの音以外には何にも遮られることのない沈黙のなかで、あの殉難したフィリピン人がただ独り座っていたとき、そのような考えが彼の魂から注ぎ出されたということを。長くも血塗られた殉難者たちの名前のリストを世界中で探してみて、いったい、どこに、どの地に、どの空の下に、暴虐がこれほどまでに高貴な犠牲を求めたところがあるだろうか。議長、ホセ・リサールほど高邁にして純真な人物をそのような状況の只中から生み出した民族に、将来の希望は必ずあると思います（Zaide, 1957: p. 241 より重引）。

サイデによれば、クーパーの演説の直後に採決がなされ、全会一致で一九〇二年フィリピン法案が通過したのである（Zaide, 1957: p. 241）。

タフト委員会とリサール

一九〇一年七月四日に文民政府が発足し、一八九九年八月以来この国を支配してきた軍事政府に取って代わったとき、第二次フィリピン委員会、あるいは、より一般的に知られた名称ではタフト委員会は、タフトを総督とする立法・行政部門となった。

タフト委員会は、アメリカの覇権事業をかたちにしていった。アメリカによる植民地化の最初の一〇年でただちにはっきりと現れた効果のひとつは、アメリカ化されたリサールの普及であり、それはアメリカによる果敢なまでのリサールの後援とフィリピン人エリートの熱狂的な協力を通してなされた。フィリピンの景観は、地理的にも、またそれ以外の意味でも、リサールの肖像で満ちあふれた。彼の名にちなんで、ひとつの州全体の名称（以前はモロン州であった州名がリサール州に）やマニラの中心通りのひとつが（リサール通りと）名づけられた。マニラの一地区の通りがすべて彼の小説の登場人物にちなんで名づけられ、ルネタには彼の記念碑が建てられ（この碑は、マニラとこの諸島のあらゆる場所との間の距離を測るための基点となった）、政府庁舎、市庁舎、そして船や商工業製品までもリサールにちなんで名づけられた。リサールの胸像や立像は町々の公園や広場、学校や政府庁舎を飾り、彼の肖像画はほぼすべての教室や会堂、すべての政府庁舎、公会堂、会議室に掛けられた。フィリピン議会の議場には、リサールの巨大な肖像画が掲げられた(14)。

リサールの肖像画は、通貨（紙幣と硬貨各一種類）だけでなく、フィリピンで最も普及している切手にも印刷された。そして何より、「リサール・デー」と呼ばれるリサール追悼記念日が国民的記念日となり、市民パレード、美人コンテスト、朗読コンテストやエッセイ・コンテスト、そして全国見本市がともにとり行なわれた。さらに加えて、（アメリカ人オースティン・クレイグによる）リサールの伝記とリサールの精選作品集が公立学校のカリキュラムに含まれていた。シンボルとしてのリサールは公的な場に限られなかった。それは、すぐに私的領域においても現れ、フィリピン人の親たちは、いとしい生まれたばかりのわが子に、「リサール」とか「リサリーナ」といった名前をつけ始めるようになり、こうした慣習はインドネシアにまで広まった。

二つの法律が、フィリピンの政治文化上の地勢を劇的に改変するにあたり、最も決定的に重要であった。ひとつは、一九〇一年九月二八日にフィリピン委員会によって制定され、ルネタにリサール記念碑を建てることを定めた法律第二四三号であり、もうひとつは、一二月三〇日を正式な公共の祝日と定めた法律第三四五号で、一九〇二年二月一日にフィリピン委員会によって制定されたものである。

フィリピン共和国に対する征服戦争がなお猛威をふるっていたとき（一八九九～一九〇二）、アメリカ政府がまず行なったことは、覇権的実践の方法において、この政府が賢明に行動することができることを立証したことである。これと関連して、フィリピン委員会による一九〇六年一二月二一日付の陸軍長官〔W・H・タフト〕宛ての覚書において、委員会はスペイン植民地統治の宗教暦／市民暦をおおむねそのまま残し、二つの点のみ必要な修正を施した。①「スペイン王室だけに関わる」祝日は廃止する、②アメリカの祝日、すなわち、二月二二日、七月四日、そして感謝祭を導入する。

さらに、アギナルドが逮捕されてから（一九〇一年三月二三日）およそ一年後、あるいはタフト委員会を頂点とする文民政府の発足後およそ六ヵ月後に、新しい市民暦が制定された。一九〇二年二月一日にフィリピン委員会は法律第三四五号を制定し、以下の国民の祝日を定めた。

各週の第一日目、いわゆる日曜日。
一月の最初の日。
二月二二日。
いわゆる聖週間の木曜日と金曜日。
五月三〇日（戦没将校記念日、一九〇三年五月一三日に追加）。
七月四日。
八月一三日（マニラ降伏の日）。
感謝祭。
一二月二五日。
一二月三〇日（リサール追悼記念日）。

こうして徐々に、ほとんど気づかないうちに、宗教的祝日は、合衆国の市民的祝日に取って代わられたのである。この新しい市民暦とともに、宗教的祝日と市民的祝日の間に明瞭な分離が設けられた。日曜日、キリスト割礼の祝日（一月一日）、聖週間の金曜日と木曜日、そしてクリスマスの日が宗教的祝日として祝われた。一月一日は世俗的祝日としても守られたが、それ以外の祝日は「アメリカ的な愛国の祝日」として記念され、リサール追悼記念日は「純粋にフィリピンの祝日」とされたのである。

リサール追悼記念日の制定は、次の二つの理由で決定的に重要である。①リサールの場合、宗教的なものと市民的なものが融合しており、リサールは国民的象徴であるとともに、タガログ人のキリストでもあったこと、②リサールを追悼記念することは、エリートから大衆にいたるフィリピン人全体の積極的な協力と参加を伴うものであったこと、である。

フィリピン人エリートとアメリカ植民地政府との間の「帝国的協力」は、リサールという人物像の巧みな「公的」盗用に最も鋭く表れている。「公的」リサールの普及を促進するフィリピン議会の最初の重要な決定は、一九一〇年四月一九日に特別議会において、法律第一九八二号「ホセ・リサール博士生誕五〇周年記念祝典とその他の目的を規定する法律」として成立した法案を可決したことである。これは、当時の総督W・キャメロン・フォーブスが発令した布告第九号によって実施に移され、六月一九日が正式に国民の祝日となった。

しかし「公的」リサールの人物像をめぐって大衆をひきつけた最も劇的な事件は、おそらく一九一二年一二月二九～三〇日に起きたものであろう。リサールの遺骨が彼の妹トリニダードの許から離れて、フィリピン議会議事堂に終日（一二月二九日）安置され、すべてのフィリピン人はそこで敬意を表することを許され、さらに次の日には、ルネタに新設されたリサール記念碑に移された[15]。これは、マニラのいくつもの市民団体の要請に応えて、当時の臨時総督ニュートン・W・ギルバートが発令した布告第六号によって可能となった。

この宣言は、植民地政府の二つの基本的機構——すなわちフィリピン治安警察隊とフィリピン議会——が（リサール騎士団《カバリェロス・デ・リサール》に率いられた）市民組織や公立・私立高校や大学の青年たちと結びつくという、市民的儀式の成立を明確に示すものであった。公的儀式は、これらのさまざまな要素を国民的象徴（リサール）の周囲に統合し、青年に象徴される未来に向けて、それらを方向づけていくことによって、国民の統合性を確立したばかりでなく、アメリカ政府の啓蒙的で温情豊かな導きの手のもとで未来を確かなものとしたである。

国民的儀式の覇権的効果は、リサール記念行事計画について、植民地政府批判で定評をもつ民族主義的新聞『エル・イデアル』が、うわさを耳にしたときの反応に表されている。これまで闘争的であったはずの『エル・イデアル』紙は、一九一二年一月二日の社説で「和解を申し出て」、その一部で次のように述べた。「アメリカ人とフィリピン人との関係は、一般的に大変心のこもったものである。アメリカ人は私たちのリサール礼賛に加わり、英雄の祭壇の前で、私たちはともに、私たちの間に存在する相違を忘れていたのである」(Forbes, 1928: vol. II, p. 78より重引)。

リサールの遺骨を、マニラにあった彼の亡き母(前年に亡くなっていた)の住宅からフィリピン議会議事堂へ、そしてルネタのリサール記念碑の基底にある最終的安置所へ移動する儀式は、リサール騎士団に先導された壮大にしてきわめて荘厳なパレードを通してとり行なわれた。総督自身とすべての有力官僚や政治家たち、フィリピン人とアメリカ人、そしてこの地の市民団体を含み、当時ルネタに集まったなかでも最大規模の群集と思われる人びとの眼前でとり行なわれたのである[16]。このきわめて重大な行事がとり行なわれて以来、ルネタのリサール記念碑は、勃興しつつある国民国家の神聖かつ市民的な中心地となった。こうして一九一二年一二月三〇日は、リサールが公式にフィリピンの国民的英雄と定められたことを記す日となった。また、この日は、戦後一九四六年に発足したフィリピン共和国によってそれが構築されたとするアンダーソンの仮説に反して、「公定ナショナリズム」の始まりを刻印するものである(Anderson, 1994: p. 106)。

公定ナショナリズムの基礎づくりは、植民地当局がリサール記念碑を設立する決定を下したときに始まった。一九〇一年九月二八日に、発足したばかりの文民政府の立法・行政機関であったタフト委員会は、法律第二四三号を制定した。この法律は、リサール記念碑を建てるためにルネタの公有地の使用を許可し、資金調達と記念碑の建設を監督するリサール記念碑委員会の創設を認可するものであった。[17] フィリピン委員会は、資金調達を手助けするために、一九〇三年九月一九日に法律第八九三号を制定し、一万五〇〇〇ドルが「リサール記念碑建設に資する目的のために」支出されることになった。この計画に対する強い関心を惹起するため、委員会は一九〇五年三月一五日に、リサール記念碑国際デザイン・コンクールを開催した。そこでは、デザイン費用が一〇万ペソ（五万ドル）を超過しないという条件のもとで、最優秀賞五〇〇〇ペソと第二位二〇〇〇ペソからなる賞を設けた。フィリピン委員会はさらに法律第一四三六号を制定し、記念碑建設に必要な資材をすべて免税にすることを許可した。[18] こうして、文民政府は、一九一〇年に委員会の推薦を得て、スウェーデン出身の芸術家のキスリング博士のデザインを採用したのである。

アメリカ政府は、また、リサールと関連するその他の場所にも注意を払った。たとえば、（ミンダナオ島の）ダピタン[訳注32]でリサールが流刑者として生活し働いていた場所も、また国立公園とされた。フォーブス総督が述べているように、リサールの元教え子が公園の管理人に選ばれ、保護できる限りの遺品の多くが集められ保存された（Forbes, 1928: vol. II, p. 178）。この事業には一万ペソ（五〇〇〇ドル）が支出された。リサールがダピタンの広場に自分で建てたミンダナオのレリーフ地図はセメントで隔てられ、よりよく保存できるように垣をめぐらされたのである。

リサールの盗用とフィリピン人のアメリカ化

ここで、二つの問いをさらに追及する必要がある。すなわち、①リサールのどこに、アメリカに盗用《アプロプリエーション》あるいは誤盗用される余地があったのか、②それはどのようになされたのか、という問いである。

第一の問いに関しては、フィリピンの職業的歴史学者のなかで、コンスタンティーノの定説からとくに「盗用《アプロプリエーション》」という概念を援用し、新鮮かつ実り多い飛躍を成し遂げたのは、イエズス会士の学者ジョン・シューマッハー神父だけである。シューマッハーはモルガについてのリサールの諸命題のひとつ、「フィリピン文化はスペインとカトリシズムの産物であるのみならず、実にそれらによって損なわれてきたということ」を、アメリカの政策にきわめて適したリサールの一側面として、取り上げている(Schumacher, 1991: p. 117)。というのも、それは、「フィリピン人をスペインに対するいかなる感謝の念からも引き離そうとするアメリカの努力と完璧に符合していた」からである。実に、スペイン植民地主義に対する急進的な批評は、「アメリカが推奨したイデオロギー、すなわち、フィリピン人はスペイン人の誤った支配によって突然その発展を妨げられたが、彼らがアメリカの理想、価値、実践を受容するならば、アメリカの後見のもとで、やがては偉大な国民となりうるというイデオロギー」にぴったりあてはまるのである。シューマッハーは次のように述べている。

プロパガンダ〔啓蒙宣伝——訳者〕運動家たち《プロパガンディスタ》(訳注33)〔ここでは、リサール〕によるフィリピン人の過去の再構築を、アメリカが実に完璧に盗用したため、過去の再構築と民族的アイデンティティの追及において、独立以降の民族主義的な歴史記述は、逆説的なことに、リサールがフィリピン文化の破壊と見なした時代やリサール自身の作品——つまり、前者はスペイン時代と見られ、後者はアメリカ的な見方と見なされた——を軽視ないし無視する傾向をもってきた。イレートの最近のいくつかの研究を含めごくわずかの研究のみが、表面的にはスペイン起源であるこれらの価値や認識を、正統的かつ創造的にフィリピン的である、と再評価し始めてきたにすぎない（Schumacher, 1991: pp. 117-118）。

しかし、盗用は、フィリピン人をスペインから完全に切り離すことを意味したのではない。スペイン時代を歴史からまったく切り離したり全否定したりするというよりは、むしろ、特定の要素を恣意的に取り込み、そうでないものを拒絶することであり、部分的な消去と同時に、アメリカの政策に合うかたちに改変して役立てうるようなスペイン植民地支配の遺産から特選された文化要素の再創造・再解釈であった。（シューマッハーが主張しているように）リサールの盗用には、フィリピン人の意識からスペイン時代の過去を切り離してしまうという意味合いがあったのではなく、むしろ、スペイン植民地時代の過去をもアメリカの現在の政策に役立たせるために盗用することを含んでいたのである。たとえば、マクタン島の勇敢な現地住民首長ラプラプの祝祭よりも、悲劇的な征服者マゼランを追悼記念するといったことにおいて。

この盗用、もしくは誤盗用は、どのようにして成し遂げられたのであろうか。アメリカ人の書いたいくつかの文章から、アメリカ人が採用した手段のひとつを見てとることができる。フォーブスによると、一九〇六年に「合衆国出版印刷局において、『フィリピン』という言葉を加刷した特別デザインの切手が準備され、そこには、歴史に影響を与えたスペイン国民、アメリカ国民、そしてフィリピン国民の肖像画が印刷されていた」（Forbes, 1928: vol. I, p. 548）のである。フォーブスは、この文章の脚注で、フィリピン委員会報告を次のように引用している。

アメリカの代表として選出された人びとは、ワシントン、フランクリン、リンカーン、マッキンリー、海軍を代表してサンプソン、陸軍を代表してロートンであった。デューイ海軍大将の死去ののち、彼の肖像画が海軍の代表として、サンプソン海軍大将に取って代わった。フィリピンの初期の歴史は、マゼラン、レガスピ、マニラ市の水道建設に一身を捧げたカリエドというスペイン人によって代表された。二センタボ切手の上にはフィリピンの愛国者リサールの肖像画が現れた（*Report of the Philippine Commission*, 1907: pt. 2, p. 401; Forbes, 1928: vol. I, p. 548, n. 2より重引）。

この一見あたりさわりのない報告では、マゼランを倒したラプラプ（訳注34）が除外されていることに注目されたい。それと同様の異質な文化諸要素の組み合わせは、公立学校でも起きていた。器用に公立学校の構内をリサールとアメリカ人の像で満たし、まったく新しい文化空間を創出することによって、精妙できわめて効果的な盗用の過程が進められた。リサールの写真がジョージ・ワシントンなどアメリカの英雄たちの写真とならべて掛けられたのである（Carpenter, 1928: p. 52）。

リサールにちなんで名づけられた場所や通りがある一方で、アメリカの英雄たちや将軍たち（デューイ、ロートン、オーティス、マッカーサー）、そして無名の政府官僚たちにちなんで名づけられた場所もあった（たとえば、ある時期のフィリピン委員会の秘書の名にちなんだファーグソン通りなど）。ときには、これが、マニラのもっとも長く大きい二つの通りであるリサール通りとタフト通りのように、フィリピン人とアメリカ人の名が隣合わせで使われることもあった。これらはすべて、フィリピン革命の英雄たちに対する記憶を消去するためのものであった。アギナルド、マルバール（訳注35）、サカイ（訳注36）、サンミゲル（訳注37）、リカルテ（訳注38）、アントニオ・ルナ、(訳注39)ボニファシオ、そしてリサールの兄パシアーノの名前さえ、通りに名づけられることはなかったのである。

しかし、O・D・コルプスによれば、「『フィリピン化』のために、いくつかの通りが、レガルダ、フロレンティーノ・トーレスなどフィリピン人対米協力者にちなんで名づけられた」(Corpus, 1989: p. 460)。のちには、公立学校が反民族主義的なフィリピン人の名前にちなんで名づけられた。そのなかには、たとえば、革命政権においてアギナルドが提示した外務大臣の地位を拒絶したカエタノ・アレリャーノの名前もあった。それでも、親米協力者の有産知識階層に与えられたこれらの評価のしるしは、リサールの人物像が一般の意識に与えたほどの影響を及ぼすものではなかった。実際、こうしたものは、リサールの人物像なしにはまったく意味をもたなかった。リサールの人物像こそ、こうしたものに対して、そして植民地政府に対して正当性を与えていたからである。

これに加えて——これまた、コンスタンティーノの初歩的な間違いなのだが——、リサールの名前がアメリカ人によって植民地計画や有産知識階層の対米協力者と結びつけられていたという事実があったからといって、リサール自身が保守的な反民族主義者で反革命的な有産知識階層だった、ということにはならない。アメリカにとってリサールの何よりの価値は、大衆が決してそのような見方で彼を見たことがない、というまさにその事実であった。

アメリカ人がフィリピンの景観のアメリカ化に成功したのは、リサールをその過程に含めたからである。実に、全国的にあがめられている人物として、またアメリカ人到着以前にスペインの前に殉難した道徳的・知的指導者としてのリサールの独特の人物像ゆえに、リサールはアメリカ植民地主義にとって最も適した覇権的道具となったのである。この点こそ、コンスタンティーノとその後継者たちが見抜けなかった――あるいは見抜くことを拒んだ――ことであった。私がすでに述べておいたように、歴史解釈におけるこの固有の盲点に対する新鮮な例外は、シューマッハーの研究だけでなので、ここで彼の洞察について論評しておこう。

シューマッハーは、アメリカ人がリサールのモルガに関する論文を盗用してフィリピン人をスペインから切り離そうとした、と述べている。しかし、「フィリピン人にとってこれほど嫌悪すべきフィリピンのバスティーユの暴虐の牢獄。そこに監禁された数知れぬ不運な囚人たちのなかでも最も傑出したホセ・リサール博士の不当な処刑の二五周年を追悼記念して、そのペンネームにちなみ[19]」、フィリピン人のグループが、サンチャゴ要塞の名前をラオン・ラアン要塞に代えるよう政府に請願したときの出来事を、シューマッハーは見落としている。請願によれば、要塞は、もともとラジャ・スライマン[訳注40]治世下のフィリピン人の要塞であったのが、一五七〇年にスペイン人に占領されたものであった。レナード・ウッド総督は、植民地政府がリサールをさまざまな方法で尊重してことを想起するよう、請願者たちにうながし巧みにこの請願を退けた。ウッドの返答におけるその他の部分は、次のとおりである。

サンチャゴ要塞の名前の変更についてであるが、わたしはその名前を変更する権限をもたない。それはこの諸島における合衆国陸軍編成本部であり、また何百年もここに立ち続けてきた古い史跡でもある。それはひとつの時代の典型を示し、歴史に名高い名を担っている。この古い要塞はこの都市生活において重要な役割を果たしてきており、その歴史はマニラの歴史でもある。マニラが知られている場所では、世界中どこでも、要塞の名もまた知られているのである。私は名前を変更することが賢明かどうか疑っている。実のところ、リサール自身もきっとこのようなたぐいの記念碑や記念祭ではなく、むしろ、大学や大病院、あるいは、彼自身が命を捧げた民衆のために恩恵を施し、役に立ちうるものを選ぶのではないかと感じている（Wood's letter to petitioners, dated May 10, 1922, US National Archives, RG350: The Bureau of Insular Affairs）。

シューマッハーの主張に従うならば、ウッド総督はスペイン支配の砦であったサンチャゴ要塞の文化的な意味を抹殺し、その名前をリサールの雅号に従ってラオン・ラアン要塞と変えることにより、この要塞を新しい公共文化に合わせていくという機会に飛びつくはずである。しかし、実際には、ウッドにとっては考慮すべきほかの事柄の方がより重要であったようだ。ひとつには、アメリカによるリサールの盗用においては、少しでも好戦的な意味合いをもたせることが排除された。リサールは市民文化――つまり、教育、公共衛生、科学、人文科学、農業と工業、そして民主制度――と同一視されていたのである。他方では、サンチャゴ要塞はスペイン植民地時代の城壁都市《イントラムロス》の一部であり、アメリカのスペインに対する勝利を目に見えるかたちで想起させながらそびえ立っており、それゆえアメリカの優越性の雄弁な証であった。これに加え、大変微妙な点でウッド自身は気づきもしなかったことであろうが、国民的偶像の盗用はアメリカ政府の仕事であり、フィリピン人には関係のないことであった。

ドーンシーとマヨが語ったように、リサール追悼記念日の興奮は首都にとどまるものではなく、フィリピン諸島におけるキリスト教徒地域全体で感じられた。その理由のひとつは、革命の間、リサールという偶像は、国内のさまざまな地域で革命を組織し指導したカティプーナン会員たちや有産知識階層《カティプネーロ》、そして現地住民司祭によってマニラの外にまで広められた、という事実によるであろう。しかし、マニラでは、リサールというシンボルをめぐる覇権上の争いはより激しかった。イレートは、選挙の年であった一九〇九年の騒々しいリサール追悼記念日の祝祭について、政治家たちが「一八九六年の魔術的な遺産を主張して、これまでにないほど雄弁に」語ったことに言及している（Ileto 1984: p. 93)。イレートは、次のように語る。

> 当日、さまざまな公の広場で、以前にもまして率直な演説がいくつか聞かれた。いわく、リサールに倣え、血を流すことを恐れるな、と。一九一〇年のリサール追悼記念日も同じように心の奮い立つものであった。一九一一年の伝統的なパレードには、リカルテ将軍の秘密部隊さえ参加し、さらにパンパンガ州の組織である「アナク・パウィス（汗の子ら、つまり底辺労働者）」の横断幕を掲げる最大規模の派遣団も見られた（Ileto, 1984: p. 93)。

さまざまな植民地組織の「保守的で政治同化主義的なリサールのイメージ」を促進しようとする試みは、「ときに微妙な抵抗に直面した」というイレートの議論（Ileto, 1984: pp. 93-94）は控えめにすぎる。抵抗はひそかなものでも稀でもなかった。イロイロのリサール追悼記念日についてのドーンシーの記述やスリガオのコロルム運動についてのマヨの物語は、「承認された」、あるいは「公式の」保守的なリサールの意味づけへの抵抗が多発し、あからさまであり、また自発的であったことを示している。一般に、抵抗は対抗的盗用《カウンター・アプロプリエーション》、そして急進的なリサールの意味づけの再肯定のかたちをとった。イレートによれば、「植民地主義者がリサールに与えた祝福そのものが活用された。彼の誕生記念日と追悼記念日はさながら『もうひとつの政治』が行なわれる場所であった」（Ileto, 1984: p. 94)。たとえば、一九一二年にマニラでリサール追悼記念日の準備が行なわれていたとき、ルネタ記念碑の基底にリサールの遺骨を埋葬するためのパレードと儀式が計画され、英雄墓地を造り、リサールの遺骨をマカリオ・サカイやコルネリオ・フェリサルド、(訳注41)そして見つかるならばアンドレス・ボニファシオの遺骨とともに安置しようという運動が持ち上がった（Ileto, 1984: p. 94）。これは露骨に反逆的な運動であった。というのも、サカイとフェリサルドは、アギナルドが逮捕されたのち、長期にわたってアメリカ軍に対して武装闘争を行ない、アメリカ政府によって、山賊討伐法にもとづき、泥棒、盗賊と呼ばれていたからである。実際、サカイは、革命指導者としてではなく、一般の犯罪人として処刑されたのである。

しかし、われわれは、覇権は権力の機能である、というグラムシの基本的な教訓を忘れてはならない。バリバールが言うように、「接合関係、つまり、補完関係は調和を意味しない」（Balibar, 1991: p. 103; 邦訳、一八六頁）のである。そういうわけで、民間の抵抗を決して破壊されず吸収もされない粘り強い反抗運動と見るイレートの現実離れした見方に、私は賛成できない。イレートからビセンテ・ラファエル、そしてベニト・ベルガラ・ジュニアにいたる、若手のポスト構造主義者でコーネル大学で訓練されたフィリピン人歴史学者に見られる、意味をめぐる抗争をまるで記号の配置をめぐる社会諸勢力間の公明正大な争いでもあるかのように解釈する傾向は、本当に危険である。(20) そのような観点からは、権力関係の非対称性が覆い隠され、その結果、支配の政治への十分な理解を妨げるものである。「支配のあるところには抵抗がある」というフーコーの言明は本当であろうが、抵抗は常に、支配権力によって吸収・周辺化されたり、消されないまでも無用のものとされたりしうるということを、われわれは忘れるべきではないのである。

抗争がどのように闘われ、どのように勝利するのかは、誰が記号や象徴をめぐる効果的な支配を行使できるのかにかかってくる。ひるがえって言えば、このことは誰が暴力を独占しているかだけではなく、おそらくもっと重要なことだが、誰が報いを分け与える独占権をもっているかによるのである。言い換えれば、シンボルの盗用や意味の明瞭化は権力作用なのである。つまり、誰が象徴的資源を入手あるいは支配できるかにすべてがかかっている。たとえば、ウッド総督は、サンチャゴ要塞からラオン・ラアン要塞へ名前を変えてほしいというフィリピン人のグループの請願を、ただ却下しさえすれば事柄を終わりにできたのである。しかし、アメリカの植民地官僚は単に請願を却下しただけではない。問題が脅威をもたらすものでなければ、きわめて温和な仕方で応答することもできたし、請願を拒絶しつつも、請願者の要求を認識していることを示したり、彼らの市民的関心を称賛しさえするために、相手の反抗を和らげる手紙を記すこともできたのである。サカイなど帰順を示さない反米主義者たちを含むリサールを中心とした英雄墓地を造ろうという運動のように、請願が行き過ぎたときでさえ、当局はただその計画を実施するための資金の提供を拒んだり、一九一二年一二月三〇日のルネタでのリサール埋葬式典など、人びとの集まる公的記念行事から締め出したりする程度でおさめることもできた。あるいは、一九二〇年代のスリガオでのコロルム運動の場合のように、もし公的な意味づけへの抵抗が農村における民衆の間で深刻な覇権対抗《カウンター・ヘゲモニック》的運動にいたる脅威を引き起こした場合、ドーンシー夫人が言ったように、支配権力が単に軍や警察を配置し騒動を引き起こす人びとを打ちのめし、あるいは投獄し、木につるし、あるいは今日の政権のように「サルベージしたり」(その場で抹殺する)、(ラテンアメリカにおける行方不明者《デサパレシード》のように)誰も知らないように地中に埋めてしまうこともできたのである。

言い換えると、武装闘争に勝利したことで、アメリカ人はイデオロギーの地勢においても優位に立ちやすくなったのである。この場合、意味をめぐる抗争は対等なもの同士の公平な闘いではない。効果的な権力を行使する者が有利だったのである。

実に、アメリカ人たちはその残酷さをとおして、この国を平定することに成功したため、それ以降は、覇権的である状態を維持するだけの余裕が生まれたのである。この国を統治した四〇年の間に、彼らは、スペインが三〇〇年間の植民地支配全体を通じてなし、あるいはなしえたよりも、フィリピン人エリートに対してより多くの譲歩をし、より多くの報酬と恩顧をもたらした。そして何よりも、フィリピンの人びとの心と知性を勝ち取るために、一九世紀後半の民族主義運動の中心的シンボルであったリサールの人物像を巧みに利用した。これは、実に卓越した覇権の形成であった。

だから、一九四六年にアメリカ合衆国によってついに独立がフィリピンに賦与されたとき、独立路線を歩む民族主義者クラロ・M・レクト上院議員(訳注42)は次のように言ったのである。「これは分離独立というよりは、より完全な統合であった」(Recto, 1963: p. 172)、と。

【注】

(1)"Report of the Philippine Commission to the President," vol. I, 31 January 1900, p. 5.

(2)タフトは一九〇一年に第二次フィリピン委員会委員長となり、一九〇三年にフィリピンを去って陸軍長官となり、続いて合衆国大統領となった。これはすべて一〇年のうちに起きたタフトの経歴上の変化である。

(3)*La Independencia*, 11 January 1899 (Ileto, 1982: p. 320 から重引)。

(4)「独立派《インディペンディエンテ》」とは、アメリカ植民地期にフィリピンの独立を提唱したフィリピン人に対して貼られたレッテルである。それは、リサールの時代の「反逆者《フィリブステロ》」と同じくらい恐ろしいレッテルであったかもしれない。なぜなら、アメリカ政府が制定した暴動教唆法によって、独立の提唱は犯罪と見みなされ、投獄の対象とされたからである。ドーンシー夫人がからかった「召使」は、「混乱」していたというよりは、むしろ恐れていたのではないかと思われる。

(5) レナード・ウッドは、一九二一～二七年にかけてフィリピン総督を務めた。

(6) Usha Mahajani, *Philippine Nationalism: External Challenge and Filipino Response, 1565-1946*, 1971, pp. 243-244 を見よ。また Renato Constantino, "Veneration without Understanding" in *Dissent and Counter-Consciousness*, 1970, pp.125-146.（邦訳、レナト・コンスタンティーノ著、加地永都子訳「無理解による崇敬――リサール論」、鶴見良行監訳『フィリピン・ナショナリズム論』所収、井村文化事業社、一九七七年、一一〇～一四四頁）をも参照。

(7) 植民地当局は千年王国的な集団を嘲笑を込めて「コロルム」と呼んだが、それは「セクラ・セクロールム saecula saeculorum」（永遠に）で終わる、彼らのラテン語風の祈りからきている。

(8) ブエンカミーノやカルデロンら保守派に促されたアギナルドの和平案は、アントニオ・ルナ将軍に反対され、彼とアギナルドとの間に決定的な不和が生じた。その結果、ルナは暗殺された。Vivencio Jose, *Antonio Luna* (1972)を参照。

(9) フィリピン・アメリカ戦争の間、合衆国はフィリピン人に対して軍政をしいたが、それは、一八九八年八月のスペインの降伏から一九〇一年七月、すなわち、同年三月二三日のアギナルドの逮捕のおよそ三ヵ月後まで続いた。

(10) 「バガンバヤン Bagambayan」は、本来「バグンバヤン Bagungbayan あるいは Bagumbayan」で新しい町のを意味する、スペイン語名ルネタの現地語名である。

(11) Jacob Gould Shurman, *Philippine Affairs: A Retrospect and Outlook*, New York: Scribner's, 1902, pp. 14, 107-109. シャーマンがチャールズ・W・エリオットに宛てた一九〇二年四月二二日付の手紙（Elliot Papers, Harvard University Archives)をも見よ。この手紙では、シャーマンは自分自身の共感が、「常に反帝国主義者の理想と目的とともにある」（Welch ,1979: p. 180, n. 5 より重引）ことを明らかにしている。

(12) フォーブスはリサールによるモルガの編集を、その二つの小説に続く、「リサール博士のフィリピン文壇への最も重要なもうひとつの貢献」と呼んでいた(Forbes, 1928: vol. I, p. 53S, n. 2)。

(13)フィリピン議会の設立には、以下の三つの条件を満たすことが求められていた。①国内の完全な平和の回復、②センサス〔国勢調査――訳者〕の実施と出版、③センサス出版後二年の経過。

(14)カーペンターの著書のなかの写真によると、高い机のうしろに座っているのはアメリカ時代を代表する二人の政治家、すなわち、マヌエル・ケソンとセルヒオ・オスメーニャで、彼らは、それぞれ上院議長と下院議長であった。そのうしろには、リサールの巨大な肖像画が掛かっている（Carpenter, 1928: p. 270）。

(15)オースティン・コーツは以下の議論によって、三つの甚だしい事実誤認をしている。「〔リサールの〕家族は一九一一年まで〔リサールの〕遺骨を引き取っていて、その年にルネタの中央にリサール記念碑が建てられ、遺骨はその下に安置された」。また「テオドラ・アロンソは大変高齢の女性で、彼女の思考と記憶は弱っており、式典に出席したものの、何が起こっていたのかおそらくほんの少ししか理解できなかったであろう」（Coates,1968: pp. 347-348）。事実は、①埋葬式典は一九一二年一二月三〇日に行なわれた。②リサール記念碑の建設は一九一二年に完了した。③リサールの母テオドラは一九一一年に亡くなっていた。以下をも参照（Craig, 1927: pp. 213-214）.

(16)ドーニャ・テオドラの一九一一年の葬儀――大群衆が参列した荘厳な葬列――は、ルネタにおける一九一二年のリサール埋葬のドラマチックさと壮観さを備えるのに貢献したのかもしれない。オースティン・クレイグによると、「一九一一年の彼女の葬儀は公的服喪の機会であり、総督、議員、その他この諸島の主要人物が参列し、公の活動はすべて祝日宣言によって中止された」（Craig, 1927: pp. 213-214）。

(17)リサール記念碑委員会は以下のような富裕な有産知識階層によって構成された。トマス・G・デル・ロサリオ（委員長）、マキシミノ・パテルノ（書記）、テオドロ・ヤンコ、フアン・トゥアソン、マリアノ・リムハプ、ラモン・ヘナト、そして著名な愛国者三人、すなわち、アリストン・バウティスタ博士、リサールの小説をはじめてタガログ語に翻訳しそれをはじめて出版した、現地語小説家パスカル・H・ポブレテ、そしてパシアノ・リサールであった。

(18)この法律の写しは、U.S. National Archives（College Park, Maryland), RG 350: Record of the Bureau of

Insuar Affairs のなかにある。私はフィリピン大学マニラ校のクリスティナ・トーレス教授のご好意でこれを入手した。

(19) "To his excellency, The Governor-General of the Philippines" (undated document of petition), US National Archives, RG350: Record of the Bureau of Insuar Affairs. 請願には六名のフィリピン人が署名した。アイザック・バルサ、マヌエル・フランシスコ、アルトゥーロ・R・イカシアーノ、セベリーノ・カリニョ、そしてあと二人の原史料における署名は判読不能である。

(20) 以下を参照。Vicente Rafael, *Contracting Colonialism* (1988); Benito Vergara Jr., *Displaying Filipinos* (1996).

【参考文献】

Anderson, Benedict. 1994. "Hard to Imagine: A Puzzle in the History of Philippine Nationalism." In *Culture and Texts. Representations of Philippine Society*. Ed. By Raul Pertierra and Eduardo F. Ugarte. Quezon City: University of the Philippine Press.

Balibar, Etienne and Immanuel Wallerstein. 1991. *Race, Nation, Class: Ambiguous Identities*. NY: Verso (エティエンヌ・バリバール、イマニュエル・ウォーラーステイン著、若森章孝、須田文明、岡田光正、奥西達也訳『人種・国民・階級――揺らぐアイデンティティ〔新装版〕』大村書店、一九九七年)。

Carpenter, Frank G. 1928. *Through the Philippines and Hawaii*. NY: Doubleday, Doran & Company, Inc.

Coates, Austin. 1968. *Rizal, Philippine Nationalist and Martyr*. NY: Oxford University Press.

Constantino, Renato. 1969. "Veneration without Understanding." Third National Rizal Lecture, 30 December 1969; In *Dissent and Counter Consciousness*. Manila: Erewhon, 1970 (加地永都子訳「無理解による崇敬――リサール論」レナト・コンスタンティーノ著、鶴見良行監訳『フィリピン・ナショナリズム論』

井村文化事業社、一九七七年、一一〇～一四四頁)。

Corpus, Onofre D. 1989. *The Roots of the Filipino Nation*. vol. 2. Quezon City, Philippines: Aklahi Foundation, Inc.

Craig, Austin. 1909. *The Story of Rizal*. Manila: Philippine Education Company.

Craig, Anstin. 1927. *Rizal's Life and Minor Writings*. Manila: Philippine Education Co.

Dauncey, Campbell. 1906. *An English Woman in the Philippines*. London: John Murray.

Forbes, W. Cameron. 1928. *The Philippine Islands*. 2 vols. Boston: Houghton Mifflin Company.

Foreman, John. 1906. *The Philippine Islands*. 3d ed. London: Kelly and Walsh (1st ed., 1899).

Guevarra, Antonio Mendoza 〔1899〕 1988. *History of One of the Initiators of the Filipino Revolution*. Trans. from the Spanish, with notes by O. D. Corpuz. Manila: National Historical Commission.

Ileto, Reynaldo. 1982. "Rizal and the Underside of Philippine History." In *Moral Order and the Question of Change: Essays on Southeast Asian Thought*. Ed. by David K. Wyatt and Alexander Woodside. Yale University Southeast Asia Studies.

Ileto, Reynaldo, 1984. "Orators and the Crowd." In *Reapprassing an Empire*. Ed. by Peter Stanley. Cambridge, Mass.: Harvard University Press.

Jose Vivencio. 1972. *The Rise and Fall of Antonio Luna*. Quezon City: University of the Philippines Press.

Mahajani, Usha. 1971. *Philippine Nationalism: External Challenge and Filipino Response, 1565-1946*. St. Lucia, University of Queensland.

Mayo, Katherine. 1925. *The Isles of Fear: The Truth about the Philippines*. London: Faber and Gwyer.

Rafael, Vicente. 1988. *Contracting Colonialism: Translation and Christian Conversion in Tagalog Society under Early Spanish Rule*. Quezon City: Ateneo de Manila University Press.

Recto, Claro M. 1963. "Rizal and Bonifacio." In *Jose Rizal on His Centenary*. Ed. by Leopoldo Y. Yabes.

Quezon City: University of the Philippine Press.

Report of the Philippine Commission. 1900. vol. 2 (Testimony and Exhibits). Washington, D.C.: Government Printing Office.

Rizal, Jose. 〔1890〕 1961. *Sucesos de las Islas Filipinas del Dr. Morga por Rizal*. Manila: Jose Rizal National Centennial Commission.

Schumacher, John N. 1991. *The Making of a Nation: Essays in Nineteenth-Century Filipino Nationalism*. Quezon City: Ateneo de Manila University Press.

Schurman, Jacob Gould. 1902. *Philippine Affairs: A Retrospect and Outlook*. NY: Scribner's.

Vergara, Benito Jr. 1996. *Displaying Filipinos: Photography and Colonialism in Early 20th Century Philippines*. Quezon City: University of the Philippines Press.

Welch, Richard E. Jr. 1979. *Response to Imperialism: The United States and the Philippine-American War: 1899-1902*. Chapel Hill: The University of North Carolina Press.

Worcester, Dean C. 1914. *The Philippines: Past and Present*. NY: Macmillan. Reissued in 1930. 2 vols.

Zaide, Gregorio. 1957. *Philippine Political and Cultural History*. Rev. ed. Manila: Philippine Education Co.

(宮脇聡史訳)

【訳注】

(1)本書第2章訳注7を参照。
(2)本書第1章訳注1を参照。
(3)エミリオ・アギナルド。本書第1章訳注19を参照。
(4)本書第2章訳注16を参照。
(5)ウィリアム・ハワード・タフト。本書第3章訳注20を参照。
(6)一九〇七年にフィリピンの即時独立を求めて結成された政党。この年、フィリピンではフィリピン人がはじめて議会の代表として選出される選挙が行なわれた。その結果、セルヒオ・オスメーニャとマヌエル・ケソンの主導のもとでナショナリスタ党が圧勝し、フィリピン立法議会の下院にあたる、フィリピン議会においてその後の一党独裁体制の基礎を築いた。一九一六年からはフィリピン立法議会は上下両院ともにフィリピン人の代表で占められるようになり、ナショナリスタ党内の勢力争いも激化、一九二〇年代初頭には、オスメーニャ派とケソン派とに分裂した。政党としての凝集力は弱かったが、太平洋戦争時代の日本軍によるフィリピン占領まで一貫して議会の多数党を形成した。
(7)本書第1章訳注4を参照。
(8)一八七八年生、一九六一年没。ケソンとともに、アメリカ植民地時代に最も有力であった政治家。セブ州出身。一九〇四年にセブ州知事に任命され、一九〇七年のフィリピン議会開設とともに、ケソンらとともにナショナリスタ党を結成し初代党首となるが、政治的影響力はしだいにケソンの手に移っていき、一九三五年のコモンウェルス政府（独立準備政府）では副大統領職に甘んじた。一九四四年のケソンの死とともにフィリピン亡命政府の大統領となったが、戦後四六年の独立共和国大統領選挙ではマヌエル・ロハスに敗れ、政界を引退した。
(9)本書第1章訳注26を参照。
(10)ホセ・リサール。本書第1章訳注2を参照。
(11)本書第7章訳注19を参照。

(12)本章後段で触れられるように、今日、リサール公園と呼ばれている、マニラ湾に面した場所。ルネタとは、スペイン語で眼鏡堡(先頭アーチ型のとりで)の意。

(13)一八七二年二月、マリアノ・ゴメス、ホセ・ブルゴス、ハシント・サモラの三人の在俗神父が処刑された事件。三人の姓の最初の音節をつないで、ゴンブルサ事件と呼ばれる。この事件の直接のきっかけは、一八七二年一月のマニラ南方に位置するカビテ州のサンフェリペ要塞で働く労働者の暴動であった。暴動は即座に鎮圧されたが、スペイン当局はこの事件を、当時高揚しつつあったフィリピン人在俗神父のカトリック教会における地位向上運動を弾圧する口実として利用した。こうして運動の指導者たちをカビテの暴動を煽動したかどで弾圧・処罰した。この事件は、スペイン人種差別と圧政の象徴として受けとられ、フィリピンにおける民族意識覚醒の原点となった。

(14)アメリカ植民地時代の「フィリピン通貨制度の父」として知られる人物チャールズ・A・コナント(一八六一年生、一九一五年没)にちなんで、フィリピン政府の発行する紙幣をこうした通称で呼んだもの。コナントは一九〇一年に金融問題に関するアメリカ陸軍省顧問としてフィリピンを調査し、フィリピンの通貨制度と銀行制度に関する提言を行なった。

(15)本書第1章訳注15を参照。

(16)レナード・ウッド。一八六〇年生、一九二七年没。アメリカのニューパンプシャー出身。ハーバード大学で医学を修める。本国アメリカではアメリカ・インディアンのアパッチを討伐し、さらに一八九八年には米西戦争に参加した。キューバ総督を務めたあと、一九〇三年からフィリピン南部モロ州(ミンダナオ島、スルー諸島)の軍政知事に就任。抑圧的な同化政策を推し進めて一九〇六年に事実上解任され、帰国後陸軍参謀総長となる。一九二一年の共和党ハーディング政権下でフィリピン総督に任命、就任後、フィリピンにおける自治の拡大の流れに逆行する政策を断行し、フィリピン議会とことごとく対立した。

(17)本書第7章訳注23を参照。

(18)レナト・コンスタンティーノ。本書第1章訳注32を参照。

(19)本書第1章訳注17を参照。
(20)本書第1章訳注1を参照。
(21)本書第1章訳注6を参照。
(22)スリガオ州東北部に位置する島。
(23)本書第2章訳注20を参照。
(24)本書第2章訳注7を参照。
(25)本書第7章訳注10を参照。
(26)本書第7章訳注3を参照。
(27)アンドレス・ボニファシオ。本書第1章訳注16を参照。
(28)アントニオ・デ・モルガ。一五五九生、一六三一年没。一五九五～一六〇三年にフィリピンの総督代理、マニラ司法行政院最上級審議官などを務めた。一六〇九年に『フィリピン諸島誌』をメキシコで出版した。ホセ・リサールは、モルガの『フィリピン諸島誌』が、植民地支配を受ける以前のフィリピン社会が豊かな土着文化をもった社会であることを伝える好著であることに着目して、注釈をつけて一八九〇年に出版した。邦訳に、モルガ著、神吉敬三、箭内健次訳『フィリピン諸島誌』（大航海叢書Ⅶ、岩波書店、一九六六年）がある。
(29)一八七〇年生、一九五九年没。一八九九年からボストンで祖父が経営する商社に勤め、実業家として出発。一九〇四年にセオドア・ローズベルト大統領によってフィリピン委員会委員に抜擢されたあと、一九〇九～一三年には共和党タフト大統領のもとでフィリピン総督職に就いた。さらに一九二一年には民主党ハーディング政権のもとで、ウッド・フォーブス使節団としてフィリピンに派遣された。一九三〇年にはハイチの現状調査団の委員長、一九三一～三二年には駐日アメリカ大使、三五年には東アジア経済使節団の委員長を歴任し、外交畑の道を歩いた。
(30)本書第1章訳注1を参照。
(31)本書第2章訳注8を参照。

(32)本書第7章訳注15を参照。
(33)本書第1章訳注21を参照。
(34)一五二一年にマゼラン遠征隊がセブ島に来航したときのマクタン島の首長。スペイン勢力をフィリピンで最初に撃退した人物として、英雄視されている。セブ島やマクタン島のもう一人の首長はマゼラン遠征隊と友好関係を結び、カトリックの洗礼を受けたが、ラプラプはスペイン人に敵意をもつ首長を集めて戦った。この結果、マゼランは毒矢を受けるなどして戦死し、遠征隊はセブ島から撤退した。
(35)マカリオ・サカイ。本書第2章訳注14を参照。
(36)ミゲル・マルバール。本書第2章訳注15を参照。
(37)ルシアノ・サンミゲル。一八七五年生、一九〇三年没。フィリピン・アメリカ戦争期（一八九九～一九〇二）にカティプーナンの再生を唱えて、サンバレス州やパンガシナン州などの中部ルソン地域で活躍したゲリラ活動の指導者。アメリカ当局は一九〇二年七月にフィリピンの平定完了宣言を行なったが、アメリカ軍を敵と見なすゲリラ活動はその後も続き、マニラに隣接するモロン州（現在のリサール州）では、一九〇三年初頭にはサンミゲル率いる「新カティプーナン」が活躍した。
(38)アルテミオ・リカルテ。本書第7章訳注7を参照。
(39)本書第6章訳注3を参照。
(40)スペインがマニラに植民地の拠点を築こうとしていた一五七〇年頃に、マニラ周辺で優勢を誇っていた首長のひとり。当時マニラ周辺には、ブルネイのイスラム教徒の王室と姻戚関係にあったスライマン、マタンダ、ラカンドゥラを首長とする部族社会が形成されつつあった。しかし、スペインの侵攻により彼らの居住地は破壊され、フィリピン諸島のイスラム化は、ミンダナオ島以北には及ばなかった。
(41)一九〇二年七月のフィリピン平定宣言後も、アメリカ軍やフィリピン治安警察隊などを攻撃し続けた、ゲリラ活動の指導者のひとり。ルソン島南部タガログ地方で活躍したマカリオ・サカイ（本書第2章訳注14を参照）の部下として活躍した。

(42)本書第6章訳注9を参照。

解説

永野善子

一　本書の構成

『キリスト受難詩と革命――一八四〇～一九一〇年のフィリピン民衆運動』（Ileto, 1979）の刊行で、フィリピン革命史研究に新たな地平を切り拓き一躍脚光を浴びたレイナルド・C・イレート、『契約としての植民地主義――初期スペイン統治支配下のタガログ社会における翻訳とキリスト教への改宗』（Rafael, 1988）で、植民地社会の分析にポスト構造主義理論を導入する意欲的試みに成功したビセンテ・L・ラファエル――この二人のフィリピン人歴史学者は、一九八〇年代以来、内外のフィリピン研究はもとより、東南アジア研究に多大の影響を与えてきた。そして、近年、気鋭の政治学者として、フロロ・C・キブイェンが『挫折した民族――リサール、アメリカのヘゲモニー、フィリピン・ナショナリズム』（Quibuyen, 1999）を著し、アメリカ植民地時代に定説化したフィリピンの国民的英雄ホセ・リサール像の脱構築に挑戦した。本書は、意欲的かつ刺激的な研究活動を続け、それゆえにさまざまな論争を巻き起こしている、三人の優れたフィリピン人研究者の示唆に富む論文八篇を選りすぐり、翻訳したものである。本書に訳出・収録された英語論文の標題と出典は、以下のとおりである。

第1部　フィリピン革命史研究からオリエンタリズム批判へ……………………レイナルド・C・イレート

第1章　一八九六年革命と国民国家の神話

Reynaldo C. Ileto, "The Revolution of 1896 and the Mythology of the Nation State" in *The Philippine Revolution and Beyond vol. 1* (*Papers from the International Conference on the Centennial of the 1896 Philippine Revolution*), edited by Elmer A. Ordoñez, Manila: Philippine Centennial Commission, National Commission for Culture and Sports, 1998, pp. 61-71.

第2章　知と平定——フィリピン・アメリカ戦争

Reynaldo C. Ileto, "Lecture 2: Knowledge and Pacification: The Philippine-American War," *Knowing America's Colony: A Hundred Years from the Philippine War*, Philippine Studies Occasional Paper Series no. 13, Center for Philippine Studies, University of Hawai'i at Manoa, 1999, pp. 19-40.

第3章　オリエンタリズムとフィリピン政治研究

Reynaldo C. Ileto, "Lecture 3: Orientalism and the Study of Philippine Politics," *Knowing America's Colony: A Hundred Years from the Philippine War*, Philippine Studies Occasional Paper Series no. 13, Center for Philippine Studies, University of Hawai'i at Manoa, 1999, pp. 41-65. ただし，本章の訳出は，*Philippine Political Science Journal*, vol. 22, no. 45（2001）, pp. 1-32 に収録された改訂版にもとづく。
(Japanese translation with the permission of the author).

第2部　アメリカ植民地主義と異文化体験……………………………………ビセンテ・L・ラファエル

第4章　白人の愛——アメリカのフィリピン植民地化とセンサス

Vicente L. Rafael, "Chap. 1: White Love: Census and Melodrama in the US Colonization of the Philippines," *White Love and Other Events in Filipino History*, Durham, N.C.: Duke

University Press, 2000. 同論文のうち、「センサス」を扱った部分（pp. 19-39）を訳出。

第5章　植民地の家庭的訓化状況——帝国の縁辺で生まれた人種、一八九九〜一九一二年
Vicente L. Rafael, "Chap. 2: Colonial Domesticity: Engendering Race at the Edge of Empire, 1899-1912," *White Love and Other Events in Filipino History*, Durham, N.C.: Duke University Press, 2000, pp. 52-75.

第6章　国民性を予見して——フィリピン人の日本への対応に見る自己確認、協力、うわさ
Vicente L. Rafael, "Chap. 4: Anticipating Nationhood: Identification, Collaboration, and Rumor in Filipino Responses to Japan," *White Love and Other Events in Filipino History*, Durham, N.C.: Duke University Press, 2000, pp. 103-121.
(Copyright ©2000 by Duke University Press).

第3部　変わるホセ・リサール像……………………………………フロロ・C・キブイェン

第7章　リサールとフィリピン革命
Floro C. Quibuyen, "Chap. 2: Rizal and the Revolution," *A Nation Aborted: Rizal, American Hegemony, and Philippine Nationalism*, Quezon City: Ateneo de Manila University Press, 1999, pp. 41-72.

第8章　フィリピン史をつくり直す
Floro C. Quibuyen, "Chap. 10: Remaking Philippine History," *A Nation Aborted: Rizal, American Hegemony, and Philippine Nationalism*, Quezon City: Ateneo de Manila University Press, 1999, pp. 275-302.
(Copyright ©1999 by Ateneo de Manila University Press).

ただし、この二章の翻訳作業は、著者が現在準備中の二刷版原稿を底本とし、加筆・修正が必要な箇所については著者に問い合わせた上で確定した。

本書に収録された八篇の論文のなかで、三人の著者たちは三人三様の議論を展開しているが、彼らの間には、ひとつの注目すべき共通項があるように見える。それは、第二次世界大戦後にフィリピンで生まれ育った「独立後世代」の著者たちが、スペイン、アメリカそして日本による植民地支配を数世紀にわたって経験したフィリピンにおいて、今日にまでその社会の深淵に植民地近代性が潜むという歴史的状況を見つめ直し、それに対して批判的検討を行なっている点である。このことは、同時に、帝国やナショナリズムの問題とからませながら、政治・社会・文化など多様な側面からフィリピンの植民地近代性に接近し、斬新な分析視角や視座の構築を思考するものでもある。この意味で本書に収められた八篇の論文は、いずれも優れた学術論文であるが、現在の地平から過去の歴史を問いつつ、未来を切り拓くために必要な新たな思考様式を生み出そうとする、著者たちの強靱な意志と社会に向けた熱いメッセージを、これらの論文から読みとることができる。三部からなる本書では、そうした三人の著者の執筆活動に対する姿勢ができるだけ率直なかたちで表現できるよう、第1部から第3部にいたる各論文の配列に配慮を加えたつもりである。また、読者の方々がそれぞれの関心にしたがってどの論文からでも読み始められるよう、訳注のつけ方を工夫した。なお、この解説は、この翻訳書の訳業に携わった五人の訳者の意見をまとめそれを代表して執筆されたものではなく、あくまで私個人の見解を述べたものであることをあらかじめお断りしておきたい。

二 本書の位置づけ

ここで、本書を上梓する意義について述べることにしよう。本書はまぎれもなくフィリピンの歴史研究に関わるものであるが、その内容から、狭義の意味での歴史学にその基盤をおくものではなく、私が「反グローバリズム思潮としてのポストコロニアル批評」と呼ぶ哲学・思想史の領域に深く入り込んだものである（永野、二〇〇二a）。それゆえに一九九〇年代に執筆された八篇の論文は、冷戦終結後のフィリピンにおける新たな思想状況を反映した知的営為として位置づけることができる。フィリピンでは、冷戦終結後、とりわけ一九九〇年代末から、歴史研究において注目すべき成果が陸続と発表されるようになった。従来定説とされてきた歴史観や歴史解釈が実はアメリカ植民地時代に創られた通説（言説）であると見なされるようになり、第一次資料に新たにあたりながら、アメリカ植民地史観に拘束されない歴史のありようを描き出そうとする動きがそれである。このような試みが近年フィリピン歴史研究の分野で活発化した背景は二つある。

第一は、一九九二年の米軍基地完全撤収によってフィリピンにおける冷戦が終結したことにより、フィリピン社会のアメリカ離れが加速化したことである。フィリピンは第二次世界大戦後独立したのちも旧宗主国アメリカと密接な関係を維持してきたため、フィリピン人にとってアメリカは長い間特殊な国であり続けた。しかし、冷戦終結後、フィリピンでは対外的には近隣アジア諸国との接近を深めつつ、国内的には、それまでフィリピン人の意識構造のなかに沈潜していたアメリカ的思考様式を問い直す試みが生まれているのである。

第二は、一九九六〜九八年にフィリピン社会が「フィリピン革命」一〇〇周年を迎えたことである。一九世紀末に勃発したフィリピン革命は、東南アジアにおけるはじめての植民地独立革命であった。フィリピンは独立戦争を経てスペインから独立を獲得するものの、一八九八年の米西戦争とのからみでアメリカが介入し、国際法上、アメリカがスペインから領有権の移譲を受けた。この結果、一八九九〜一九〇二年にはフィリピン・アメリカ戦争が展開され、二〇世紀前半にフィリピンはアメリカの植民地支配のもとにおかれた。このように独立革命は挫折したものの、今日フィリピン人がもつ集合的記憶において、この独立革命が近代史の原点となっている。この革命から一〇〇年を経過したことにより、再び、フィリピン革命を原点としてフィリピンの歴史を書き直す試みが行なわれているのである。

こうしたことを背景として、長らくフィリピン人の思考様式を束縛してきたアメリカの文化的影響から自らを解き放つ試みが、今日、いくつものうねりとなってわき起こっているように思われる。とりわけ先鋭な問題意識をもってこうした取り組みを行なっているフィリピンの研究者たちは、アメリカでの留学経験をもつ人びとである。彼らは、フィリピンで得た歴史学、政治学、哲学・思想史などの素養を引っさげてアメリカで学び、アメリカ流の学問体系と格闘し、フィリピン人としての歴史的体験を学問としてまとめあげる方法を模索し続けた。そして、かつての宗主国であるアメリカの現実的姿を知ることにより、自らのなかに沈潜してきたアメリカ的思考様式や価値観を、アメリカ社会を鏡として映し出し、その呪縛を解く道を切り拓いていったのである。

だが、こうした取り組みに対して、旧宗主国アメリカのフィリピン研究学界主流派からは、冷ややかなまなざしが向けられることが多い。とりわけ、フィリピン革命の解釈をめぐっては、アメリカ人とフィリピン人の歴史学者たちの間にはいまなお大きな溝がある。そのことを白日のもとに示したのが、一九九七~九八年のフィリピン革命をめぐる激烈な歴史論争であった。この論争については、すでに小著でやや詳しく扱っているので（永野、二〇〇〇）、ここではその概略を述べるにとどめたい。

論争の発端は、フィリピン革命一〇〇周年を迎えた時期に、アメリカ人歴史学者グレン・A・メイが『英雄の捏造――没後創られたアンドレス・ボニファシオ』（May, 1997）を刊行したことによる。メイはその著書で、フィリピンでは、テオドロ・アゴンシリョ『大衆の蜂起——ボニファシオとカティプーナンの物語』（Agoncillo, 1956）の出版以来、ボニファシオがフィリピン革命を担った民衆の指導者として国民の英雄と見なされるようになったが、ボニファシオに対するこうした評価は、学問的な史料考証にもとづいたものではなく、不確かな史料やインタビュー記録によるものにすぎない、と主張したのである。メイはイレートの『キリスト受難詩と革命——一八四〇～一九一〇年のフィリピン民衆運動』（Ileto, 1979）に対しても批判の刃を向けた。メイによれば、イレートは、「コロルム」と呼ばれる民衆の自然発生的な蜂起形態がもつ千年王国的運動の延長線上に、ボニファシオが率いる結社カティプーナンの変革思想を位置づけたが、この両者をつなぐにあたってイレートが依拠した史料の信憑性が疑わしい、と主張したのである。

グレン・メイがフィリピン人歴史学者たちに放った矢は、フィリピンの歴史学界で大きな衝撃として受け取られ、多くの批判や反論が繰り返された。そうしたなかで、メイの真の意図が、史料考証批判それ自体にあるのではなく、アゴンシリョ以来、フィリピンで再構築されてきたフィリピン革命史像総体に対する全面攻撃であることを見抜き、痛烈な論陣を張ったのもイレートであった（Ileto, 1998, chap. 9）。それは、さながらアメリカとフィリピンの歴史学者の間の、「ポストコロニアリズムをめぐる言説レベルのヘゲモニー闘争」の様相を呈したのである（永野、二〇〇二b）。この論争についてごく表面的な見方をすると、メイとイレートの論争は、アメリカ人歴史学者とフィリピン人歴史学者との間のフィリピン革命史観の相違にすぎないとの判断が成り立つような錯覚を抱きかねない。しかし、メイがフィリピン歴史学者たちに挑んだ論法には、それ以上の問題が内包されていることに注目する必要がある。それは、メイの論法のなかに、アメリカ人歴史学者の思考体系に潜む文化的ヘゲモニーの存在を見てとることができるからである。この意味で、メイとイレートのフィリピン革命史をめぐる歴史論争は、文化をめぐる権力構造のなかで生起した、旧宗主国と旧植民地との間の非対称的関係のひとつの縮図といえよう（Nagano, 2004; San Juan, 2000, pp. 82-84, 205-206）。

以上の問題意識をもって、近年のフィリピン歴史研究の新潮流に接近すると、次の二つの点をその特徴として指摘することができる。第一に、大局的な視野から見ると、二〇世紀、とりわけ第二次世界大戦後にアメリカの主導権のもとで構築されてきた世界像に対して批判的な目を向けながら、植民地主義のなかで断片化されてしまった歴史を再構築する試みであること。第二には、一九九〇年代の冷戦終結後において、アメリカを先頭とする「グローバル化」が加速度を増し、そうしたなかで、ナショナリズムや国民国家を単位とする集合的記憶が「支配的言説」であるとして、それを脱構築するという議論に注目が集まったように思われる。これに対して「ポストコロニアル」という概念は、ナショナリズムや国民国家についての批判的議論に対抗する思潮として、現在その意義を確立しつつあるのではなかろうか。このようなフィリピン研究における新しい動きは、近隣東南アジア諸国における歴史研究にも相通じるものがあるばかりか、一九八〇年代からインドで展開され国際的にも注目されてきたサバルタン研究などとの共通点も見出すことができるであろう（グハほか、一九九八、Loomba, 1998）。

私は、本書で取り上げた八篇の論文を、「ポストコロニアル批評としてのフィリピン歴史研究の新潮流」として位置づけるものであるが、このことは、フィリピン研究でポストコロニアル批評に関わる研究者たちがひとつのグループとなって著作活動を行なっていることを意味するものではない。そうではなく、フィリピン研究における比較文学・政治学・歴史学など諸分野の卓越した研究を追っていくと、それらの多くが、ポストコロニアル研究と呼ばれる新たな研究分野を形成しているように、私の目には映るのである（Mendoza, 2002をも参照）。とすると、フィリピンにおけるポストコロニアル研究の潮流について議論する前に、私がポストコロニアル研究をどのように捉えているのかをここで明らかにしておく必要があろう。

まず、ポストコロニアル研究では、第二次世界大戦後に独立したアジア・アフリカ諸国や一九世紀にすでに独立を果たしたラテンアメリカ諸国など、植民地経験をもつ国々の場合、政治的に独立したのちも、その政治・経済・社会・文化的構造において植民地時代の影響を残存させている点に注目している。これまでの研究でも独立後の植民地遺制の問題についてはつとに言及されてきたが、ポストコロニアル研究では、旧植民地諸国の人びとがどのようにして植民地時代に宗主国によって移入された思考様式や価値観の虜になっていったのか、そしてそのことが植民地社会の形成と変化にどのような影響を与えたのか、さらに植民地時代以来継続してきた思考様式や価値観がいまなお社会に存在することが、その社会の脱植民地的変革への阻害要因になっているのかを明らかにしようとしている点において、新しい研究手法であると見ることができる（上野・毛利、二〇〇〇）。

しかし、ここで私がぜひとも主張しておきたいことは、日本においてポストコロニアル研究を語る意味が、欧米諸国の研究者たちがそれを語るのとは基本的に意味が異なるという点である。私たち日本人が「ポストコロニアル」に関わるということは、近代社会を形成していくなかで、日本人が西欧社会の人びとに対して「他者」として存在することを強いられながら、近隣アジア諸国の人びとに対しては「他者」であることを迫ったという、「ポストコロニアル」をめぐる二重構造を、私たちの深層心理のなかに歴史的に形成してきたことを、これまで以上に意識的に捉えなければならないことを意味する（小森、二〇〇一）。

と同時に、日本人研究者が「ポストコロニアル」に関わるに際して、決して欠落してはならないもうひとつの視点があることを、私たちは忘れるべきではないであろう。それは、日本人が歴史上「他者」であることを迫った近隣アジア諸国の人びとも、ほぼ日本人と同様に、西欧諸国を発信地とする近代化の波にさらされ、西欧から「他者」であることを迫られた歴史をもっているということである。したがって、日本人として「ポストコロニアル」に関わることは、近代社会形成期における隣国アジアの人びとの矛盾かつ錯綜した意識構造と日本人のそれとの間に共通する部分があるのかないのか、異なるとしたらいったいどの部分なのかを比較対照することが大きな意味をもつことになる（永野、二〇〇一b）。

私は、こうした作業を行なうことによって、オーストラリア、アメリカそしてヨーロッパを経由して日本に移入された「ポストコロニアル」概念を、単なる移入概念にとどめることなく、日本社会の現状とその歴史的文脈のなかにそれを位置づけながら、超克すべき近代を見据えて、今日の日本社会とその知的「植民地」状況を批判的に捉える道を切り拓くことになると考えている。私が「ポストコニアル」にとりわけこだわるのは、いわゆる他人事として「ポストコロニアル」に関わるのではなく、日本社会のなかの「ポストコロニアル」と近隣アジア諸国のなかの「ポストコロニアル」との接点と非接点を見出すことが、今日の日本の閉塞状況を克服する道につながるのではないかとの見通しをもっているからである。

日本では、冷戦の終結とともに一九五五年体制がその役割を終焉したにもかかわらず、依然として未来社会へのはっきりした展望を切り拓けないでいる。だが、そうした道を探し当てる方法は、第二次世界大戦後、とりわけ一九八〇年代に私たち日本人の知的世界のなかで一層の影響力を増してきた「アメリカという存在」の意味を捉え直すことから始まるように思われる。この意味で、アメリカ植民地言説を脱構築しようとするフィリピン人研究者たちの試みは、日本人が第二次世界大戦後にたどってきた歴史的歩みを、日本のあるべき将来像に照らしながら再検討するための、重要な手がかりとなるのではなかろうか。私は、日本人の経験と切断したかたちで本書が読まれるのではなく、日本人とフィリピン人との間のポストコロニアルをめぐる歴史的接点を見出すためのひとつの場として読まれることを、切に望むものである。

三　原著者の略歴とその著作活動

ここで原著者三人の略歴とその著作活動を紹介しよう。私は、本書の翻訳作業をとおして、また私自身の研究活動をとおして、三人の著者に直接お会いする幸運に恵まれた。レイナルド・C・イレート氏とは東京とシンガポールで、ビセンテ・L・ラファエル氏とはニューヨークとライデンで、そしてフロロ・C・キブイェン氏とはフィリピンのイロイロ市でお話を伺うことができた。また、三人の著者とかなり頻繁に電子メールを交換し、フィリピン研究やポストコロニアル研究、そして翻訳活動の意味、果ては「9・11テロ」以後の国際情勢や日本社会の問題について意見を交換する機会を得ることになった。ここでは、さまざまな著書や論文のみならず、そうした三人の著者との出会いや数年間の電子メールのやりとりなどをとおして私が心に描いている、三人の著者の人物像を素描することにしたい。

レイナルド・C・イレート　レイナルド・C・イレートが、フィリピンの歴史学者として、今日、最も注目されている人物であることを否定するひとは少ないであろう。同氏は、著作活動や学会での発表、さらには講演活動において、きわめてユニークな議論を展開する歴史学者であり、それゆえ多くの研究者たちの耳目を集めてきたし、同時に多くの批判も浴びてきた。二〇〇三年には第一四回福岡アジア文化賞の学術研究賞を受賞するなど、日本の東南アジア研究者の間でも高い評価を得てきた歴史学者である。日本では、フィリピン革命史研究者として著名な池端雪浦の研究をとおして、一九八〇年代からイレートの業績が紹介されてきた（池端、一九八七、池端、二〇〇一）。

まずその略歴を紹介すると、イレートは一九四六年一〇月にマニラに生まれた。一九六七年にフィリピンで最も優れた私立大学とされるアテネオ・デ・マニラ大学を卒業後、アメリカのコーネル大学に留学し、一九七〇年に修士号（東南アジア史・近現代中国史）、七五年に博士号（東南アジア史・人類学）を取得した。そして、博士論文をもとに大幅な加筆を行なって一九七九年に出版したのが、前掲の名著『キリスト受難詩と革命』（Ileto, 1979）である。同書を出版したとき、イレートは国立フィリピン大学ディリマン校歴史学科助教授の職にあった。当時、同大学の歴史学科の重鎮はテオドロ・アゴンシリョであったが、イレートが『キリスト受難詩と革命』でアゴンシリョの『大衆の蜂起』（前掲）のもつ限界を指摘したことで両者の関係が悪化し、当時アゴンシリョの一番弟子とされたミラグロス・ゲレーロとの間で『キリスト受難詩と革命』をめぐって激烈な論争が展開された。そのときのゲレーロの批判に対するイレートの反論は、イレートのフィリピン革命史研究第二作『フィリピン人と彼らの革命――出来事、言説、歴史学研究』（Ileto, 1998）の第9章に収録されている。イレートにとって、フィリピンは留学を終えて久しぶりに戻った母国であったが、『キリスト受難詩と革命』はその先鋭な問題意識と優れた論述の展開ゆえに、すんなりとフィリピンの歴史学界では受け入れられなかったのである。

これに対して、イレートの研究はアメリカの東南アジア研究学界できわめて高い評価を獲得し、一九八五年には東南アジア研究者の卓越したデビュー作に贈られるハリー・ベンダ賞を米国アジア研究学会（AAS）から受賞した。翌一九八六年からはオーストラリアのジェームズ・クック大学で教鞭をとり始め、九六年にオーストラリア国立大学に移った。イレートの研究に対するスタンスに一定の変化が生じたのは、私がご本人からお聞きした限りでは、オーストラリア社会におけるアジア人に対する潜在的な「人種差別」を意識し始めてからのようである。アメリカで大学院生として留学していたときとは異なり、大学の教官として勤務することにより、否応なく「白人」と「アジア人」の相違を意識するようになったという。そうしたなかで、『キリスト受難詩と革命』を生む学問的土壌となったアメリカの東南アジア研究の枠組みに対しても、従来以上に批判的な問題意識をもつことになる。本書の第3章として訳出した「オリエンタリズムとフィリピン政治研究」がはじめて活字論文として発表されたのは一九九九年であるが（Ileto, 1999）、最初の執筆は一九九五年であったという。こうしたなかで、イレートとアメリカのフィリピン研究主流派との正面衝突が、前述のように、一九九七〜九八年のグレン・メイとの論争というかたちで展開されたのである。

イレートは、目下、革命史研究第三作として『知と平定――アメリカの占領に関する評論とフィリピン史についての叙述』（Ileto, forthcoming）を刊行する準備を進めているが、本書の第1部「フィリピン革命史研究からオリエンタリズム批判へ」に収録された三篇の論文（第1、2章は大幅改訂の上）は、いずれもこの第三作に収録される予定である。私は『知と平定』全一一章の草稿に目を通させていただくご好意に与ったが、この草稿を読むことによって、本書の第1部に収録された三篇の論文をイレートの長年の革命史研究のなかに位置づけることができるようになった。すなわち、『キリスト受難詩と革命』と『フィリピン人と彼らの革命』の主題は、一八九六〜九八年のフィリピン革命をなぜ、どのようにしてフィリピン人が闘ったのか、そしてそれが未完の独立革命に終わったことにより、「革命」という過去が現在においてどのように存在しているかを明らかにすることにあった。これに対して、『知と平定』（草稿）では、議論の中心が、一八九九～一九〇二年のフィリピン・アメリカ戦争へと移行し、この戦争の意味を批判的に検討すると同時に、フィリピンの政治と社会にいまなお取り憑いているアメリカという「亡霊」を析出することが主題となっている。さらに、その第9、10章では、イレートがコーネル大学での研究生活を経て「歴史学者イレート」となる過程とその後の歴史研究における主軸の旋回について自ら語っており、『知と平定』（草稿）の際立った特徴となっている。また、最終章となる第11章は、本書第3章として訳出した「オリエンタリズムとフィリピン政治研究」論文であり、同章が今日のイレートの歴史学研究の基盤であることを窺わせる。

この論文は一九九九年の発表以来、大きな反響を呼び、二〇〇二年にはフィリピン政治学会刊行の『フィリピン政治学ジャーナル』上で、アメリカとフィリピンの研究者三人とイレートとの間で激烈な論戦が展開された（Azurin, 2002; Ileto, 2002; Lande, 2002; Sidel 2002）。それは、一九六〇年代半ばからアメリカにおけるフィリピン研究の主流派をなしてきた分析枠組みに対する全面的批判を展開したものである。イレートがここで「オリエンタリズム」として批判するアメリカ主流派のフィリピン研究の基本的分析枠組みとは、機能主義的社会科学理論のなかで構築され、カール・ランデがフィリピン研究に導入することに成功した「パトロン・クライアント関係」であり、そのフィリピン版は、互酬的社会関係にもとづく「恩義」（utang na loob）や「恥」（hiya）の概念であった。イレートはすでに『キリスト受難詩と革命』でこのことを示唆しており（Ileto, 1979, pp. 11-15）、この互酬的社会関係概念に関する批判的検討は、ビセンテ・L・ラファエルによって継承・発展された（Rafael, 1988, chap.

4)。さらに、近年の研究においては、二〇〇一年にフィリピン研究では実に一六年ぶり、イレートについで二番目にハリー・ベンダ賞を受賞した、フェネーリャ・カーネルのルソン島南部ビコール地方の研究によってより詳細に議論されている（Cannell, 1999）。

このように見てくると、イレートによるアメリカの東南アジア研究の枠組みに対する批判は、決して一九九〇年代に始まったものではないことがわかるであろう。イレートはすでにコーネル大学に留学していたときから、アメリカ流の学問体系に対して懐疑的なまなざしを向けていたようだ。なぜなら、イレートをして『キリスト受難詩と革命』を生み出させたものは、アテネオ・デ・マニラ大学時代に身につけた西洋哲学・思想史とアメリカ流の社会科学との間のギャップにどう折り合いをつけるかという、深淵な哲学的苦悶と思想上の葛藤にあったからである（Ileto, 1989, preface）。なお、イレートは二〇〇一年にオーストラリア国立大学からシンガポール国立大学に移り、現在、同大学東南アジア研究プログラム長として教授の地位にある。邦訳論文に（イレート、二〇〇二）があり、主著『キリスト受難詩と革命』の邦訳も近く刊行の予定である。

ビセンテ・L・ラファエル　ビセンテ・L・ラファエルは、一九五六年二月にマニラで生まれた。一九七七年にアテネオ・デ・マニラ大学を卒業後、二年間、同大の歴史学科で教鞭をとったのち、アメリカのコーネル大学に留学し、一九八四年に、東南アジア史を主専攻とし、人類学および西欧思想史を副専攻として博士号を取得した。そして博士論文をもとに、先述のように、一九八八年に野心作『契約としての植民地主義——初期スペイン統治支配下のタガログ社会における翻訳とキリスト教への改宗』（Rafael, 1988）を出版したのである。

ラファエルとイレートの研究上の接点はきわめて強い。ラファエルが、『白人の愛とフィリピン史におけるその他の出来事』(Rafael, 2000) の謝辞で述べているように、イレートの「深淵な想像性と強靱な知性」はラファエルの仕事に大きな影響を与えてきた。年齢的にイレートとラファエルはちょうど一〇歳違いであり、イレートがコーネル大での留学生活を終え、一九七七年から国立フィリピン大学歴史学科で教鞭をとり始めた頃から、ラファエルはイレートの授業に参加し、知的に大いに啓発されたという。その後、ラファエルは、アテネオ・デ・マニラ大学歴史学科教授ジョン・N・シューマッハーの強い勧めもあって、コーネル大に留学することになったと聞いている。

こうした経緯もあって、ラファエルの『契約としての植民地主義』は、イレートの『キリスト受難詩と革命』から、キリスト受難詩をテキストとして民衆の抵抗思想を析出するという手法や、フィリピン社会の互酬的社会関係概念に関する批判的検討において、多くの示唆を受けている。ラファエルの『契約としての植民地主義』は、一六世紀後半から一八世紀初頭のスペイン植民地支配初期を考察の対象として、マニラ周辺地域のタガログ語を母語とする社会の人びとのカトリックへの改宗事業とその後の植民地化のなかで言語が果たした役割を分析したものである。ラファエルは、スペイン人とタガログ人との間の意志伝達形態の歴史的諸相を、デリダやフーコーなどのポスト構造主義理論を駆使しながら、鋭い分析を推し進めていく。そうすることによって、ラファエルは、スペイン植民地支配体制の形成過程とそれに対する住民による抵抗形態の萌芽の双方を描写することに成功することになる。とりわけラファエルの明晰な理論的思考が輝くのは、スペイン人の宣教師たちがタガログ語の文法書や辞書を編纂し、カトリックの教義をタガログ語へと翻訳する過程において、彼らの権力や交換に関する観念が、こうしたテキストのなかにコード化され、果てはタガログ社会の文化に影響を与えていく過程の卓抜な論述においてである。

いみじくもラファエル自身が語っているように、『契約としての植民地主義』は、コーネル大の人類学者として著名なジェームズ・シーゲルが中部ジャワの古都ソロを舞台として、現代インドネシアの社会秩序の形成、崩壊そしてその後の再形成と翻訳との関係を分析して得た結果とほぼ同様の結論が得られたとしている（Rafael, 1988, p. 210）。したがって、『契約としての植民地主義』は、ポスト構造主義理論、イレートの『キリスト受難詩と革命』、そしてジェームズ・シーゲルの東南アジア人類学研究が見事に混成された研究成果といえよう。しかし、その後のラファエルの研究は、イレートの研究との比較でいえば、ポスト構造主義理論にもとづくテキスト分析に一層傾斜していく。この結果、ポスト構造主義理論それ自体に対する理解と同理論のテキスト分析への応用という点では、ラファエルはイレートを凌ぐことになる。このことは、本書第2部第4章に訳出した論文「白人の愛――アメリカのフィリピン植民地化とセンサス」を、イレートが、本書第1部第2章訳出論文で頻繁に引用していることからも垣間見ることができる。イレートが、現代と過去との間の緊張した対話を軸に歴史文書を読み、類いまれな感性のもとで、その解読に必要な限り哲学・思想史の諸理論を援用する歴史学者であるとするならば、ラファエルは、その秀でた理論的受容能力を武器として、歴史研究のなかにポスト構造主義理論の究極的なまでの導入を試みる気鋭の研究者といえよう。

ラファエルの第二作『白人の愛とフィリピン史におけるその他の出来事』は、こうした意味で、ラファエルの研究者としての持ち味を十二分に発揮した著作である。本書第2部に訳出した三つの論文は、そうしたラファエルの力量を窺わせる見事な作品である。それだけに訳出は困難をきわめた。ラファエルの研ぎ澄まされた理論的思考様式と計算し尽された論述方法は、ひとつの用語の誤訳によっても、全体の議論が崩壊するおそれすらあるからである。訳文の推敲には細心の注意を払ったが、思わぬ間違いがあるかもしれない。読者の忌憚ないご批判を乞う次第である。なお、第4章「白人の愛――アメリカのフィリピン植民地化とセンサス」と同一のテーマを扱った研究に（Vergara, 1995）がある。センサスをアメリカ植民地主義の現出形態として読むことはきわめて重要であり、私もラファエルらの研究に触発されて小稿をまとめた（永野、二〇〇一a）。しかし、このテーマに関する議論をさらに進めるには、一九世紀末にスペイン植民地政庁のもとで導入され始めていたセンサスの意味を再構成し、アメリカがなぜことさらに「一九〇三年センサス」をフィリピンにおける最初の近代的センサスと主張するのか、その含意を読みとることが、アメリカ植民地時代のセンサスをより広い歴史的展望から脱構築することにつながるであろう。また、第5章「植民地の家庭的訓化状況――帝国の縁辺で生まれた人種、一八九九〜一九一二年」と同様、ジェンダーに関わるテーマを扱った近著に（Holt, 2002）があり、とくにその第四章では、ラファエルと交錯する議論が展開されている。

最後にラファエルの職歴を概略しよう。ラファエルはコーネル大から博士号を取得後、一九八四〜八八年にハワイ大学歴史学科助教授を務めた。一九八八年にはカリフォルニア大学サンディエゴ校コミュニケーション学科准教授となり、九九年には同教授に昇格した。二〇〇三年からはワシントン大学歴史学科教授として教鞭をとっており、この間に二冊の論文集の編集に携わっている（Rafael, 1995; Rafael 1999）。ラファエルは現在新しい著書を執筆中で、一九世紀後半スペイン植民地時代のフィリピン・ナショナリズムを、翻訳、通信技術、反植民地的抵抗との関係で分析することが、そのテーマであるという。デビュー作『契約としての植民地主義』と新作とがどのように交錯することになるのか、大変楽しみである。

フロロ・C・キブイェンは、イレートやラファエルと異なる経歴の持ち主である。両者が学究一筋の道を歩んできた研究者であるとすると、キブイェンは一九九九年に『挫折した民族——リサール、アメリカのヘゲモニー、フィリピン・ナショナリズム』(Quibuyen, 1999) を公刊するにいたるまで、相当の回り道をしてきた人物である。

キブイェンは、一九四七年一一月にマニラで生まれた。国立フィリピン大学ディリマン校で哲学を専攻し一九六八年に卒業後、七一年まで同大タルラック校で、そして七一〜八六年には同大マニラ校で教鞭をとった。この間に担当した科目は、心理学、人類学、フィリピン史など多岐にわたったという。さらに一九七九年からは映画製作に従事し始め、八六年までに三本の作品を製作し、この三作品ともにマニラ短編映画フェスティバル試作映画部門にベストテン入りした。このうちの一本は、ルソン島のバナハウ山における千年王国運動で知られるリサリスタ運動をテーマとするものであった。キブイェンはまた、反マルコス体制運動にも積極的に関わり、一九八六年の「二月革命」によるマルコス政権崩壊を目の当たりにすることになる。期せずして、キブィエンは一九八六年にハワイ大学に留学し、人類学で修士号(一九八八年)を、政治学で博士号(一九九六年)を取得した。キブイェンのデビュー作『挫折した民族』はこの博士論文をもとに執筆されたものである。なお、キブイェンは一九九四年以来オーストラリアのシドニーに在住し、フリーランスの研究者として研究・執筆活動を行なってきた。二〇〇一〜〇二年に国立フィリピン大学ビサヤ校で教鞭をとり、二〇〇四年には国立フィリピン大学ディリマン校アジア研究センター准教授に就任している。

本書でその二章を訳出したキブイェンの著書『挫折した民族』の主題は、フィリピン史上の国民的英雄ホセ・リサール像の再検討である。そこでの著者の一貫した主張は、アメリカ植民地時代を経て今日にいたるまで広くフィリピン人の間に定着してきたリサール像は、実はアメリカ植民地統治のもとで形成されてきた言説である、というものである。そのリサール像とは、「リサールはスペインとフィリピンとの併合賛成論者であり、有産知識階層《イルストラード》として革命を拒否した人物である」とするものであった。これに対して、キブイェンは、従来見過ごされてきた歴史文書の検討などをとおして、「リサールは単なる改革主義者ではなく、結社カティプーナンの武装蜂起に理解を示すような抵抗思想の体現者であった」との見解をもつにいたるのである。『挫折した民族』は一〇章からなり、いずれの章でも興味深い議論が展開されているが、とくに本書では、キブイェンの議論の流れが日本の読者によく伝わると思われる二つの章を訳出した。これら二つの章では、二〇世紀初頭以降のフィリピン歴史研究のなかで、どのような歴史文書にもとづいてフィリピンの知識人や歴史学者、さらにはアメリカ人植民地行政官たちが「改革主義者」ホセ・リサール像を構築し、それが第二次世界大戦後の独立後今日にいたるまでフィリピン人の心を捉え続けてきたという事実について批判的検討を与えている。とりわけ本書第7章「リサールとフィリピン革命」では、フィリピンの急進的批評家として名をなしたレナト・コンスタンティーノが、一九六九年にフィリピン人の国民的英雄はホセ・リサールではなく結社カティプーナンの指導者アンドレス・ボニファシオであるとの有名な講演を行なったが（Constantino, 1969）、こうしたコンスタンティーノのリサールに対する否定的評価も、実はアメリカ版公定リサール像にもとづくものであったとの鋭い指摘が見られる（永野、二〇〇二、永野、二〇〇三）。

　さらに、本書第8章「フィリピン史をつくり直す」で、キブイェンはもう一歩議論を進めている。すなわち、コンスタンティーノは現代のリサール像はアメリカが創り上げた偶像であることを見抜くものの、自らこの偶像をもとにリサール批判を行なうという限界をもっていたのに対して、一九世紀フィリピン・ナショナリズム研究における正統派歴史学者として多くの著書をもつジョン・N・シューマッハー、そして本書で取り上げているレイナルド・C・イレートだけが、コンスタンティーノのリサール論を超えるものをもつことに注目する。そしてキブイェンは、シューマッハーが、コンスタンティーノの「盗用《アプロプリエーション》」という概念を援用しながら、アメリカ版リサール像について詳説することに最も近づいているものの、イレートと同様に、国家形成時代における政治の枠組みのなかでそれを議論するにはいたっていないとする。キブイェンによれば、リサールの盗用には、シューマッハーが主張するように、フィリピン人の意識からスペイン植民地時代の過去を切り離してしまうという意味合いがあったのではなく、むしろ、スペイン植民地時代の過去をもアメリカ植民地時代の政策に役立たせるために改変したのである。他方、このキブイェンによる批判に対して、シューマッハーは、「単なる改革主義者ではなく急進的な抵抗思想の体現者でもあった」というリサール像を構築するにあたってキブイェンが利用した史料や著書についての問題点を指摘し、書評論文を発表した（Schumacher, 2000）。こうして、キブイェンとシューマッハーとの間で、リサール論はもとより、歴史解釈や史料批判をめぐって両者が一歩も譲らない緊張した論争の火ぶたが切って落とされたのである（Quibuyen, 2002; Schumacher, 2002）。リサール像というひとつの植民地言説をめぐってここでも新たな論争が巻き起こっている。

キブイェンは、また本書第8章「フィリピン史をつくり直す」で、イレートの議論に対しても批判的見解を示している。それはイレートのリサール論に対する正面からの批判ではなく、イレートの民衆運動に対する見方が「現実離れ」しているというものである。とくにキブイェンは、「イレートからビセンテ・ラファエル、そしてベニト・ベルガラ・ジュニアにいたる、若手のポスト構造主義者でコーネル大学で訓練されたフィリピン歴史学者に見られる、意味をめぐる抗争をまるで記号の配置をめぐる社会諸勢力間の公明正大な争いでもあるかのように解釈する傾向は、本当に危険である」と述べている。キブイェンのこの見解に対して、私は次の二つの留意点をあげておきたい。

第一に、レイナルド・イレートのリサール論についてである。イレートは一九八二年に「リサールとフィリピン史の底流」と題する卓越した論文を発表している。この論文は、従来のリサール研究ではまったく議論されなかった、フィリピン革命とリサールの接点をフィリピン土着文化の文脈のなかで位置づけたもので、キブイェンもイレートのリサール論を随所で引用している。私がこの論文に目をとおしたのは、初出論文から一六年を経て、『フィリピン人と彼らの革命』の第二章として再録されたもので (Ileto, 1998, chap. 2)、読み進むうちに自らのリサール像が大きく変転していった感動をいまでもよく覚えている。そうした経験をもつ私は、キブイェンのリサール像をイレートのそれとほぼ重ね合わせることができるように思う。このため、私は、キブイェンが主張するほど、キブイェンとイレートとの間にはリサール像をめぐって大きな違いがないのではないかとの印象をもっている。第二には、イレート、ラファエル、ベルガラの、コーネル大学で博士号を取得した三人の歴史学者をひとまとめにして「ポスト構造主義者」として呼んでいる点である。本書ではベルガラの仕事について詳しく紹介する余裕はないが (Vergara, 1995を見よ)、イレートとラファエルの二人の歴史学者を比較しても、両者の間にその研究手法にきわめて大きな違いのあることはすでに議論したとおりである。このように「ポスト構造主義者」としてレッテルを貼ることによって、それぞれの研究者の個性あふれる研究成果の意義を理解する機会を失うばかりか、理論と現実、あるいは史料との限りない対話を繰り返すことによって創造される歴史研究の無限の広がりに制限を設けることになるのではないかとの危惧を抱くのは、私だけであろうか。

ここで、歴史事実の解釈の問題を単なる歴史的相対主義の問題に還元する危険を避けることを願いながら、E・H・カーの古典的名著『歴史とは何か』から一文を引用しておこう。「本当の意味の歴史というものは、歴史そのものにおける方向感覚を見出し、これを信じている人々だけに書けるものなのです。私たちがどこから来たのかという信仰は、私たちがどこへ行くのかという信仰と離れ難く結ばれております。未来へ向かって進歩するという能力に自信を失った社会は、やがて、過去におけるみずからの進歩にも無関心になってしまうでしょう」（カー、一九六二、一九七〜一九八頁）。本書に収録した三人のフィリピン人研究者たちの意欲的な作品群を、「独立後世代」の知的営為のひとつの新潮流であるポストコロニアル研究として位置づけることに、私が強い関心を向ける理由はここにある。

四　訳業を終えるにあたって

最後に、本書における翻訳作業の手順について述べることにしたい。本書をこのようなかたちで編集することを思いついたのは、いまから三年ほど前の二〇〇一年六月頃のことと記憶している。同年九月には「9・11テロ」の衝撃を受けつつ、原著者三人の方々と連絡をとり始め、本書として訳出する論文を選択した。ついで共訳者になって下さる方々とご相談して分担を決定し、同年末から翌年はじめにかけて版権取得の交渉を出版社や原著者と行なった。実際に翻訳作業に入ったのは二〇〇二年の新学期に入ってからのことである。共訳者の寺田勇文氏、宮脇聡史氏、内山史子氏、そして辰巳頼子氏の翻訳原稿を拝見しつつ、私自身も翻訳作業に従事した。共訳者の方々との翻訳原稿のやりとりは数回に及び、最終稿が五稿ないし六稿にまでにいたった場合もある。私が担当した二つの章の点検は、宮脇聡史氏の手を煩わせた。

各章の訳語については、できる限りの統一をはかった。ただし、原著者の解釈もしくは訳者の判断によって、異なる訳語を選択した場合もある。"nationalist"の訳語としては、「民族主義者」を充てたが、多くの場合「国民主義者」の意味合いも含んでいることをお断りしたい（あえて「ナショナリスト」とカタカナ書きにしなかったのは、できる限りカタカナ書きを避けたかったからである）。訳注は、第1部第1章については内山史子氏にお願いし、第1部第2章から第3部第8章までは、全体の統一をはかるためすべて私が担当した。訳注の作成にあたっては、（*Filipinos in History*, 1989, 1990, 1992, 1994）、（石井ほか、一九八六）、（石井ほか、一九九二）、（池端、一九八七）などを参照した。

原文中の語句の意味については筑波大学社会科学系教授レスリー・E・バウソン氏から、タガログ語については大阪外国語大学助教授大上正直氏から、さらにスペイン語については神奈川大学外国語学部教授後藤政子氏からご教示を受けた。また、三人の原著者である、レイナルド・C・イレート氏、ビセンテ・L・ラファエル氏、フロロ・C・キブイェン氏には、本書の翻訳作業を三年近くの間、温かく見守っていただいた。そのほか、お名前をあげるのを差し控えさせていただくが、幾人かの方々からご援助を賜った。記して感謝の意を表したい。なお、本書の刊行に際しては、二〇〇三年度トヨタ財団「隣人をよく知ろう」プログラム翻訳出版促進助成の交付を受けた。編集作業は出版社めこんの桑原晨氏のお世話になった。心よりお礼申し上げます。

二〇〇三年三月のアメリカのイラク攻撃以降、「テロの時代」の病巣が世界のあちらこちらで広がっている。二〇〇一年の「9・11テロ」をきっかけとして、「グローバル化の時代」から、「テロの時代」

へと急旋回したことは、一九九〇年代の「グローバリズム」がある意味でアメリカ主導のイデオロギーであったことを示唆するものであろう。日本ではますますアメリカ追随の政策や考え方が強くなるなかで、魑魅魍魎が跋扈し、偽善と欺瞞が渦巻き、多くの事実が隠蔽されているように見える。こうした危機の時代に、私たちが思考の原核を維持しながら研究活動を続けるのは容易なことではない。サイードが語ったように、知識人とはいつの時代にも少数派であり、孤独な存在なのであろう（サイード、一九九八）。しかし、本書に収録された論文は、ともすれば知的惰性へと流れやすい私たちを、質の高い研究や著作のなかで繰り広げられる知性の世界のすばらしさへと導いてくれるのではなかろうか。私は、「翻訳のもつ倫理・政治的意義」（酒井、一九九七、七頁）について思索しながら、本書がひとりでも多くの読者を獲得することを願ってやまない。

【参考文献】

Agoncillo, Teodoro, A. 1956 (1st ed) /1996 (reprint). *The Revolt of the Masses: The Story of Bonifacio and the Katipunan*, Quezon City: University of the Philippines.

Azurin, Arnold M., 2002. “Orientalism? Priviledged Vistas Most Probably,” *Philippine Political Science Journal*, vol. 23, no. 46.

Cannell, Fenella, 1999. *Power and Intimacy in the Christian Philippines*. Quezon City: Ateneo de Manila University Press.

Constantino, Renato, 1969. “Veneration without Understanding,” Third National Rizal Lecture, 30 December 1969; In *Dissent and Counter Consciousness*, Manila: Erewhon, 1970（加地永都子訳「無理解

による崇拝——リサール論」レナト・コンスタンティーノ著、鶴見良行監訳『フィリピン・ナショナリズム論』井村文化事業社、一九七七年)。

Filipinos in History, 1989, 1990, 1992, 1994. 4 vols., Manila: National Historical Institute.

Holt, Elizabeth Mary, 2002. *Colonizing Filipinas: Nineteenth-Century Representations of the Philippines in Western Historiography*, Quezon City: Ateneo de Manila University Press.

Ileto, Reynaldo C., 1979(1st ed)/1989(3rd ed). *Pasyon and Revolution: Popular Movements in the Philippines, 1840-1910*, Quezon City: Ateneo de Manila University Press.

———, 1998. *Filipinos and Their Revolution: Event, Discourse, and Historiography*, Quezon City: Ateneo de Manila Univeristy Press.

———, 1999. *Knowing America's Colony: A Hundred Years from the Philippine War*, Philippine Studies Occasional Paper Series no. 13, Center for Philippine Studies, University of Hawai'i at Manoa.

———, 2002. "On Sidel's Response and Bossism in the Philippines," *Philippine Political Science Journal*, vol. 23, no. 46.

———, forthcoming. *Knowledge and Pacification: Essays on the U.S. Conquest and the Writing of Philippine History*. Quezon City: Ateneo de Manila University Press.

Lande, Carl H., 2002. "Political Clientalism, Developmentalism and Postcolonial Theory: A Reply to Ileto," *Philippine Political Science Journal*, vol. 23, no. 46.

Loomba, Ania, 1998. *Colonialism/Postcolonialism*, London and New York: Routledge (アーニャ・ルーンバ著、吉原ゆかり訳『ポストコロニアル理論入門』松柏社、二〇〇一年)。

May, Glenn Anthony, 1997. *Inventing a Hero: The Posthumous Re-Creation of Andres Bonifacio*, Quezon City: New Days Publishers.

Mendoza, S. Lily, 2002. *Between the Homeland and the Diaspora: The Politics of Theorizing Filipino and*

Filipino American Identities: A Second Look at the Poststructuralism-Indigenization Debates, New York and London: Routledge.

Nagano, Yoshiko, 2004. "Collective Memory in a 'Globalized Society': The Debate on the Philippine Revolution Reconsidered," *What is to be Written?: Setting the Agendas for Studies of History: Workshop Proceedings,* Institute for International Studies, Meiji Gakuin University.

Quibuyen, Floro C., 1999. *A Nation Aborted: Rizal, American Hegemony, and Philippine Nationalism*, Quezon City: Ateneo de Manila University Press.

———, 2002. "Rizal and Filipino Nationalism: Critical Issue," *Philippine Studies*, vol. 50, no. 2.

Rafael, Vicente L., 1988. *Contracting Colonialism: Translation and Christian Conversion in Tagalog Society under Early Spanish Rule*, Ithaca: Cornell University Press.

———, ed., 1995. *Discrepant Histories: Translocal Essays in Filipino Cultures*, Philadelphia: Temple University Press.

———, ed., 1999. *Figures of Criminality in Indonesia, the Philippines and Colonial Vietnam*, Ithaca: Southeast Asian Program Publications, Cornell University.

———, 2000. *White Love and Other Events in Filipino History*, Durham, N.C.: Duke University Press.

San Juan, E., Jr., 2000. *After Postcolonialism: Remapping Philippines-United States Confrontations*, Lanham: Rowman & Littlefield Publishers, Inc.

Schumacher, John N., S. J., 2000. "Rizal and Filipino Nationalism: A New Approach," *Philippine Studies*, vol. 48, no. 4.

———, 2002. "Reply of John N. Schumacher to Floro Quibuyen's Response to the Review of His *A Nation Aborted,*" *Philippine Studies*, vol. 50, no. 3.

Sidel, John T., 2002. "Response to Ileto: Or, Why I Am Not an Orientalist," *Philippine Political Science*

Journal, vol. 23, no. 46.

Vergara, Benito M. Jr., 1995. *Displaying Filipinos: Photography and Colonialism in Early 20th Century Philippines*, Quezon City: University of the Philippine Press.

池端雪浦、一九八七、『フィリピン革命とカトリシズム』勁草書房。

――、二〇〇一、「イレート（レイナルド・C）」尾形勇・樺山紘一・木畑洋一編『二〇世紀の歴史家たち（4）世界編 下』刀水書房。

石井米雄・高谷好一・前田成文・土屋健治・池端雪浦監修、一九八六、『東南アジアを知る事典』平凡社。

――監修、鈴木静夫・早瀬晋三編集、一九九二、『フィリピンの事典』同朋舎。

イレート、レイナルド・C、二〇〇二、「南ルソンにおける植民地戦争――比米戦争の記憶と忘却」（内山史子訳『一橋大学国際シンポジウム 二〇世紀の夢と現実――戦争・文明・福祉』加藤哲郎・渡辺雅男編、彩流社。

上野俊哉・毛利嘉孝、二〇〇〇、『カルチュラル・スタディーズ入門』筑摩書房。

カー、E・H、一九六二、『歴史とは何か』清水幾太郎訳、岩波書店。

グハ、R、G・パーンデー、P・チャタジー、G・スピヴァック、一九九八、『サバルタンの歴史――インド史の脱構築』竹中千春訳、岩波書店。

小森陽一、二〇〇一、『ポストコロニアル』岩波書店。

サイード、エドワード・W、一九九八、『知識人とは何か』大橋洋一訳、平凡社。

酒井直樹、一九九七、『日本思想という問題――翻訳と主体』岩波書店。

永野善子、二〇〇〇、『歴史と英雄――フィリピン革命百年とポストコロニアル』（神奈川大学評論ブックレット一一）、御茶の水書房。

――、二〇〇一a、「アメリカ植民地国家とフィリピン国民の創造――『一九〇三年センサス』に見る」『商経論叢』（神奈川大学）第三六巻第三号。

――、二〇〇一b、「記憶からポストコロニアルへ――「知の植民地」状況を超えるために」『神奈川大学評論』第三九号。

――、二〇〇二a、「〈全体会・グローバル資本主義と歴史認識〉反グローバリズム思潮としてのポストコロニアル批評――フィリピンの事例」『歴史学研究　増刊号』第七六八号。

――、二〇〇二b、「フィリピンの知識人とポストコロニアル研究」神奈川大学評論編集専門委員会編『ポストコロニアルと非西欧世界』（神奈川大学評論叢書一〇）、御茶の水書房。

――、二〇〇三、「フィリピン革命史論争」早瀬晋三・桃木至朗編『岩波講座　東南アジア史　別巻　東南アジア史研究案内』岩波書店。


（二〇〇四年六月記）

ま行

や行

ら行

た行

な行

は行

索引

あ行

か行

さ行

辰巳頼子（たつみ　よりこ）
1973年兵庫県生まれ、上智大学外国語学研究科博士後期課程満期退学。現在、上智大学アジア文化研究所共同研究員、専攻：文化人類学。
主要論文：「フィリピン・ムスリムの政治・社会状況と教育開発」白石隆編『開発と社会的安定――アジアのイスラームを念頭において』（日本国際問題研究所、2002年）、「グローバル・イスラームとフィリピン・ムスリム社会――マラナオの人々にとってのイスラーム復興」AGLOS New no. 4（2004年）。
翻訳：デイビッド・J・スタインバーグ著、堀芳枝・石井正子・辰巳頼子訳『フィリピンの歴史・文化・社会――単一にして多様なる国家』（明石書店、2000年）。
担当：第4章。

宮脇聡史（みやわき　さとし）
1969年東京生まれ、東京大学大学院総合文化研究科博士課程単位取得退学。現在、東京基督教大学神学部国際キリスト教学科専任講師、専攻：フィリピン地域研究、宗教社会学、政治社会学。
主要論文：「フィリピンの社会構造とキリスト教：国民統合における植民地的遺制と教会」『共立研究』第6巻第3号（2001年）、「『キリスト教国フィリピン』の現代カトリック教会の社会観・社会関与――その教会観との関わり」東京基督教大学紀要『キリストと世界』第13号（2003年）、「現代フィリピン・カトリック教会の教理教育」『東洋文化研究所紀要』第143冊（2003年）。
担当：第6章、第8章。

永野善子（ながの　よしこ）

1950年東京都生まれ、一橋大学大学院社会学研究科博士課程修了（社会学博士）。現在、神奈川大学外国語学部教授、専攻：国際関係論、東南アジア研究。

主著：『フィリピン経済史研究——糖業資本と地主制』（勁草書房、1986年）、『砂糖アシエンダと貧困——フィリピン・ネグロス島小史』（勁草書房、1990年）、『歴史と英雄——フィリピン革命百年とポストコロニアル』（神奈川大学評論ブックレット11）（御茶の水書房、2000年）、『フィリピン銀行史研究——植民地体制と金融』（御茶の水書房、2003年）。

担当：編集・監訳、第3章、第5章、解説。

内山史子（うちやま　ふみこ）

1970年群馬県生まれ、東京外国語大学大学院地域文化研究科博士後期課程単位取得退学。現在、日本学術振興会特別研究員、専攻：フィリピン現代史。

主要論文：「フィリピンにおける国民国家の形成——1934年憲法制定議会におけるその方向性」『アジア・アフリカ言語文化研究』第57号（1999年）、「フィリピンの国民形成についての一考察——1934年憲法制定議会における国語制定議論」『東南アジア——歴史と文化』第29号（2000年）、「フィリピンにおける1938年宗教教育法案論争——国家と教会と国民をめぐる言説」富士ゼロックス小林節太郎記念基金1999年度小林フェローシップ研究助成論文（2001年）。

翻訳：レイナルド・C・イレート「南ルソンにおける植民地戦争」加藤哲郎・渡辺雅男編『一橋大学国際シンポジウム　20世紀の夢と現実：戦争・文明・福祉』（彩流社、2002年）。

担当：第1章、第7章。

寺田勇文（てらだ　たけふみ）

1950年東京都生まれ、フィリピン大学社会哲学学部大学院博士課程修了（博士）。現在、上智大学アジア文化研究所教授、専攻：文化人類学、フィリピン研究。

主著・論文：寺田勇文編『東南アジアのキリスト教』（めこん、2002年）、「日本のフィリピン占領とキリスト教」池端雪浦、リディア・N・ユー・ホセ編『近現代日本・フィリピン関係史』（岩波書店、2004年）、「キリスト教」関一敏・大塚和夫編『宗教人類学入門』（弘文堂、2004年）。

担当：第2章。

レイナルド・C・イレート（Reynaldo C. Ileto）
1946年マニラ生まれ、1975年コーネル大学博士。現在、国立シンガポール大学教授。
主著：*Pasyon and Revolution: Popular Movements in the Philippines, 1840-1910* (1979); *Filipinos and Their Revolution: Event, Discourse and Historiography* (1998).

ビセンテ・L・ラファエル（Vicente L. Rafael）
1956年マニラ生まれ、1984年コーネル大学博士。現在、ワシントン大学教授。
主著：*Contracting Colonialism: Translation and Christian Conversion in Tagalog Society under Early Spanish Rule* (1988); *White Love and Other Events in Filipino History* (2000).

フロロ・C・キブイェン（Floro C. Quibuyen）
1947年マニラ生まれ、1996年ハワイ大学博士。現在、国立フィリピン大学アジア研究センター准教授。
主著：*A Nation Aborted: Rizal, American Hegemony, and Philippine Nationalism* (1999).

フィリピン歴史研究と植民地言説

初版第1刷発行 2004年8月26日

定価 2800円＋税

著者 レイナルド・C・イレート
ビセンテ・L・ラファエル
フロロ・C・キブイェン
編・監訳 永野善子

装丁 水戸部功
発行者 桑原晨
発行 株式会社めこん
〒113－0033 東京都文京区本郷3－7－1 電話 03－3815－1688 FAX 03－3815－1810
ホームページ http://www.mekong-publishing.com
印刷 モリモト印刷株式会社
製本 三水舎
ISBN4-8396-0177-1 C0030 ¥2800E
0030－0410175－8347

仮面の群れ
F・ショニール・ホセ　山本まつよ訳
定価二五〇〇円＋税

イロカノの貧しい青年がマニラの上流社会の中で、成りあがり、傷ついていく姿をドラマチックに描いたフィリピン現代文学の代表作。

民衆（上）（下）
F・ショニール・ホセ　山本まつよ訳
定価各一八〇〇円＋税

一九七〇年代はじめ、「青春」と「闘争」の時代を鮮やかに描ききった作品。フィリピンを知るために最適の現代小説。

マニラ——光る爪
エドガルド・M・レイエス　寺見元恵訳

マニラに働きに出た恋人が消えた。男は一人大都会をさまよう。スラムに必死に生きる若者たちの血と汗が匂うタガログ文学の傑作。

七〇年代
ルアールハティ・バウティスタ　桝谷哲訳
定価一九〇〇円＋税

激動の七〇年代。一人の平凡な主婦が社会と政治に目覚める過程を描いたタガログのベストセラー小説。